1984,
L'APOCALYPSE?

Pierre-Jean MOATTI

1984,
L'APOCALYPSE ?...

Collection « Connaissance de l'Étrange »

PRESSES DE LA CITÉ
9797 rue Tolhurst, Montréal H3L 2Z7 - Tél.: 387-7316

© *Les Presses de la Cité, Montréal 1982*

ISBN-2-89116-146-7

L'AUTEUR

PIERRE-JEAN MOATTI

Pierre-Jean Moatti est né à Constantine (Algérie) le 21 janvier 1912. Il fait toutes ses études au lycée d'Alger puis à la faculté de Droit de cette ville. Son père, son frère sont avocats, son oncle notaire. Il opte donc pour l'Administration et passe le concours de Chef de Cabinet de Préfet. A la déclaration de guerre il est Sous-Préfet Secrétaire Général des Hautes Alpes. Il rejoint aussitôt son régiment sur le Rhin et fait toute la Guerre 1939-40 comme sous-officier. Il en revient avec la Croix de Guerre. Et c'est l'Occupation, la Résistance, et sa révocation de Sous-Préfet par le Gouvernement de Vichy. A la libération il est réintégré dans le Corps Préfectoral par le Général de Gaulle. En octobre 1944 il est Chef de Cabinet du Ministre de l'Intérieur, en mai 1945 il est nommé Préfet (il a alors 33 ans). En 1946 il est Préfet de la Drôme; en 1947, Directeur du Cabinet du Président du Conseil. De 1948 à 1951, Directeur Général des Collectivités locales au Ministère de l'Intérieur. Puis Préfet de l'Oise jusqu'en 1954. De 1954 à 1967, il reste treize ans comme Préfet des Alpes Maritimes à Nice. Enfin, de 1967 à décembre 1973, il est Préfet de la Région de Bourgogne à Dijon.

L'âge de la retraite venu, il se met à l'étude de l'Hébreu et publie son premier livre "la Bible et les Extraterrestres", qui a été traduit à l'étranger.

"1984, l'Apocalypse ?" est le fruit de trois ans d'études et de patientes recherches.

Pierre-Jean Moatti est Commandeur de la Légion d'Honneur, Médaillé Militaire, Croix de Guerre 39-40, Médaillé de la Résistance.

5

1984,
L'APOCALYPSE?

SOMMAIRE

DES PLURIELS VRAIMENT SINGULIERS
OU
LA CLE D'ELOHIM
Que signifie ce mot hébreu "Elohim" que tous les exégètes

de la Bible, Chrétiens et Juifs, s'obstinent à traduire par "Dieu", alors qu'il s'agit d'un pluriel qui veut dire : "ceux qui viennent du ciel", "les extraterrestres" ?
Et pourquoi cette obstination ?

• •

LE PAYS DE LA PROMESSE
OU
LA CLE DU CHOIX DE CANAAN

Canaan, c'est "la terre de la promesse" !
Pourquoi les Elohim, les extraterrestres, choisissent-ils cette terre de Canaan plutôt qu'une autre pour l'attribuer aux Hébreux ?
Qu'est donc cette terre de Canaan ?

• •

LA MISSION D'AVRAM (Abraham)
OU
LA CLE DU PERIPLE DU PATRIARCHE

A lire les traductions de la Bible, tout le récit du périple d'Avram, depuis Our jusqu'à Kharan, de Kharan en Canaan, de Canaan en Egypte, son expulsion d'Egypte par Pharaon et sa fixation à Khébron en Canaan, semble un conte insignifiant narrant l'histoire d'un quelconque bédouin nomade, errant de ci de là, en poussant ses troupeaux devant lui sans but bien défini.
Il n'en est rien !
Ce sont les extraterrestres qui l'envoient avec une mission bien définie. A Our d'abord, sur les rivages du Golfe Persique, en Egypte ensuite auprès de Pharaon, à Canaan enfin !
C'est la Bible, elle-même, qui nous le dit lorsqu'on sait la lire.

"A TA RACE J'AI DONNE CETTE TERRE"
OU
LA CLE DU SILENCE DE LA BIBLE SUR LES EVENEMENTS QUI LUI SONT CONTEMPORAINS

Tous les lecteurs de la Bible s'étonnent de ne pouvoir situer que difficilement dans le temps les faits que raconte le LIVRE SACRE. Ils s'étonnent davantage encore de ne pas voir mentionnés dans la Bible des faits historiques importants de la même époque.

C'est que la Bible n'est ni un manuel d'histoire ni un atlas de géographie. Mais un livre ésotérique qui nous transmet un message qu'il faut savoir déchiffrer. Ce message nous concerne tous ! Il est d'une actualité cruciale !

• •
•

LES PHARAONS HEBREUX
OU
LA CLE DE LA REUSSITE DE JOSEPH EN EGYPTE

Tout le monde connaît l'histoire de Joseph vendu par ses frères et son étonnante réussite auprès de Pharaon.

Tout s'explique lorsqu'on découvre que ce Pharaon était hébreu, tout comme son cousin Joseph, et qu'une dynastie hébreue régna sur l'Egypte pendant un siècle et demi, de 1720 à 1580 avant notre ère !

• •
•

LA MISSION DES HEBREUX
OU
LA CLE DU CHOIX D'ISRAEL COMME PEUPLE ELU PAR LES ELOHIM

Pourquoi les extraterrestres ont-ils choisi le peuple hébreu pour contracter alliance avec lui plutôt qu'avec tel ou tel autre peuple ?

Pourquoi les Juifs sont-ils "le peuple élu" ?

Quelle est la mission que les extraterrestres ont pu confier aux Juifs sur la terre ?

•   •

FIN DES DEUX ROYAUMES HEBREUX ET DESTRUCTION DE LEURS OPPRESSEURS
OU
LA CLE DES CHATIMENTS

Pourquoi les extraterrestres après avoir attribué la terre de Canaan aux Hébreux la leur ont-ils retirée ?

Quel a été le rôle des prophètes, inspirés par les extraterrestres, dans le destin du peuple d'Israël ?

•   •

LE "DEVIN" ET LE "DIVIN"
OU
LA CLE DES PROPHETIES

La fin d'Israël, celle de Juda, la destruction, ensuite, de leurs oppresseurs, ont été annoncées par les Prophètes des décennies et parfois des siècles avant que ne se déroulent ces événements.

D'où les Prophètes tiraient-ils ce pouvoir ?

•   •

CYRUS
OU
LA CLE D'UN ESPOIR DEÇU

Cyrus, l'extraterrestre, vient délivrer les Juifs de Babylone à la date exacte annoncée par les Prophètes, deux siècles plus tôt !

Mais les Juifs ne mettent aucun empressement à regagner Jérusalem et à reconstruire le Temple.

Les extraterrestres, déçus, les abandonnent de nouveau. Et l'Empire Perse disparaît n'ayant plus sa raison d'être !

. .

L'OCCUPATION GRECQUE
OU
LA CLE DES MACCABEES

Les Juifs, abandonnés par les extraterrestres, tomberont sous le joug cruel des Grecs, en 332 avant notre ère.

Mais après plus d'un siècle d'abandon, les extraterrestres suscitent un chef de guerre, Judas Maccabée, qu'ils aideront - et ses frères après lui -, à délivrer les Juifs du joug des Grecs.

. .

LE GRAND PLAN DES ELOHIM
OU
LA CLE DE JESUS

Après un siècle d'indépendance, le royaume de Juda tombe sous la coupe de Rome malgré les traités d'alliance qui avaient été passés entre Juifs et Romains.

L'Empire Romain triomphant tenait sous sa coupe la totalité du monde civilisé de l'époque.

Et le paganisme s'épanouissait à l'ombre des légions.

L'occasion parut bonne aux extraterrestres de tenter d'amener toute cette humanité à plus d'élévation morale, à plus de sagesse et de douceur. Et ils envoyèrent sur terre un des leurs, Jésus, pour tenter de mener cette mission à bien.

. .

L'OCCUPATION ROMAINE
OU
LA GUERRE DES JUIFS

Seuls de tous les peuples occupés par les Romains, les Juifs se révoltèrent contre leur joug.

Il s'ensuivit une guerre sans pitié qui dura quatre ans, qui immobilisa les Légions Romaines les plus aguerries, de 66 à 70 de notre ère. Les Juifs y perdirent 1 100 000 morts et 300 000 prisonniers.

Jérusalem fut détruite, le Temple rasé et les Juifs dispersés à travers l'Empire en 70 après J.-C.

Ce fut la "diaspora". Elle ne s'acheva qu'en 1948.

•ˑ•

UNE NOUVELLE MISSION POUR LES JUIFS
OU
LA CLE DE LA "DIASPORA"

Le monde païen, matérialiste est victorieux !

La mission des Hébreux à Canaan est achevée ! Les extra-terrestres vont leur en confier une nouvelle : ils seront, parmi tous les peuples où ils ont été dispersés, les "Témoins des Elohim".

Ils seront chargés de "maintenir la tradition", de garder précieusement le souvenir du contact avec les extraterres-tres et le "secret" pour le renouer.

•ˑ•

LES DIX TRIBUS PERDUES D'ISRAEL
OU
LA CLE DE LA PERSECUTION DE JUDA

Les Hébreux du Royaume du Nord, déportés par les Assyriens, semblaient avoir disparu aux yeux de l'histoire. La Bible ne les mentionne plus jamais.

C'est parce qu'ils ont rompu l'Alliance avec les Elohim et sont entrés en rébellion ouverte contre les extraterrestres. Ils vont devenir les ennemis acharnés des "enfants de Juda", restés fidèles à l'Alliance.

On identifie aujourd'hui aux Dix Tribus perdues d'Israël le rameau scythique des Goths, les ancêtres des anglo-saxons. Les premiers rois de France, les premiers papes, le clergé et la noblesse médiévale furent pour la plupart des Saxons. Les Goths s'appelaient eux-mêmes "aryens".

Et ce n'est pas un des moindres paradoxes de l'histoire que les "aryens", parangons de l'antisémitisme le plus farouche, étaient des sémites eux-mêmes.

• •

L'AN PROCHAIN A JERUSALEM
OU
LA CLE DE L'ESPOIR

C'est la saga tragique des "enfants de Juda" persécutés pendant des millénaires par les peuples (les Goïm) au milieu desquels ils ont été dispersés. Mais ils gardent néanmoins l'espoir et leur confiance dans les extraterrestres pour être ramenés par eux sur la "terre promise" à leurs ancêtres.

• •

UNE NOUVELLE TENTATIVE D'UNIVERSALISME
JUIF
OU
LA CLE DU MYSTERE DES TEMPLIERS

Qu'était allé faire Hugues de Payns à Jérusalem ? Qui l'y avait envoyé et dans quel but ?

Que fait-il pendant neuf ans, que font les neuf chevaliers dans les ruines du Temple de Salomon ?

Ont-ils retrouvé l'arche d'alliance des Hébreux et le moyen de renouer le dialogue avec les extraterrestres ?

Mais les temps n'étaient pas mûrs et le grand projet d'universalisme des extraterrestres, tenté par l'intermédiaire des Templiers, n'était pas compatible avec les fondements de la société féodale de l'époque.

• •

L'AFFAIRE DREYFUS
OU
LA CLE DU SIONISME

Les persécutions dont les Juifs étaient l'objet, en Europe, amenaient régulièrement certains d'entre eux à se demander si, pour y échapper, il ne serait pas utile de recréer un Etat Juif sur la terre de leurs ancêtres.

Ce projet prit forme lorsque en 1894 un journaliste juif autrichien assista à la dégradation, à Paris, d'un officier français innocent, le capitaine Dreyfus.

Le "sionisme" (ou retour à "Sion", nom d'une des collines de Jérusalem) était né.

Il devait aboutir en 1948 à la création de l'Etat d'Israël par l'Assemblée Générale des Nations Unies, telle que l'avaient annoncée les Prophètes 2 500 ans plus tôt.

• •

L'ANTE-ELOHIM
OU
LA CLE DE L'ANTISEMITISME DE HITLER

Hitler se veut le fils des Saxons, des Goths, des Aryens, héritiers des Dix Tribus Perdues d'Israël, qui avaient rompu "l'alliance" avec les Elohim, les Extraterrestres, et avaient tout fait depuis lors pour contrecarrer le "grand plan" des Elohim.

Il entre donc en guerre ouverte contre "les intelligences du dehors", les Elohim.

Mais, pour cela il lui faut, avant tout, détruire les "alliés" des Elohim sur cette terre : les Juifs.

Les chambres à gaz, les fours crématoires en firent ainsi disparaître plus de six millions. Mais comme l'avaient prédit les prophètes il y eut encore "un reste Juif" qui devait survivre à toutes les persécutions.

• •
•

LES TEMPS MESSIANIQUES SONT ARRIVES
OU
LA CLE DE LA RESTAURATION DE L'ETAT
D'ISRAEL EN 1948

A la date indiquée par les prophéties, 1948, un Etat hébreu se reconstituait à Canaan, la "Terre Promise" aux Juifs par les extraterrestres dans les temps bibliques.

Et ce nouvel état prenait le nom d'Israël, comme l'avaient annoncé les Prophètes.

Que les extraterrestres aient aidé le nouvel état à naître, puis à surmonter les épreuves des guerres contre les Arabes paraît aujourd'hui une certitude pour maints observateurs sérieux.

• •
•

LES PROPHETIES PEUVENT-ELLES SE TROMPER ?
OU
LA CLE DES FRONTIERES DU NOUVEL ETAT
D'ISRAEL

Tout le monde discute actuellement beaucoup des frontières qui doivent être celles du nouvel état hébreu.

Et, cependant, elles ont été tracées au cordeau par les Prophètes Isaïe et Ezéchiel, il y a deux mille cinq cents ans, avec un luxe de détails et des précisions telles qu'il serait vraiment curieux qu'ils aient pu l'un et l'autre se tromper.

• •

LA PAIX AU PROCHE-ORIENT EST-ELLE POUR BIENTOT ?
OU
LA CLE DE L'AVENIR D'APRES LES PROPHETIES

Oui ! La paix est pour bientôt au proche Orient.
Elle est annoncée dans les prophéties.
Mais ce ne sera pas n'importe quelle paix !

• •

L'APOCALYPSE EST-ELLE POUR DEMAIN ?
OU
LA CLE DE LA GUERRE DE "GOG ET MAGOG" !

Le Prophète Ezéchiel a prédit il y a 2 500 ans que la Russie envahirait Israël, qui sera seul et abandonné de tous.
Mais tous les Prophètes ont prédit que ce jour-là les extra-terrestres viendront au secours de leurs alliés, les Juifs, et utiliseront contre les armées de l'envahisseur des armes effrayantes, probablement atomiques.
Ce sera l'Apocalypse !
Et la Russie et tous ses alliés seront anéantis.
Une date peut même être avancée pour ces événements.

Aux Elohim,
avec toute ma reconnaissance !

AVANT-PROPOS

Lorsque j'ai pris ma retraite, j'ai souhaité ne pas rester dans une totale inactivité intellectuelle.

J'avais bien approché déjà, dans ma jeunesse, quelques langues étrangères que j'appellerai "classiques", en plus du traditionnel latin, et du grec, un peu moins couru.

Mais je voulais me lancer dans une étude plus ardue. Et j'hésitais entre le chinois et le russe, auxquels s'étaient adonnés deux hommes politiques, dont la carrière avait connu une éclipse momentanée, et pour lesquels j'avais une profonde amitié.

Mais l'on m'a dit : "— Si vous voulez vraiment vous démarquer dans une étude originale, essayez donc l'hébreu. C'est encore plus difficile !".

Et, c'est ainsi que je me suis lancé tout seul dans le "Prozdor lalashon ha-hivrit" (Initiation à la langue hébraïque), puis dans le "Daréga Alef" (Cours Elémentaire), et dans le "Daréga Bêt" (Cours Moyen), que j'avalais en quelques mois, en même temps qu'une "Initiation à la Littérature Hébraïque de la Bible à nos jours"...

Au risque de décevoir, je dois avouer que c'est vraiment un pur hasard qui m'a ainsi dirigé dans cette voie. Je n'avais de ma vie jamais approché d'un texte hébreu, ni de ce mystérieux alphabet.

Aucune religiosité, aucun appel mystique des profondeurs ancestrales n'ont guidé mon choix !

Pur hasard aussi que ces opuscules du Premier et du Second Degré aient proposé des textes tirés de la Bible parmi les devoirs de traduction imposés aux élèves.

Je reconnais que j'ai été aussitôt fasciné par cet alphabet "aux lettres carrées", et par la forme de pensée de l'hébreu qui est déconcertante pour un esprit façonné par la culture occidentale.

Est-ce l'attrait de la nouveauté, le goût de la difficulté ?

Que sais-je ? Toujours est-il que je me suis pris au jeu !

Je me suis procuré la Bible en hébreu. C'est assez impressionnant !

Pas un mot de français ! Pas une lettre latine ! Pas un chiffre "arabe" ! Rien de familier... Que de l'hébreu !

Et je me suis mis à traduire à l'aide d'un gros dictionnaire (dont il a fallu d'abord apprendre à se servir, et ce n'est pas très facile).

Pour m'assurer que ma traduction était correcte, j'ai comparé avec "la Sainte Bible de Jérusalem"... Cela ne coïncidait pas toujours tout à fait ! J'ai recommencé à zéro. Puis, j'ai comparé, pour changer, avec la traduction de la Bible par le Rabbinat Français.

Cela achoppait toujours sur les mêmes points : cette assimilation que toutes les traductions font des mots hébreux "Elohim" (les Célestes) et IHVH (Jéhovah ou Iavéh, Dieu Tout Puissant).

Je n'étais, cependant, parti d'aucune idée préconçue. Mais plus je poursuivais mon étude de la Bible dans le texte original et plus je me persuadais que ma traduction était valable, que les bases en étaient solides. Et que tout se tenait et devenait lumineux si l'on distinguait bien "Elohim", les Célestes, et "IHVH", le Dieu-Un.

Je tiens donc pour vraie mon analyse grammaticale. Elle m'a alors offert un lacis d'hypothèses que je me suis efforcé, de bonne foi, d'explorer.

Ce ne sont pas les seules possibles... Le champ est vaste et s'ouvre sur de multiples directions.

Je suis donc tout disposé, pour ma part, à dialoguer - si le sujet ne leur paraît pas trop "tabou" - avec tous ceux qui sont passionnés comme moi par le texte du Livre Sacré.

Je précise que je ne suis ni mystique, ni croyant !

Mais j'ai le plus grand respect pour celui qui croit. Le lecteur verra que ce livre se garde d'attaquer les fondements de quelque croyance que ce soit : Chrétienne, Juive ou Musulmane.

J'ai laissé la religion "à l'écart", et même - en quelque sorte - "au-dessus" de mon étude de la Bible.

Selon moi, il peut fort bien y avoir :

— "IHVH", le Dieu des trois religions monothéistes,
— "Elohim", les Célestes, les Supra-Terrestres,
— et l'humanité, encore balbutiante.

Confondre "IHVH", le Dieu-Un et "Elohim", les Célestes, me paraît une erreur. C'est couper une étape dans l'évolution et l'histoire des débuts de l'humanité dont l'étude et la connaissance pourraient être passionnantes.

Cette analyse m'a ouvert des horizons que tout croyant de toute confession pourrait, je le crois, prospecter sans risque en ma compagnie...

La Bible nous dit, dans la Genèse :

"Au commencement, Dieu créa le Ciel et la Terre." *(1)*

Et, cependant, elle nous dit aussi dans Jérémie :

"Dieu, qui n'a pas créé le Ciel ni la Terre, s'en ira de la Terre et de dessous ces Cieux." *(2)*.

C'est toujours la Bible qui parle, et ces deux citations sont en contradiction l'une avec l'autre.

C'est pour tenter de résoudre cette énigme que ce livre a été écrit...

Et l'on verra, au fil des pages, que l'opposition entre ce que nous dit la Bible, dans la Genèse, et ce qu'elle nous dit, par la bouche du Prophète Jérémie, disparaît, car elle n'était qu'apparente.

---

(1) Genèse 1, 1.
En hébreu : "Beréshit bara Elohim aet ha-shamaïm ve-aet-haarets".
(2) Jérémie 10, 11.
En hébreu : "Elahaya di-shémaya ve-arqa la avadou iévadou me-aréa ou-min-tékhot shémaya éllé".

INTRODUCTION

La Bible est un livre "scellé".

A qui sait le lire il révèle le destin caché de l'humanité depuis les origines jusqu'à la fin des temps.

Sous l'apparence trompeuse d'un récit légendaire le sort du monde y est tracé en filigrane depuis la Genèse jusqu'à l'Apocalypse.

A l'origine de ce récit sont les "Elohim", ce mot hébreu que Juifs et Chrétiens nous ont accoutumés à traduire par "Dieu".

Et le dessein des Elohim transparaît en chacune des pages de la Bible. Mais il faut, pour cela, savoir écarter la signification apparente - seule accessible au profane - pour découvrir le sens profond, caché, auquel ne peut parvenir que l'initié.

Chaque chapitre de la Bible contient donc une clé.

Et ces clés ouvrent les portes de la connaissance.

C'est à quoi se sont attachés, depuis des millénaires, les

Talmudistes d'abord, puis les Kabbalistes : s'efforcer de découvrir le sens réel des versets du Livre Sacré, caché sous l'apparence d'un conte anodin.

Le présent ouvrage n'est qu'une contribution à leur œuvre immense.

Il n'a pas la prétention d'avoir découvert tous les secrets cachés. Sa récompense serait déjà grande s'il avait trouvé quelques-unes des clés.

N'est-il pas écrit, en effet, que celui qui découvrirait ne serait-ce que le sens vrai de chacune des vingt-deux lettres de l'alphabet hébreu, celui-là pourrait, grâce à elles, refaire le monde ?

La religion juive a été la première religion du monde à croire en un Dieu unique : Jéhova, ou encore Iavéh (1), mais aussi, selon d'autres versets de la Bible : Elohim.

Le Dieu-Un, IHVH, ce Dieu qu'adopteront les Chrétiens puis les Musulmans, se confond-il avec les Elohim ?

C'est la première question que nous nous poserons.

•.•

Mais il y en a d'autres.

En effet, toute la religion juive repose sur deux piliers :
— la promesse,
— et l'alliance,
en d'autres termes : les ELOHIM ont promis d'attribuer la terre de Canaan à leur peuple élu, les Hébreux, avec lesquels ils font alliance, et à qui ils confient une mission.

Pourquoi les ELOHIM ont-ils choisi cette terre de Canaan plutôt qu'une autre pour l'attribuer aux Hébreux ? De tous les territoires civilisés de l'Antiquité c'est certainement le moins fertile, le plus étroit et le plus exposé !

---

(1) En hébreu : "IHVH"

Pourquoi les ELOHIM ont-ils élu le peuple hébreu pour contracter l'alliance avec lui plutôt qu'avec tel ou tel autre peuple de l'Antiquité ? De tous c'est le moins docile, n'est-il pas qualifié par les Ecritures de "peuple à la nuque raide"?

Quelle peut être la raison de cette "alliance" entre un peuple et son "dieu" ?

Pourquoi les ELOHIM promettent-ils aux Hébreux cette terre de Canaan à perpétuité ? Quel est le motif de cette "promesse" ?

•˙•

Qui est Avram, encore appelé Abram, puis Abraham (1), l'ancêtre des Hébreux ?

D'où vient-il ?

Et pourquoi se déplace-t-il de la Mésopotamie vers Canaan, puis de Canaan vers l'Egypte ? Pourquoi revient-il en terre de Canaan et pourquoi s'y fixe-t-il au lieu de retourner chez lui ?

•˙•

Quel est le but de l'Alliance que les Elohim nouent avec le peuple hébreu ? Quelle est la mission, ou quelles sont les missions successives que les Elohim confient aux Juifs ?

•˙•

Pourquoi le royaume hébreu, qui atteint son apogée avec le Roi David, s'effondre-t-il après le règne de Salomon, son fils ?

•˙•

D'où vient Jésus ?

Quelle était sa mission ?

---

(1) "Avram" est l'orthographe exacte de "Abram", qui deviendra, par la suite, "Abraham".

Est-il vraiment ressuscité ou est-il retourné là d'où il était venu ?

.•.

Pourquoi le "peuple de Dieu" a-t-il été asservi par Ninive, puis par Babylone, broyé par les Grecs, anéanti par les Romains, dispersé par Titus à travers le monde, persécuté pendant deux mille ans par les Chrétiens et par les Arabes ?

Et comment vit-il encore ?

.•.

Quel est le "grand dessein des Elohim" ?

Quelle est la finalité de l'homme "sur cette terre comme aux Cieux".

Une secte noire satanique, connaissant "le grand dessein des Elohim", ne tente-t-elle pas, depuis des siècles, d'en retarder la réalisation ?

.•.

Et s'il est vrai que les Temps Messianiques, annoncés par les Prophètes, sont arrivés, avec le retour du peuple hébreu sur sa "terre promise", quel est désormais le destin de l'humanité ?

L'apocalypse est-elle pour demain, comme l'affirment toutes les prophéties ?

.•.

La réponse à toutes ces questions se trouve dans la Bible.

Mais la Bible ne livre ses secrets qu'à qui sait la lire.

Alors le texte sacré s'éclaire d'une vive lumière et le sage y voit le destin de l'humanité inscrit en lettres de feu (1).

---

(1) "Sans la notion, par conséquent sans l'admission d'une doctrine ésotérique qui les synthétisent d'une manière complète, les deux Testaments sont dans leur majeure partie inexplicables.

Ils restent une énigme, un hiéroglyphe dont il est impossible de trouver le sens et la signification sans le secours d'une clé extrinsèque, et, pourrait-on dire, l'appoint d'une autre langue" (Abbé Vincent).

(Maître de conférences à la Faculté de Théologie Catholique de l'Université de Strasbourg. Devenu Monseigneur Albert Léopold Vincent. Auteur de :

"Le Judaïsme", Ed. Blond et Gay, Paris, 1932.

"Les manuscrits hébreux du désert de Juda", Fayard 1955.

"La religion d'Israël" (Histoire des Religions, Paris, 1957).

"La religion des Judéo-Araméens", Genthner, Paris 1937.

CHAPITRE I

DES PLURIELS VRAIMENT SINGULIERS OU LA CLE DE : "ELOHIM"

*"Lorsque les dieux me firent errer loin
de la maison de mon père..." (Genèse 20, 13) (1)*

La Bible est, pour les Juifs, le livre sacré que Moïse reçut sur le Mont Sinaï des mains de Dieu.

Elle relate la manière dont la terre a été "créée", et ce qui est arrivé, depuis lors, à l'humanité, au fil des générations.

Dieu y est toujours présent.

Dieu, ou plus exactement "ELOHIM", dans le texte hébreu.

Que signifie donc ce mot que les commentateurs de la Bible nous ont accoutumés à traduire en français par "Dieu", au singulier, alors que le mot hébreu Elohim est un pluriel.

C'est le pluriel de "Eloha", celui qui vient du Ciel, le Céleste.

ELOHIM signifie donc : "ceux qui viennent du ciel", "les Célestes".

---

(1) En hébreu : "caasher itéou oti Elohim mi béit-avi"...

Parfois le texte hébreu utilise le mot "Adonaï", à la place de "Elohim". Et les exégètes de la Bible traduisent encore "adonaï" par "Dieu", ou par "Seigneur".

Ce qui est étrange, c'est que le mot "adonaï" est, lui aussi, un pluriel ! Il dérive de "adon" : Seigneur.

En hébreu, le possessif de "adon" est au singulier : "adoni", qui signifie "Monseigneur"; et le possessif pluriel "Adonaï" veut dire : "Messeigneurs".

Il est vraiment curieux que les Hébreux - seul peuple monothéiste de l'Antiquité -, aient choisi deux pluriels pour désigner leur Dieu Unique !

On nous dit qu'il s'agit de pluriels de majesté. Est-ce absolument certain ?

Car le texte hébreu utilise aussi parfois : "IHVH", dont les traducteurs ont tiré "Iavéh", ou encore "Jéhova". Or, "IHVH" n'est pas un mot hébreu, mais un sigle, comme en français "SNCF" ou "RATP". "IHVH" sont les lettres principales de quatre mots hébreux :
    "Aïa, hové, ve iéhié", I - H - V - H, qui signifient :
"Il a été - Il est - Et - Il sera",
c'est le symbole de l'Eternité.

Pour ne pas s'embarrasser de complications, les traducteurs de la Bible, chrétiens et juifs, nous restituent les trois expressions hébraïques :
    "IHVH", "Adonaï", "Elohim",
sous une forme unique en français : "Dieu".

Est-il bien certain que ces trois expressions soient synonymes ? Une traduction plus précise de la Bible permet d'en douter.

En effet, quand les traducteurs de la Bible nous parlent de "la Genèse", "de la Création", (que le texte hébreu appelle plus modestement : "beréshit", "le Commencement") - ils nous disent :

    "La Terre était désert et désolation,

L'obscurité régnait sur la face de l'abîme,
Et l'esprit de Dieu planait sur les eaux". (1)
(Genèse 1, 2)

C'est une très belle image, très poétique, "cet esprit de Dieu qui plane sur les eaux"...

Mais le texte hébreu se contente de dire :
"ve rouakh Elohim merakhéfet al-pnéï ha-mahim".

"Rouakh", c'est le vent ! Et le verbe "merakhéfet" signifie : trembler, s'agiter.

De sorte qu'au lieu de :
"Et l'esprit de Dieu planait sur les eaux",
nous obtenons plus simplement :
"Et le vent des Elohim s'agitait sur la surface de l'eau".

On le voit, nous sommes loin du calme d'un esprit immatériel planant à la surface d'une eau tranquille.

Il semble bien que nous soyons plutôt en présence d'un être, ou d'un objet, qui se déplace dans les airs, et dont le souffle, le vent qu'il provoque, fait palpiter et s'agiter la surface de l'eau (2)

On reste confondu devant l'acharnement que mettent les exégètes de la Bible, de toutes les confessions, à traduire le mot hébreu "Elohim", qui est un pluriel, par "Dieu", au singulier, alors que cependant la Bible, dès le début et jusqu'à la fin, ne fait nul mystère de la "pluralité" des Elohim.

Lorsque Adam et Eve sont chassés du Jardin d'Eden, le Paradis Terrestre, que dit "Elohim" ?... - "Voici l'homme devenu comme l'un de nous !" (Genèse 3, 22).

A qui s'adresse-t-il sinon à d'autres "Elohim" ?

---

(1) En hébreu :
"Ve ha-arets aïéta tohou va-vohou
 Ve toshékhé al-pnéï téhom
 Ve rouakh Elohim merakhéfet al-pnéï ha-mahim".

(2) Voir à ce sujet, du même auteur : "La Bible et les Extra-terrestres", Editions Robert Laffont 1977.

Car, il n'a pas dit, se parlant à lui-même : "— Voici l'homme devenu pareil à moi !". Non plus que : ..."pareil à Nous", s'il avait employé le pluriel de majesté.

Il a bel et bien dit : ..."comme l'un de nous" (1).

Mais il y a mieux !

Trois chapitres à peine plus loin, la Bible nous dit :

"Lorsque les hommes commencèrent d'être nombreux sur la surface de la terre, et que des filles leur furent nées, les "b'néï Elohim" trouvèrent que les filles des hommes leur convenaient et ils prirent pour femmes toutes celles qu'il leur plut." (Genèse 6, 1-2).

Le texte hébreu dit : "b'néï Elohim", que la Bible catholique (2) traduit par : "les fils de Dieu", la Bible du Rabbinat français (3) par : "les fils de race divine", et la version américaine, du culte protestant, "les Saintes Ecritures" (4) - qui en rajoute encore - par : "les fils du vrai Dieu".

Aucune des trois traductions ne marque le moindre étonnement devant cette mention de "fils de Dieu", "fils de race divine", ou de "fils du vrai Dieu", qui apparaît pour la première fois dans le texte sacré.

Et c'est, cependant, la première entorse, - et de quelle taille -, à la thèse du "Dieu Un" !

Par cette traduction, catholiques, juifs et protestants concèdent donc, - et comment pourraient-ils faire autrement -, que ce qu'ils ont eu tort de traduire par "Dieu", et qui, en hébreu, s'appelle "Elohim", n'est pas seul et unique de son espèce.

---

(1) En hébreu :

"Hen	ha-Adam	aya	ké	akhad	miménou".
Voici	l'homme	devenu	comme	l'un	de nous".

(2) "La Sainte Bible", traduite en français sous la direction de l'Ecole Biblique de Jérusalem, (Nihil obstat, Imprimi potest, Imprimatur 1955), Editions du Cerf 1955.

(3) "La Bible", traduite par le Rabbinat français sous la direction de M. Zadoc Kahn, Grand Rabbin, Editions Sinaï, 72 Allenby Road, Tel Aviv 1974.

(4) "Les Saintes Ecritures", éditées par "Watchtower Bible and Tract Society of New York". La première édition française a été tirée à ce jour à 770 000 exemplaires.

Il y a - nous l'avons vu -, **des Elohim,** des "fils d'Elohim", et donc aussi des "femmes d'Elohim".

Les Elohim se marient, s'accouplent et donnent naissance à des enfants.

Mieux encore ! Les Elohim, les fils des Elohim, ne sont pas insensibles à la beauté des filles des hommes, ce qui prouve que leurs goûts sont semblables aux nôtres !

Et les accouplements entre les Elohim et les femmes de notre planète sont possibles, nous dit la Bible, et sans aucun doute féconds.

La plupart des religions de l'Antiquité mentionnent, d'ailleurs, expressément l'existence de ces demi-dieux, fils d'une femme fécondée par un "Dieu".

De la "pluralité des Elohim", la Bible nous donne bien d'autres exemples. Entre autres, lorsqu'elle nous raconte l'entrevue d'Avram et des Elohim venus détruire Sodome :

"Avram était assis à l'entrée de sa tente au plus chaud de la journée. Levant les yeux il vit **trois hommes** (1). Il courut à eux et se prosterna contre terre. Et il dit : — "Adonaï" (Messeigneurs), si j'ai trouvé grâce à **tes** yeux, ne passe pas ainsi devant **ton** serviteur ! Qu'on aille chercher un peu d'eau. **Lavez vos** pieds et **reposez-vous** sous cet arbre... (Genèse 18, 1-4).

Comme on a pu s'en rendre compte à la lecture de ce passage les "Elohim" sont trois.

Et Avram ne s'y trompe pas !

Ce sont bien des "Elohim". Il se prosterne devant eux et les appelle : "Adonaï", Messeigneurs !

Mais Avram considère les trois personnages comme une seule et même entité : il tutoie l'ensemble ou vouvoie le groupe indifféremment.

---

(1) "Shelosha anashim".

Toutefois, ces Elohim, ces Célestes, que la Bible a même appelés "anashim", hommes, ne sont pas de purs esprits.

Après une longue marche ils ont besoin de se rafraîchir les pieds (on marche en sandales à l'époque biblique), ils aspirent à se reposer et à se restaurer.

Car Avram ajoute :

— "Je vais apporter du pain, vous réparerez vos forces".

Et, faisant bonne mesure, en plus du pain, il fait préparer pous ses hôtes "un veau tendre et gras, des gâteaux, de la crème et du lait". (Genèse 18, 5-8).

A-t-on jamais vu Dieu sensible aux nourritures terrestres et à la fatigue d'une longue marche ?

Encore quelques chapitres, et la Bible nous décrit le petit-fils d'Avram, Jacob, fils d'Isaac, assoupi. Il voit "une échelle plantée en terre dont le sommet atteignait le Ciel".

Et qu'aperçoit-il sur cette échelle : des Elohim "qui montent et qui descendent". (Genèse 28, 12).

Sans doute vient-il d'assister au déchargement d'un vaisseau spatial par son équipage d'Elohim, ou encore à une corvée de ravitaillement !

Plus tard, nous dit la Bible, le même Jacob, "allant son chemin, des Elohim se trouvèrent sur ses pas".

Que fait Jacob ? Rien !

Il ne se prosterne pas devant eux ! Il ne les salue même pas, tellement il doit avoir l'habitude d'en croiser, nombreux, à cet endroit.

Nullement impressionné, il se contente de dire en les voyant : "— C'est un camp d'Elohim !". (Genèse 32, 2-3).

Aurait-il dit : "un camp", pour un personnage unique ?

Et que pourrait bien faire "le Dieu Un" d'un camp sur cette terre ?

Peut-être, alors, nous faudra-il admettre qu'il y a, dans la Bible, d'une part IHVH, le Dieu Un, Immatériel et Incréé, et, d'autre part, les "Elohim", les "Célestes", les "venus du Ciel", les "supra-terrestres", dont la pluralité est affirmée par le texte sacré lui-même.

La Bible ne nous impose-t-elle pas cette distinction entre IHVH, le Dieu Un, et les Elohim, les supraterrestres, avec cette phrase sybilline de Jacob :

— "Si je reviens sain et sauf à la maison de mon père, IHVH aura été pour moi comme mes Elohim". (Genèse 28, 21).

C'est-à-dire aussi familier, aussi amical et bienveillant que le sont avec lui les Elohim !

Car Jacob les connaît bien ces Elohim, avec lesquels il converse fréquemment, vis-à-vis de qui il n'est nullement complexé puisqu'il en croise parfois sans même les saluer.

Ces Elohim avec lesquels son grand-père Avram, son père Isaac, et lui-même Jacob, ont fait un pacte d'alliance !

Cette phrase de Jacob est la traduction correcte et littérale du texte hébreu (1).

On l'obtient en mettant, en français, "IHVH", quand le texte hébreu met le sigle "IHVH", et "Elohim" lorsque la Bible, en hébreu, dit "Elohim".

Si l'on procède différemment, la traduction n'a plus aucun sens !

Jugez plutôt :

La Bible catholique traduit ce passage de la manière suivante :

---

(1) En hébreu :

"Ve	shavti	beshalom	ael	béit-avi
Si	je reviens	sain et sauf	à la	maison de mon père
ve-aya	IHVH	li	le Elohim	
il aura été	IHVH	pour moi	comme mes Elohim	

— "Si je reviens sain et sauf à la maison de mon père, alors Yavéh sera mon Dieu".

Cela ne cadre pas du tout !

Car Yavéh est déjà le Dieu de Jacob, comme il était celui de son père Isaac, et de son grand-père Avram.

Non seulement IHVH est déjà le Dieu de Jacob, mais Jacob est même "l'élu de IHVH", les Elohim l'ont expressément choisi, le préférant à son frère aîné Esaü, pour être leur allié sur terre et le serviteur du Dieu Un.

La version protestante des "Saintes Ecritures" commet la même erreur. Elle donne pour ce passage :

— "Et si je retourne vraiment en paix à la maison de mon père, alors Jéhovah se sera révélé être mon Dieu".

Le Rabbinat français n'est guère plus heureux dans sa traduction : ..."alors le Seigneur aura été un Dieu pour moi." Ce qui ne veut strictement rien dire, les deux mots : "seigneur" et "dieu" étant synonymes pour tous les croyants.

Comme on le voit la seule traduction ayant un sens, donc acceptable, est celle que j'avance :

— "Si je reviens sain et sauf à la maison de mon père, IHVH aura été pour moi comme mes Elohim".

La pluralité des Elohim, et la distinction qui s'impose entre les Célestes, les Supraterrestres, et le Dieu Un, ne font plus aucun doute lorsqu'on arrive au Chapitre 20, verset 13 de la Genèse.

C'est le patriarche Avram qui converse avec le roi de Ghérar, Abimélekh, et lui dit :

— "Lorsque les Elohim me firent sortir de la maison de mon père"...

C'est la traduction littérale et, grammaticalement, la seule correcte du texte hébreu (1).

En effet, le verbe de cette phrase est : "itéou" (firent sortir), au pluriel en hébreu.

Avec un verbe au pluriel on ne peut plus traduire le sujet de la phrase, Elohim, qui est aussi un pluriel, par Dieu au singulier.

C'est ce que fait cependant la traduction catholique de la Sainte Bible de Jérusalem qui ne s'embarrasse pas d'obstacles superflus.

Elle escamote la difficulté, fait comme si le verbe était en hébreu au singulier, et traduit ce passage par :

— "Alors quand Dieu m'a fait errer loin de ma famille"...

C'est ce que fait aussi la traduction protestante des Saintes Ecritures :

— "Quand Dieu me fit errer loin de la maison de mon père"...

Le Rabbinat français, dans sa traduction, a vu, lui, la difficulté.

Avec le verbe au pluriel, impossible de traduire le sujet par un singulier. Trop de lecteurs de la Bible du Rabbinat, connaissant un peu d'hébreu, risquent de se reporter au texte original.

Et l'on va voir, pour la première fois, le Rabbinat français traduire Elohim, qui est un pluriel, par un pluriel.

Et cela donne :

— "Or, lorsque les dieux me firent errer loin de la maison de mon père"...

---

(1) En hébreu :

"Caasher	itéou	oti	Elohim	mi-béit	avi"
Quand	firent sortir	moi	Elohim	de la maison	de mon père"...
"Lorsque	les	Elohim	me firent	sortir de	la maison	de mon père"...

La traduction du Rabbinat n'a pas osé aller jusqu'au bout et donner au mot "Elohim" son sens exact de "Célestes" ou "Supraterrestres" mais il y a déjà un progrès.

Toutefois, traduire "Elohim" par : "les dieux", sans autre commentaire, ce serait pour le Rabbinat français reconnaître que le mot "Elohim" de la Bible est bien un pluriel, qu'il s'applique à plusieurs personnages et qu'il n'a rien à voir avec IHVH, le Dieu Un, l'Eternel, l'Ineffable.

Le lecteur, le croyant, risque d'être décontenancé puisqu'on lui a toujours fait croire le contraire et affirmé que IHVH, Elohim et Adonaï sont, dans la Bible les trois noms du Seul Dieu.

Alors le Rabbinat va s'en tirer par une pirouette !

Et un renvoi en fin de page indique pour cette traduction impie : "les dieux",
"C'est-à-dire l'idolâtrie pratiquée par Térakh".
(Il s'agit du père d'Avram).

C'est très maladroit !

Que vient faire ici l'idolâtrie de Térakh ?

Car, deux versets plus tôt, dans le même chapitre, Avram expliquant au même roi de Ghérar, Abimélekh, la raison pour laquelle il avait dit à sa femme de se faire passer pour sa sœur, avait justifié cette petite supercherie en disant :

— "Pour peu que la crainte d'Elohim ne règne pas en ce lieu"... (Genèse 20, 11) (1).

Et le Rabbinat avait traduit "Elohim" par "Dieu", au singulier et avec une majuscule.

Ainsi donc, au verset 11, "Elohim" c'est Dieu, l'Unique, l'Eternel... Et, au verset 13, le même mot hébreu, "Elohim", ne serait plus que :

_____

(1) En hébreu :
"Raq éin-réat Elohim ba-maqom hazot"...

"Les dieux imaginés par l'idolâtrie de Térakh" ?

Ce pauvre Térakh et son idolâtrie qui n'ont vraiment rien à faire ici !

Mais ce qui est beaucoup plus grave dans cette traduction du Rabbinat français, "les dieux me firent sortir"... et dans ce renvoi sur l'idolâtrie de Térakh, son père, c'est qu'elle remet en cause toute la vocation d'Avram.

Et c'est toute la Bible qui est ébranlée par cette pirouette !

Mettre le départ d'Avram de la maison de son père sur le compte de l'idolâtrie me paraît bien téméraire de la part du Rabbinat français !

Toute la religion juive repose, en effet, sur cette illumination d'Avram, l'Ancêtre, à qui les Elohim sont apparus pour lui ordonner de partir.

Avram est "l'élu" des Elohim ! C'est à lui qu'ils vont promettre une postérité "nombreuse comme les étoiles". C'est à lui qu'ils promettront, pour sa race, la Terre de Canaan à perpétuité. C'est avec lui qu'ils feront alliance.

Mais Avram est aussi "celui qui le premier a cru en les Elohim et en ce que les Elohim lui ordonnaient".

Ce départ d'Avram, d'ailleurs, la Bible nous l'a conté quelques chapitres plus tôt. Et, c'est avec une solennité très légitime, que le Rabbinat français traduisait ce passage. Jugez plutôt :

"L'Eternel dit à Avram :
— "Eloigne-toi de ton pays, de ton lieu natal et de la "maison paternelle. Et va au pays que je t'indiquerai, je "te ferai devenir une grande nation.
"Je te bénirai et rendrai ton nom glorieux.
"Et tu seras un type de bénédiction : je bénirai ceux qui "te béniront, et qui t'outragera je le maudirai.
"Et, par toi, seront heureuses toutes les races de la "terre."

"Et Avram partit comme le lui avait dit l'Eternel !"
(Genèse 12, 1-4) (Bible du Rabbinat, opuscule déjà cité,
page 12).

Avez-vous vu la moindre trace d'idolâtrie dans ce passage ?

Et, puisque l'idolâtrie de Térakh, le père, n'a vraiment rien à voir avec le départ d'Avram, pourquoi l'évoquer quelques chapitres plus loin ?

Si Avram, s'adressant à Abimélekh, lui dit que ce sont "les Elohim" qui lui ont ordonné de partir de la maison paternelle, il faut nous en tenir à ce pluriel.

Et, pour le Rabbinat français, il lui faudra bien alors admettre que les · Elohim ne sont pas "un", mais "plusieurs".

Ce mot hébreu qui signifie : "ceux qui viennent du Ciel", les "Célestes" ne doit pas être traduit par Dieu, qui est Un, mais par "les Célestes", les "Supraterrestres".

Et les Elohim ne doivent absolument pas être confondus avec IHVH, le Dieu Un, l'Eternel.

Cela bouleverse bien des habitudes, remet en cause des notions que l'on croyait définitivement acquises.

Mais croit-on qu'il n'a pas été pénible pour l'Eglise catholique d'admettre que la terre était ronde, puis d'accepter qu'elle tourne autour du soleil et non l'inverse ?

La véritable foi n'a rien à voir avec ces problèmes qui ne sont qu'accessoires. Et il faut savoir accepter de rectifier une erreur quand la preuve est faite qu'elle a été commise.

Nous lirions tous la Bible sous un tout autre éclairage si au lieu de traduire par "Dieu" les mots hébreux "adonaï" et "élohim" nous leur laissions leur sens réel.

"Adonaï" : Messeigneurs !

"Elohim" : les Célestes, les Supraterrestres !

Et l'incantation des Hébreux :

"Shéma Israël Adonaï Eloheïnou Adonaï ekhad", que les rabbins traduisent par :

"Ecoute Israël : Dieu est notre Dieu, Dieu est Un", - ce qui n'a pas grande signification, au moins pour la première partie de la phrase - cette incantation retrouverait un sens :

"Ecoute Israël, Messeigneurs nos Célestes, Messeigneurs sont un".

Et nous chercherions à savoir pourquoi les Elohim dont la pluralité ne fait aucun doute, dans la Bible, ne devaient faire qu'un, aux yeux des Hébreux.

Mais il est bien évident que s'obstiner à nier la pluralité des Elohim, dont la Bible elle-même ne fait nul mystère, les confondre avec le Dieu-Un, c'est vouloir, sans raison sérieuse, figer pour l'éternité une confusion faite par les Juifs de la préhistoire.

Redonnons au contraire leur sens réel aux mots hébreux et nous nous rendons aussitôt bien compte que ce sont de "Célestes", de "Supraterrestres", dont la Bible ne cesse de nous entretenir de la première à la dernière page.

C'est de ceux-là qu'elle nous conte les exploits !

Les Elohim, les Célestes, sont bien ces voyageurs de l'espace, ces Extra-terrestres, venus de leur lointaine planète.

Ils découvrent la Terre et le Système Solaire.

Ils prennent contact avec nos lointains ancêtres, les hominiens de l'époque, encore plus proches du singe que de l'homo sapiens.

Et ils apprennent à l'homme la manière d'accéder, petit à petit, à leur civilisation, en même temps qu'ils lui apportent leur propre culte, celui du Dieu Un, IHVH.

Les Elohim entreprennent d'éduquer cette bête encore

inculte et sauvage qu'est l'homme et s'efforcent de lui inculquer les principes d'une morale élevée à laquelle eux-mêmes ont déjà accédé, et qui est en complète contradiction avec les instincts brutaux et pervers de l'humanité.

Ils vont essayer d'élever l'homme jusqu'à eux.

C'est ce que la Bible nous donne en hébreu sous la forme :

"Va ivra Elohim aet ha-adam betsalmo",
que catholiques, protestants et juifs vont s'empresser de traduire par :

"Dieu fit l'homme à son image". (Genèse 1, 27).

Passe encore pour la religion catholique, qui, par un anthropomorphisme assez puéril, donne à Dieu le Père l'apparence d'un bon vieillard qu'on affuble d'une belle barbe blanche, mais les protestants ? Et surtout les juifs ?

Penser que l'homme ressemble à Dieu serait admettre, par réciprocité, que Dieu ressemble à un homme !

Quelle hérésie !

Pour la religion juive, Dieu étant "unique" ne ressemble à rien. Il est partout et nulle part. Il est Immortel et Incréé. Il n'a ni forme, ni visage. Et l'esprit de l'homme est trop faible pour concevoir l'essence de Dieu.

Ce sont les Elohim, les Célestes, les Supraterrestres qui vont s'efforcer de faire l'homme à leur image.

Et voilà ce qu'il en coûte au Rabbinat de traduire "Elohim" par "Dieu" !

A peine ont-ils atterri que les Elohim se livrent aussitôt à de grands travaux pour améliorer l'environnement de notre planète, qui laisse fort à désirer, si l'on en croit les premiers versets de la Genèse.

Ces "grands travaux" sont les "six jours de la Création", le mot "jour" devant être pris dans le sens de "période de temps", - chaque période ayant pu durer plusieurs siècles -, et non pas vingt-quatre heures.

L'arrivée sur terre des Elohim, les grands travaux qu'ils mènent à bien, sont la preuve qu'ils sont en avance de plusieurs millénaires, au plan des connaissances, sur les hominiens qui peuplent alors notre planète.

Ils vont se donner noblement la mission - non pas de les coloniser - mais de les civiliser.

Ils créèrent pour cela "le Jardin d'Eden", en Mésopotamie, "entre le Tigre et l'Euphrate", nous dit la Bible, près du Golfe Persique.

Ils capturèrent quelques spécimens d'anthropoïdes, choisirent ceux qui leur parurent les plus éveillés, les mirent au Jardin d'Eden et commencèrent leur éducation.

Cette souche sélectionnée fut ainsi initiée à l'art de faire le feu, elle apprit à se servir d'un outil qui prolonge et multiplie la force musculaire. Elle commença à penser, à émettre des jugements.

A chaque génération, les Elohim conservaient les spécimens qui s'adaptaient le mieux à leur enseignement et renvoyaient les autres servir de moniteurs à leurs congénères tenus hors du jardin d'Eden.

Et c'est probablement ainsi que se constituèrent, chez les peuplades primitives, les premières castes de "prêtres-rois".

Cela se passait il y a près de six millénaires, 5740 ans très exactement, date de la "création du monde" disent les Juifs, date de la création du Jardin d'Eden, penserais-je plutôt ! (1).

---

(1) Pour les Juifs, nous sommes depuis octobre 1979 et jusqu'en septembre 1980, en l'an 5740 de la "création du monde". Converti en millésime de notre ère, cela donne : 5740 - 1979 = 3761 av. J.-C. pour la "création du monde". Mais comme "à la création" il n'y avait pas encore d'homme pour commencer à compter, pas plus que lors de l'arrivée sur terre des Elohim où l'hominien n'avait pas la moindre notion du temps, je suppose que cette date de 3761 av. J.-C. doit correspondre à un moment où l'homme a commencé à prendre conscience de ces phénomènes. Choisir pour cela la "création du Jardin d'Eden" ne me paraît pas a priori trop arbitraire.

Du Jardin d'Eden, sur les bords du Golfe Persique, la civilisation naissante féconda les peuples du Pays de Sumer (1) .

Puis, remontant vers le nord, le long de la vallée de l'Euphrate, elle se répandit dans toute la Mésopotamie. Jusqu'à Kharan, mille kilomètres plus au nord (2).

De la Haute Mésopotamie, elle redescendit sur l'Egypte (3), en même temps que du Golfe Persique les premiers navigateurs l'apportaient à l'Inde et à la Chine (4).

D'Egypte, la civilisation débordera sur la Crète (5).

De la Crète, elle passera en Grèce (6), puis à Rome (7).

Elle s'étendit de Rome à toute l'Europe.

Entre temps, les navigateurs Phéniciens et Crétois (qui n'avaient pas attendu Christophe Colomb pour découvrir le Nouveau Monde), avaient apporté la civilisation aux Amériques. Du sud, d'abord. De là, elle remontera à l'Amérique du Nord (8).

Les hardis navigateurs de la préhistoire, entraînés vers des rivages lointains par l'esprit d'aventure, affrontaient bien des dangers, surmontaient des périls sans nom, avant de réussir - grâce aux connaissances acquises dans le Jardin

---

(1) Vers 3700 av. J.-C.

(2) Vers 3500 av. J.-C.

(3) Vers 3000 av. J.-C.

(4) Les premières civilisations hindoues et chinoises commencent à s'épanouir vers l'an 2000 av. J.-C.

(5) Vers 1950 av. J.-C. C'est le début de la civilisation Minoenne.

(6) Vers 1600 av. J.-C. C'est la civilisation dite Mycénienne.

(7) Vers 550 av. J.-C., naissance dans le Latium d'une petite bourgade, Rome, par la réunion sur les collines de quelques villages latins et sabins.

(8) Les premières civilisations des Amériques datent du premier millénaire avant notre ère. La civilisation Maya, en Amérique Centrale, est du quatrième siècle après J.-C. (elle s'étendait sur le Honduras, le Guatémala et le Yucatan de 320 à 987 après J.-C. pour l'Ancien Empire, et de 987 à 1687 pour le Nouvel Empire qui ne comprenait plus que le seul Yucatan).
La civilisation Inca (Pérou) est du début du treizième siècle de notre ère. La civilisation Aztèque (Mexique) dura de 1325 jusqu'à l'arrivée des Espagnols en 1520, soit deux siècles à peine.

d'Eden - à s'imposer aux tribus hostiles qui peuplaient les terres inconnues auxquelles ils abordaient.

Initiant les primitifs à la cilivisation, ils ne manquaient pas d'évoquer, dans leurs récits épiques, les "hommes volants", les "voyageurs de l'espace", les "Célestes", les "Elohim" en un mot, qui avaient visité la terre des premiers âges, créé le "Jardin d'Eden", et avaient apporté aux premiers ancêtres leur propre civilisation, puis, déçus, étaient repartis vers leur lointaine planète après avoir provoqué sur terre le déluge pour détruire l'humanité rebelle à leur enseignement.

Cela explique sans doute le fait que l'on retrouve chez la plupart des peuples, d'un bout du monde à l'autre, les mêmes récits, les mêmes légendes diront certains, sur les premiers temps de l'humanité.

Mais les Elohim n'ont pas dû atterrir aux quatre coins de la terre !

Quand les hommes de la préhistoire, initiés par les Elohim dans le Jardin d'Eden au culte du "Dieu Un", s'en allaient ensuite l'enseigner à leurs congénères, tenus hors de l'Eden, il était bien normal que ceux-ci, tirés de l'âge de la pierre, confondissent dans une même admiration le Dieu Un avec ce qu'ils croyaient être sa manifestation la plus tangible sur terre : les Elohim, capables de tant de prodiges.

Et lorsque la Bible, de la forme orale, passa à la forme écrite, les rédacteurs du Livre Sacré s'empêtrèrent dans cette même confusion.

C'est ainsi que "IHVH", le Dieu Un, "Adonaï", "Elohim", les Supraterrestres, devinrent pour eux synonymes.

D'autant que les Elohim, de leur côté, refusant de laisser pratiquer au profit de l'un quelconque des leurs "le culte de la personnalité", ne voulurent pas que les humains les distinguent les uns des autres.

Ils eurent à cœur de constituer pour les terriens une entité : "Elohim".

Ce ne sont pas les mêmes Elohim qui ont découvert la terre, qui ont effectué les grands travaux des Six Jours de la Genèse, qui ont créé beaucoup plus tard le Jardin d'Eden, qui en ont ensuite chassé Adam, qui ont fait construire son arche à Noé pour le mettre à l'abri du déluge qu'ils allaient déclencher, et qui, plus tard, prirent contact avec le patriarche Avram.

Mais les Elohim ont tenu à rester, pour les générations successives des humains, "l'entité Elohim".

Et les terriens ont bien été obligés de respecter la règle du jeu !

Lorsque Avram voit "les trois hommes" qui viennent lui annoncer la prochaine destruction de Sodome, il se prosterne à terre car il a reconnu des Elohim.

Il les appelle "Adonaï" ! Messeigneurs, au pluriel.

Mais il s'adresse à tous trois comme s'ils étaient une seule et même personne.

Et il emploie, nous l'avons vu, indistinctement le "tutoiement" et le "vouvoiement"·quand il s'adresse au groupe :

"Si j'ai trouvé grâce à **tes** yeux... ne **passe** pas ainsi... **ton** serviteur... **lavez vos** pieds... **reposez** vous..." (Genèse 18, 1-4).

Et les trois "hommes" parlent, eux aussi, d'une seule et même voix :

"Ils répondirent : — "Fais ainsi que tu as dit"
Ils lui dirent (vaïomérou, au pluriel), — "Où est ta femme Sara ?" (Genèse 18, 5 et 9).

Lorsque le petit-fils d'Avram, Jacob, après être resté vingt ans chez son oncle Laban, à Kharan, revint en Canaan avec femmes et bagages :

"un homme (en hébreu : "ish") lutta avec lui toute la nuit". (Genèse 32, 25).

A l'aurore, Jacob s'aperçut qu'il s'était pris de querelle avec un Elohim.

Il lui demanda de le bénir et de lui dire son nom.

L'Elohim lui accorda sa bénédiction :

— "Tu t'appelleras désormais non plus Jacob, mais Israël
Car tu as lutté contre un Elohim...
Et tu as été le plus fort". (Genèse 32, 29).

Mais l'Elohim, fidèle à la consigne, refusa de lui dire son nom :

"Jacob l'interrogea, en disant :
— "Apprends-moi, je te prie, ton nom !"
Il répondit : — "Que t'importe mon nom !" (Genèse 32, 30).

Dans le cours de cet ouvrage nous respecterons donc cette entité "Elohim", et nous emploierons après le sujet "Elohim" indistinctement le verbe au singulier ou au pluriel.

Mais nous distinguerons bien :

"Elohim", les Supraterrestres,
de "IHVH", le Dieu Un.

Car la confusion entre l'Un et les autres n'est plus acceptable de nos jours.

Alors la phrase du prophète Jérémie qui avait l'air incompréhensible, s'éclaire comme une révélation.

Dans sa prédiction que les Elohim ne seront pas toujours sur terre pour protéger le peuple hébreu, et, à travers lui, l'humanité tout entière, il précise :

"— Les Elohim qui n'ont pas créé le Ciel ni la Terre

S'en iront de la Terre et de dessous ces Cieux". (1) (Jérémie 10, 11).

C'est le prophète lui-même, parlant sous l'inspiration qui nous le dit :

"Les Elohim qui n'ont pas créé le Ciel ni la Terre..."

Venant d'autres cieux, d'une très lointaine planète, les Elohim ont "découvert" la terre. Mais la "création", n'est pas leur œuvre.

Ils ne sont pas IHVH, le Dieu Un, Créateur de toutes choses.

Mais les Elohim ne resteront pas toujours avec nous !

Ils quitteront la terre, nous dit le prophète, pour rejoindre leur lointaine planète.

Mais ils n'ont pas été anéantis !

Car le prophète a bien précisé :
— "Ils disparaîtront de dessous CES cieux".

S'ils avaient dû disparaître à jamais nous aurions eu :
— "Ils disparaîtront de dessous LES cieux".

Bien entendu ce passage trop révélateur est occulté par les traducteurs catholiques et juifs de la Bible.

La Sainte Bible de Jérusalem, catholique, feint de croire qu'il s'agit des idoles dont il est question quelques versets plus tôt.

Il lui suffit pour cela de traduire de travers le fragment de phrase qui précède. Et elle obtient :

— "Voici ce que vous direz d'eux (les idoles, les faux-dieux)
Les dieux qui n'ont pas fait le ciel ni la terre..."

---

(1) En hébreu :
"Elahaya di- shémaya ve-arqa
La avadou iévadou me-aréa
Ou-min-tékhot shémaya éllé"

52

Alors que le texte hébreu est parfaitement clair :

— "Voici ce que vous LEUR direz" ("léhom", à eux), aux peuples dont il est question dans la phrase qui précède.

La Bible du Rabbinat français traduit correctement tout le passage.

Mais, pour amoindrir cette révélation de Jérémie, elle fait aussitôt planer un doute sur l'authenticité de la prophétie.

Et, un renvoi en fin de page indique :

"texte chaldéen paraissant provenir d'une note marginale".

Si c'était vrai, pourquoi cette phrase aurait-elle été insérée dans le Texte Sacré, alors qu'on sait que tous les versets ont été "épluchés", que chaque mot a été compté, et que tout copiste qui se permettait la moindre fantaisie était cruellement puni.

Non ! Cette phrase, si gênante, est bien du prophète Jérémie.

Mais il y a mieux encore !

Parlant sous l'inspiration, Jérémie poursuit, s'identifiant à l'Elohim qui s'exprime par sa bouche :

— "Je détruirai ce peuple et cette ville.
"Les maisons de Jérusalem
"Et les demeures des rois de Juda
"Deviendront des sites impurs...
"Oui ! Toutes les maisons sur les terrasses desquelles on offrait de l'encens aux milices célestes,
"Où l'on faisait des libations
"A d'autres Elohim !" (Jérémie 19, 11-13).

C'est la traduction correcte du texte hébreu et le sens de la phrase ne prête à aucune équivoque.

Il y a un Elohim qui s'exprime par la bouche du Prophète.

Il parle de "l'encens offert par les habitants de Jérusalem aux milices célestes", et "des libations offertes à d'autres Elohim", à d'autres Supraterrestres que lui-même.

Et, pour des raisons que nous ignorons, il ne semble pas content du tout !

Mais, dans leur entêtement à vouloir traduire "Elohim" par "Dieu", nous allons voir les auteurs des deux traductions françaises, la catholique comme celle du Rabbinat, bien ennuyés.

Ils ne peuvent pas dire : "les autres dieux" pour traduire les deux mots hébreux : "Elohim akhérim", les "autres Elohim"

Ce serait la négation du "Dieu Unique" !

Alors, tous deux vont donner à l'adjectif qui accompagne le mot "Elohim" un sens qu'il n'a pas ! Qu'il n'a jamais eu !

Et, au lieu de traduire correctement :
"Elohim akhérim" par "les autres Elohim", ou à la rigueur par : "les autres dieux", ils mettent à la place : "Elohim akhérim", "les dieux étrangers".

Or, le mot hébreu "akher", pluriel "akhérim", signifie "autre" et jamais "étranger", qui se dit en hébreu "tsar", pluriel "tsarim".

Mais en traduisant par "les dieux étrangers", on obtient dans l'esprit du lecteur distrait, l'image d'un "Vrai Dieu", "l'Unique", et puis celle de "dieux étrangers", adorés probablement par des peuplades païennes, des "idoles" en quelque sorte.

Les Elohim !

Littéralement : "Ceux descendus du ciel", "Les milices

célestes", nous dit même le prophète, à qui "les Hébreux de la préhistoire offraient de l'encens et des libations".

On ne peut pas être plus explicite pour désigner ce que de nos jours nous appelons les "extra-terrestres", maintenant que les progrès de la science nous ont habitués aux voyages de l'homme sur la lune, et bientôt sur Mars ou Mercure.

Pour ma part, je préfère au terme de "extra-terrestre", celui de "supraterrestre", qui marque mieux la supériorité immense qu'ont sur nous -, comme ils l'avaient déjà sur les Hébreux d'il y a six mille ans -, nos visiteurs célestes.

La Bible nous les décrit, d'ailleurs, ces Créatures célestes, parvenues non seulement à un très grand progrès matériel et scientifique, mais aussi et surtout à une très grande élévation morale.

"Elohim de tendresse et de pitié, lents à la colère, pleins de bienveillance et d'équité." (Exode 34, 6).

Elohim de justice aussi ! C'est Avram qui, discutant avec un Elohim, luit dit :

— "Loin de Toi de faire cette chose-là, de faire mourir "le Juste avec le pêcheur, loin de Toi !
"Est-ce que le Juge de toute la terre ne rendra pas justice ?" (Genèse 18, 25).

Elohim de bonté :

— "Certes, tu n'es point un Elohim qui prenne plaisir au mal. Le méchant n'as pas accès auprès de Toi.
"L'homme de sang et de fourberie, Elohim en a horreur !" (Psaume 5, 5-7).

Le peuple d'Israël a été "choisi", "élu", par les Elohim. Nous verrons bientôt dans quelles conditions et pourquoi.

Mais Israël a été "élu", non pas pour dominer le monde, mais pour servir "d'exemple" aux autres peuples.

— "Désormais, si vous obéissez à ma voix, et si vous gardez mon alliance, vous serez, parmi tous les peuples, mon peuple particulier". (Exode 19, 5).

L'Elohim de pureté, de justice et de bonté ne se fera connaître qu'aux hommes qui le cherchent dans la pureté, la justice et la bonté.

C'est ce que les Elohim, et leurs porte-paroles les Prophètes, appellent : "garder l'alliance".

Et, c'est à cette condition qu'Israël sera

"comme un signe au milieu des nations" (Isaïe 2, 4).

C'est cela qui caractérise la religion juive par rapport à toutes les autres religions, même les chrétiennes.

Elohim a appelé ce peuple à "être son témoin dans le monde", et à servir d'exemple à tous les autres peuples :

— "Et, par toi, seront heureuses toutes les races de la terre". (Genèse 12, 3).

Mais "l'alliance" ne sera maintenue par les Elohim que si le peuple "élu" reste fidèle aux exigences morales qu'ils lui ont imposées.

Chaque fois qu'Israël faillira, les Elohim, déçus, s'éloigneront de lui, regagneront leur lointaine planète, et ne reparaîtront que lorsque leur peuple sera revenu à de meilleurs sentiments.

Le peuple juif - qui, sur le chemin difficile qui mène à la pureté morale, aura trébuché -, sera abandonné à lui-même.

Les Prophètes, parlant au nom des Elohim, ont alors beau jeu de lui prédire :

— "Votre pays sera une solitude,

"Vos villes seront consumées par le feu". (Isaïe I, 7).
— Israël sera passé au crible". (Jérémie 15, 7).
— "Un grand vide se fera dans le pays.

"Il ne subsistera qu'un dixième des gens". (Isaïe 6, 12).

Mais le châtiment laissera toujours subsister "un reste d'Israël". Et toute la religion juive est axée sur le salut de ce reste.

Malgré toutes les persécutions, un "reste" subsistera toujours qui témoignera de la miséricorde des Elohim, de la permanence de "l'alliance", et de la persévérance des desseins des Elohim envers leur peuple élu, et, à travers lui, envers l'humanité tout entière.

— "Cherchez-moi et vous vivrez.
"Cherchez le bien et non le mal,
"Afin que vous viviez.
"Peut-être Elohim prendra-t-il en pitié
"Le reste de Joseph". (Amos 5, 4 et 14-15)
— "Quand vous me chercherez, vous me trouverez.
"Oui ! Si vous me cherchez avec tout votre cœur !"
(Jérémie 29, 13)

C'est parce qu'il n'était pas resté fidèle à "l'alliance", que le peuple des Elohim a été broyé par Ninive et les Assyriens, Babylone et les Chaldéens, puis par les Grecs et enfin les Romains.

Seuls le Juste et le Sage trouveront grâce aux yeux des Elohim :

"Au sommet des collines, sur la route,
"A la croisée des chemins, la Sagesse se poste.
"Près des portes de la Cité,
"A l'entrée des avenues, elle s'écrie :
"— Mortels ! C'est vous que j'appelle !"
(Proverbes 8, 2-4)

Mais sa quête est le plus souvent vaine.

L'homme reste cruel, jouisseur et fourbe. Il est plus porté vers la jouissance des biens matériels que préoccupé de son développement spirituel et moral.

Et les progrès de la civilisation aboutissent à une expansion purement matérialiste de la société.

C'est assez décevant pour les Elohim !

On ne peut pas dire que les ambitions qu'ils nourrissaient pour l'homme se soient jusqu'à présent réalisées.

Car, loin d'appliquer à son élévation morale les enseignements qu'il venait d'acquérir, l'homme n'a toujours songé à s'en servir que pour l'accroissement de son bien-être matériel.

Loin de renoncer à sa violence instinctive, à sa cruauté, il a utilisé ses connaissances toutes fraîches pour mieux assouvir ses penchants.

Déjà, dans le Jardin d'Eden, à peine était-il passé de l'état de bête sauvage au stade de la connaissance encore bien rudimentaire que ce piètre élève voulait égaler son maître. Devant ce danger menaçant, les Célestes fermèrent le Jardin d'Eden et rentrèrent provisoirement chez eux.

Mais ils laissèrent des "témoignages" entre les mains des fidèles, que ceux-ci se transmettent de génération en génération.

Ces fidèles sont les initiés avec lesquels les Elohim gardent le contact.

Et la Bible est le message caché que les Elohim nous ont laissé pour aider l'homme dans sa marche vers la pureté morale.

Et, sur le chemin cahotant qui doit la mener à la perfection morale, l'humanité avance en trébuchant, et son histoire est pleine de guerres, de violence et de sang.

Mais les Elohim ne désespèrent pas de l'homme. Et sans se lasser ils maintiennent "l'alliance".

Je sais qu'il est de bon ton de sourire quand on entend parler d'extra-terrestres.

Les esprits forts, c'est connu, ne croient en rien qu'ils ne puissent voir et toucher. Pour eux, donc, notre haute civilisation n'est qu'un pur produit de l'évolution normale de la société humaine.

Pour ces rationalistes, il n'est nul besoin de coup de pouce venu de l'extérieur.

Moi aussi je suis rationaliste ! Tout comme vous, sans doute ?

Et, tout comme vous, j'aurais affirmé avec les plus grands savants du 19ᵉ siècle que : "le plus lourd que l'air ne volerait jamais" (1).

Car ce n'était pas rationnel !

Et puis, tout comme vous sans doute, je me suis fait une raison, et je prends l'avion sans plus y penser.

Jusqu'en 1930, nous avons affirmé ensemble que : "la projection d'images à distance par voie électrique" était impossible à réaliser.

Et nous avions bien raison, car ce n'était pas rationnel.

Depuis lors, nous regardons, le soir, notre télévision sans plus nous poser de problèmes.

Ne croyez-vous pas que c'est péché d'orgueil que d'affirmer que la terre est la seule planète habitée, et que seul l'homme est assez intelligent pour réaliser des voyages interplanétaires ?

Il est, au contraire, plus rationnel d'admettre qu'il n'y a aucune raison que, parmi les myriades d'astres existants, la vie n'ait pas explosé ailleurs que sur la terre.

Sur d'autres planètes que la nôtre la vie a pu se manifester plus tôt. Des intelligences comparables à la nôtre peuvent être en avance de plusieurs millénaires sur nos conceptions les plus hardies.

Il est fort possible que dans quelques années les "supra-

---

(1) Le Professeur américain Langley fut exclu du Smithsonian Institute pour avoir prétendu qu'il pourrait faire voler une machine grâce au moteur à explosion qui venait d'être découvert.
C'était un autre Professeur américain qui s'était chargé de démontrer mathématiquement "l'impossibilité du plus lourd que l'air". Il s'appelait Simon Newcomb.

terrestres" nous soient redevenus aussi familiers qu'ils l'étaient pour les patriarches de la Bible :

"Elohim s'entretenait avec Moïse, face à face,
"comme un homme s'entretient avec un ami".

(Exode 33, 11)

Et Moïse n'en faisait pas un plat pour autant !

Si, comme tout bon rationaliste, vous ne croyez en quelque chose que lorsque vous l'avez vu, vous-même, de vos yeux, alors je comprends très bien que n'ayant pas encore vu d'extraterrestres vous vous refusiez à y croire.

Mais il y a quatre milliards d'hommes et de femmes sur la terre !

Si les Elohim doivent se manifester à chacun d'eux, ils n'en ont pas encore fini avec les visites protocolaires !

Que les extra-terrestres fassent sourire dans la mesure où ils sont le produit d'imaginations inventives pour amuser les enfants - et leurs parents - sur des bandes dessinées, je le comprends fort bien.

Mais le problème devient infiniment troublant lorsqu'en étudiant la Bible avec des yeux neufs on en arrive à la conclusion que les Elohim - animateurs du Livre Saint - sont un peuple venu enseigner à l'humanité l'existence du Dieu Un et la connaisance du Bien et du Mal.

Teilhard de Chardin n'a-t-il pas affirmé ?
— "A l'échelle du cosmique, seul le fantastique a des chances d'être vrai !"

• •

Si la Bible n'est pas avare de détails sur les qualités morales et les connaissances scientifiques prodigieuses des Elohim, nous n'y trouvons, par contre, rien sur leur aspect physique.

Nous en sommes réduits aux hypothèses !

Que le lecteur se garde bien, cependant, de toute tentation d'enfermer les Elohim dans cette vision trop précise du type "petits hommes verts", chers aux romans de science-fiction et aux films d'anticipation.

Les Elohim sont autre chose et méritent mieux que cette description qui ne prétend qu'à les ridiculiser.

N'oublions pas que nos compagnes étaient séduites par les Elohim, nous dit la Bible, alors que l'inverse n'est pas mentionné. Rien ne laisse penser que les "filles des Elohim" aient été particulièrement troublées par la vue des hommes qu'elles ont pu rencontrer. Il nous faut donc faire preuve d'un peu plus d'humilité lorsque nous voulons, nous hommes, imaginer les Elohim.

Nous ne savons pas comment sont les Elohim ! Mais si nous suivons les rares indications du Texte Sacré nous pouvons admettre que leur aspect n'a rien de "déconcertant".

Lorsqu'ils apparaissent à Avram, Isaac ou Jacob, il n'y a chez ces derniers ni mouvement de recul, ni appréhension. Avram, nous dit la Bible, discutait avec Elohim, "face à face, comme avec un ami".

Ce sont des êtres vivants : ils marchent, ils parlent, ils mangent, ils se reposent pour réparer leurs forces...

Mais je crois, pour ma part, distinguer comme un rayonnement, comme une aura, une atmosphère immatérielle, un signe distinctif qui frappait aussi les "terriens" auxquels ils s'adressaient. Avram, Isaac, Jacob, Moïse, Josué, les Rois, les prophètes, les reconnaissaient aussitôt et se jetaient à terre en les voyant.

La pureté morale, à laquelle ils sont parvenus, transcenderait-elle jusqu'à leur aspect physique pour forcer notre admiration ?

L'homme, même inconsciemment, ne verrait-il pas en

les Elohim cette perfection à laquelle il aspire pour lui-même, sans y être jamais parvenu ?

Alors, rêvons ! Mais gardons-nous de donner à nos rêves une forme trop précise, trop convenue... Pourquoi, de nous-mêmes, donner une limite aux horizons lointains ?

CHAPITRE II

LE PAYS DE LA "PROMESSE" OU LA CLE DU CHOIX DE CANAAN

"Elohim dit à Avram :
— "Eloigne-toi de ton pays,
"de ton lieu natal
"Et de la maison de ton père.
"Et va au pays que je te dirai.
"Je te ferai devenir
"Une grande nation".
(Genèse 12, 1-2)

Et c'est ainsi que la terre de Canaan a été promise par les Elohim au patriarche Avram, l'ancêtre des Hébreux.

Cette promesse a été faite il y a quatre mille ans !

Le monde civilisé de l'époque allait de l'Euphrate au Nil. Au-delà de chacun de ces deux fleuves de nombreuses peuplades existaient aussi, mais encore à demi-sauvages.

Si les Elohim avaient voulu s'en tenir à la seule partie alors civilisée de la terre, ils n'avaient vraiment que l'embarras du choix, car l'espace compris entre l'Euphrate et le Nil englobe près d'un million deux cent mille kilomètres carrés.

Et, cependant, dans cette relative immensité, les Elohim allaient choisir le pays de Canaan, cet infime territoire, peu fertile comparativement aux riches plaines du Nil et de l'Euphrate, exposé à toutes les invasions venant d'Egypte ou de Mésopotamie, pour l'attribuer à leur "peuple élu", les Hébreux.

Pourquoi les Elohim ont-ils choisi Canaan ?

C'est une mince bande de terre de deux cent quarante kilomètres de long - de Dan à Beer-Sheva-, et de cent vingts kilomètres de large, de la Méditerranée au Jourdain.

Canaan est limité à l'Ouest par la Grande Mer (1), à l'Est par le désert d'Arabie, au sud par le désert de Sinaï, et au Nord par la chaîne montagneuse du Liban et de l'Anti-Liban.

Le pays de Canaan correspond à l'Etat d'Israël actuel (avec la Cisjordanie) et le sud du Liban.

La côte méditerranéenne n'offrait pas de bons mouillages. Le désert d'Arabie était un obstacle infranchissable. Canaan n'était accessible par le Sud qu'après qu'on se fût imposé la pénible traversée du désert côtier. Et l'on n'y pénétrait par le Nord qu'après avoir franchi la chaîne montagneuse du Liban par l'étroite plaine de la Béqâ.

Et cependant ce petit pays, malgré ces obstacles naturels, était le passage obligé entre les deux grandes civilisations de l'Antiquité :

— A l'Est, dans la vallée de l'Euphrate, aux abords du Golfe Persique : le pays de Sumer,

— A l'Ouest, dans la vallée du Nil : l'Egypte.

Le nom de "Sumer" vient du mot mésopotamien : "soumerou", en hébreu "sinéar" et, en égyptien "sngr".

C'est là que la Bible place "le Jardin d'Eden" :

"Elohim planta un jardin en Eden, vers l'Orient (par rapport à Canaan). Un fleuve sortait d'Eden et formait quatre bras : le Pishon, le Ghilon, l'Hidekel qui coule à l'Orient d'Assour (c'est le Tigre), et l'Euphrate". (Genèse 2, 8-14).

Les Sumériens, de même que les Egyptiens et les Cana-

---

(1) "La Grande Mer" est le nom donné par la Bible à la Mer Méditerranée, par opposition à la Mer Salée, ou Mer Morte, et à la Mer de Galilée, qui deviendra plus tard le lac de Tibériade.

néens étaient des Khamites, des descendants de Kham, le second fils de Noé (1). Les Hébreux, eux, sont des Sémites, des descendants de Sem, le fils aîné (Genèse, Chap. X).

Il y a à peine cent ans le monde scientifique ignorait tout de Sumer.

Or, c'est la première en date de toutes les civilisations du monde. Elle est fille du Jardin d'Eden et apparaît près de quatre mille ans avant notre ère.

Celle de l'Egypte n'apparaîtra que six siècles plus tard.

Celle de la Chine, dans le bassin du fleuve jaune, remonte à peine au deuxième millénaire avant notre ère.

Celles des Amériques sont plus jeunes encore d'un bon millier d'années.

Les premiers villages apparaissent en pays de Sumer il y a près de six mille ans, et, dès 3 500 avant notre ère, les villes d'Our et de Lagash, aux abords du Golfe Persique connaissaient déjà une organisation sociale et politique poussée.

C'est vers 3 000 av. J.-C. que les Sumériens imaginèrent d'écrire sur de l'argile. Leur première tentative commença par la reproduction schématique des objets, ce que nous appelons la "pictographie". Mais très vite les signes devinrent des sons et l'écriture s'éleva jusqu'aux idées abstraites pour donner, dès l'an 2 000 avant notre ère, les œuvres littéraires les plus élaborées (2).

Le pays de Sumer était alors partagé en cités-états très démocratiques, avec un Conseil des Anciens et une Assemblée formée de tous les habitants en état de porter les armes.

---

(1) Comme chacun sait Noé eut trois fils : Sem, Kham et Iaphet.

(2) L'écriture sumérienne est dite "cunéiforme" parce que le stylet, en s'enfonçant dans l'argile malléable, soulève des bourrelets qui, en séchant, donnent l'apparence de coins et de recoins.

Le roi était le chef de guerre et l'administrateur de la cité en temps de paix.

La ville était entourée de remparts et la population agricole des alentours venait s'y réfugier en cas de danger. Au centre de la ville se trouvait le palais du roi. En face de lui, le Temple, demeure du personnage divin que le roi représentait sur terre.

Les principales de ces cités-états étaient :
Our, sur le Golfe Persique,
Lagash,
Kish,
Ourouk.

En l'an 3000 avant notre ère, la civilisation de Sumer est à son apogée !

Nous avions cru, jusqu'à ces dernières années, que c'était la Grèce qui avait inventé les sciences exactes.

La preuve est maintenant faite, par la mise à jour d'innombrables tablettes d'argile, que deux mille ans avant qu'Euclide (1) n'invente la géométrie qui porte son nom, les professeurs d'écoles de Sumer enseignaient à leurs élèves la théorie des cas d'égalité des triangles rectangles, les racines carrées et cubiques, ainsi que le rapport constant qui existe entre la circonférence et le diamètre du cercle. Plus tard, les Grecs n'eurent plus qu'à lui donner un nom : Pi 3.1416 !

L'influence des cités-états du Golfe Persique remontait très haut dans la vallée de l'Euphrate. Et la ville de Kharan, à mille kilomètres plus au Nord, était la ville vassale d'Our, sur le Golfe Persique, et lui servait de relais pour ses caravanes vers la Méditerranée et l'Egypte.

---

(1) Euclide, mathématicien grec qui enseignait au 3ᵉ siècle avant J.-C., à Alexandrie. Il est l'auteur du fameux "postulat".
(Le postulat est un principe premier, indémontrable, dont l'admission est nécessaire pour établir une démonstration. Exemple : "Par un point donné hors d'une droite on ne peut mener qu'une parallèle à cette droite" et, "deux parallèles ne se rencontrent jamais".

Car, essaimant de Sumer, un second foyer de civilisation s'était développé sur les bords du Nil.

Des villes importantes s'étaient construites dans l'étroite vallée fertile qui borde ce fleuve : Memphis et Thèbes notamment.

Ces deux civilisations, la Sumérienne et l'Egyptienne, constituaient les deux seuls pôles organisés de l'humanité d'alors. Les différents peuples vivant entre le Nil et l'Euphrate, au contact de ces deux civilisations, s'étaient sédentarisés dans les villes, ou avaient conservé les habitudes ancestrales de nomadiser, allant avec leurs troupeaux de pâturages en pâturages, et venant offrir aux marchés des villes voisines les produits de leur élevage.

Par contre, au-delà de chacun de ces deux fleuves, les autres groupes humains d'Asie, d'Afrique et d'Europe - pour ne pas parler de ceux d'Amérique et d'Océanie - entraient à peine dans le néolithique, ignoraient encore les métaux, et commençaient seulement à polir la pierre.

Au pays de Sumer l'Asiatique, comme en Egypte l'Africaine, l'état s'organisait.

De façon très démocratique, à Sumer, avec les cités-états. En monarchie de droit divin, en Egypte, avec les Pharaons.

Le pays de Sumer et l'Egypte étaient favorisés par rapport à leurs voisins, car traversés par de grands fleuves : le Tigre et l'Euphrate pour l'un, le Nil pour l'autre.

Par le limon qu'ils charriaient et qu'ils déposaient dans la partie basse de leur cours, ces fleuves favorisaient la culture des céréales qui étaient, à l'époque, l'essentiel de la richesse pour un pays.

Le blé, l'orge, l'avoine en excédent permettaient de se procurer auprès des voisins, même éloignés, tout ce qu'on ne trouvait pas sur son propre sol : les métaux, les épices et le bois.

Et alors qu'en Europe le néolithique, succédant au magdalénien, constituait par rapport à celui-ci une véritable décadence, par contre en Egypte et au pays de Sumer se développait à cette époque un art très vivant plein de forces et de qualités. Alors que l'homme européen n'était encore qu'un chasseur et un ramasseur de fruits sauvages, le Sumérien, et à un degré moindre, l'Egyptien, connaissaient déjà le dessin, la musique, la sculpture et la danse.

Fort heureusement pour elle l'Europe fut accessible aux migrations asiatiques et africaines qui lui apprirent l'art de cultiver les céréales, d'élever les animaux domestiques et de travailler les métaux.

Sans elles, son état de civilisation très rudimentaire se serait très longtemps maintenu.

En Afrique, les deux pays qui bordent le Nil - la Haute Egypte avec Thèbes pour capitale -, - la Basse Egypte avec Memphis -, s'unirent très tôt sous le sceptre du même pharaon.

En Asie par contre, "le pays d'entre les deux fleuves", ou Mésopotamie, connaîtra plusieurs foyers successifs de civilisation et de puissance.

En l'an 3000 avant notre ère, il y eut d'abord Sumer, en Basse Mésopotamie, tout près du Golfe Persique, avec ses cités-états de Lagash et de Our, dont la civilisation rayonnait de l'embouchure de l'Euphrate jusqu'aux sources de ce fleuve, à mille kilomètres plus au Nord.

Sept cents ans plus tard, vers 2300 avant notre ère, le pôle dominant remontera vers la moyenne Mésopotamie. C'est le pays d'Akkad, qui prendra ensuite le nom de Chaldée, avec comme capitale Babylone.

Encore neuf cents ans, et vers — 1400, c'est la partie haute de la Mésopotamie, le Soubarou, qui dépassera en puissance les autres parties de la Mésopotamie, avec les villes de Ninive et d'Assour. Et le Soubarou s'appellera alors l'Assyrie.

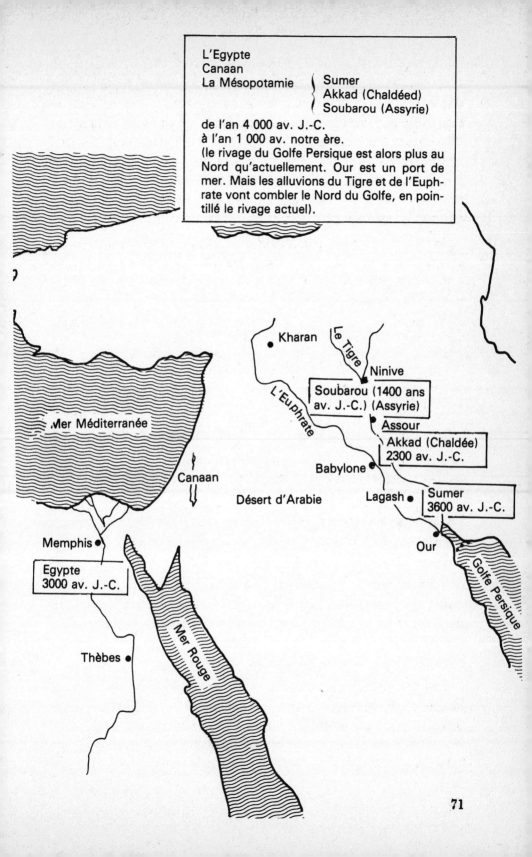

L'Egypte
Canaan
La Mésopotamie ⎰ Sumer
⎱ Akkad (Chaldéed)
⎱ Soubarou (Assyrie)

de l'an 4 000 av. J.-C.
à l'an 1 000 av. notre ère.
(le rivage du Golfe Persique est alors plus au
Nord qu'actuellement. Our est un port de
mer. Mais les alluvions du Tigre et de l'Euphrate vont combler le Nord du Golfe, en pointillé le rivage actuel).

Kharan

Le Tigre

L'Euphrate

Ninive

Soubarou (1400 ans
av. J.-C.) (Assyrie)

Assour

Akkad (Chaldée)
2300 av. J.-C.

Mer Méditerranée

Canaan

Désert d'Arabie

Babylone

Lagash

Sumer
3600 av. J.-C.

Our

Golfe Persique

Memphis

Egypte
3000 av. J.-C.

Mer Rouge

Thèbes

C'est l'ensablement progressif du delta mésopotamien qui entraîna l'affaiblissement des ports d'Ourouk et de Our au profit des cités fluviales : Babylone, "la Porte", Mari sur l'Euphrate et Ninive sur le Tigre.

Ces deux civilisations, la Sumérienne et l'Egyptienne, étaient irrésistiblement attirées l'une vers l'autre, comme les deux pôles opposés d'un aimant, car ces deux mondes étaient avides de se mieux connaître.

L'Egypte, en hébreu "Misraïm", regardera toujours vers l'Est. Ses armées atteindront souvent l'Euphrate. Et ses guerriers, habitués au cours du Nil qui va du Sud au Nord, resteront ébahis devant ce fleuve qui leur paraissait "couler à l'envers".

Et "le pays d'entre les deux fleuves", la Mésopotamie, en hébreu "Naaraïm", ne tournera ses regards que vers l'Ouest et ses conquêtes iront souvent jusqu'au Nil.

La première n'aura pas un regard pour le Magreb, pourtant si proche, et le second tournera toujours le dos à l'Asie pour ne songer qu'à la Méditerranée.

A vol d'oiseau, mille cinq cents kilomètres à peine séparaient ces deux mondes. Les échanges allaient s'organiser.

Mais ils ne pouvaient se faire que par terre, au moyen de caravanes, et au prix d'un voyage fait de lenteur, et plein d'aléas.

Car, entre l'Egypte et la Mésopotamie, il y a le désert d'Arabie, infranchissable. C'est une steppe pierreuse, sans eau ni végétation, d'une altitude moyenne de six cents mètres, impraticable pour l'homme et même pour le chameau dont les soles faites pour courir sur le sable ne s'accommodent pas du basalte coupant.

Peuplé de tribus sauvages et pillardes, le désert d'Arabie ne sera allègrement franchi que lorsque le moteur sera inventé. Les cavaliers fanatisés et ivres de butin de Mahomet ne déferleront, quelques siècles plus tard, sur le Moyen Orient qu'en suivant les routes du littoral.

Pour aller de Our (Mésopotamie) à Memphis (Egypte) à l'Ouest, impossible de prendre par le plus court. Il fallait contourner le désert d'Arabie, en remontant d'abord plein Nord par la vallée de l'Euphrate. On tournait complètement le dos à son objectif et cela pendant près de mille kilomètres, jusqu'à Kharan (1).

Une fois arrivés à Kharan on traversait l'Euphrate, puis on redescendait plein Sud, entre les monts du Liban, par la vallée de la Béqâ.

On arrivait ainsi en Canaan.

On suivait alors l'étroite bande côtière parallèle à la vallée du Jourdain. Et on traversait enfin le pénible désert côtier, au Nord du Sinaï, pour atteindre le Nil.

C'était un détour de cinq cents kilomètres qui portait le trajet total à plus de deux mille kilomètres.

C'est cette longue route qu'empruntèrent les pacifiques caravanes d'abord, les armées ensuite pour porter la guerre parfois sur l'Euphrate, parfois sur le Nil, quand elles ne se heurtaient pas à mi-chemin en écrasant tous les obstacles qu'elles rencontraient sur leur route.

Car, ces deux pays fertiles, riches en céréales, n'avaient de forêt ni l'un ni l'autre. Or, le bois leur était à tous deux indispensable pour la construction de leurs maisons, de leurs palais et surtout de leurs vaisseaux.

L'Egypte et Our en Sumer étaient alors des puissances maritimes (2).

---

(1) Je préfère l'orthographe "Kharan" à celle couramment usitée de "Haran". A mon avis, le "kh" français rend mieux la lettre hébraïque "khèt", qui est l'équivalent de la "jota" espagnole, ou du "ch" allemand.
Et cela permet d'éviter la confusion entre la ville de "Kharan", qui s'écrit en hébreu avec un "khèt", et le prénom du frère d'Avram, Haran, qui s'écrit en Hébreu avec un "hé", équivalent de notre "h" muet.
Cette confusion dans l'orthographe des deux mots est commise par toutes les traductions de la Bible. Et le lecteur a beaucoup de peine à s'y retrouver quand "Avram part pour Haran avec son frère Haran".

(2) La ville d'Our est aujourd'hui à plus de deux cents kilomètres du rivage du Golfe Persique. C'était à l'époque un grand port de mer.

Ce bois précieux, indispensable, n'était pas loin !

A mi-chemin entre l'Egypte et la Mésopotamie, se trouvait, à l'époque, dans le pays de Canaan, l'immense forêt de cèdres du Liban, ces arbres gigantesques qui peuvent atteindre la hauteur d'une de nos maisons de dix étages (1).

Les Egyptiens se procuraient les grands cèdres en cabotant le long des côtes inhospitalières de Canaan et négociaient leur blé contre les arbres.

Les Sumériens faisaient de même, mais par la voie terrestre, et les longues caravanes amenaient le blé de Sumer en Canaan pour le troquer contre le bois.

La côte de Canaan n'offrait aux navigateurs égyptiens ni port naturel ni baie tranquille. Ce rivage est, en effet, rectiligne, sauf l'encoche d'Akko (2), les dunes de sable formaient une falaise, haute et abrupte, et la navigation était pénible et pleine de risques.

Aussi, vers l'an — 2000, les Egyptiens trouvèrent-ils moins aléatoire le trajet par la terre et ils jugèrent plus expédient de se servir eux-mêmes en faisant passer sous leur domination les peuplades peu évoluées qui habitaient Canaan.

Ils s'assuraient ainsi l'exploitation exclusive du bois précieux du Liban.

Cette occupation de Canaan par la puissante Egypte n'était pas faite pour plaire au pays de Sumer.

Les deux pays auraient pu s'entendre pour une utilisation en commun de cette richesse naturelle, car il y avait du bois à suffisance pour tous.

Mais l'esprit de lucre et de violence, l'égoïsme, allaient l'emporter chez les Egyptiens. Ils tenaient le cèdre du

---

(1) Depuis les invasions arabes la forêt de cèdres a presque complètement disparu.
(2) Saint Jean d'Acre.

Liban et ne se souciaient guère de le partager avec les Sumériens.

Et c'est le cèdre du Liban qui allait ajouter une raison supplémentaire à ces deux civilisations pour s'entre-déchirer.

Les Elohim qui s'étaient donné tant de peine pour faire éclore la civilisation sur les bords du Golfe Persique parmi une humanité sauvage et réfractaire pouvaient-ils rester indifférents devant cette menace de lutte fratricide qui s'annonçait ?

Je ne le pense pas !

Pour empêcher cela, il suffisait aux Elohim de trouver à mi-chemin entre Sumer et l'Egypte un pays qui puisse jouer le rôle de verrou entre les deux états hostiles, puis de confier ce territoire à un peuple sûr qui leur fut totalement dévoué.

La Bible nous dit que ce "verrou" fut Canaan. Et ce "peuple fidèle", la descendance d'Avram, les Hébreux :

..."Avram était dans le pays de Canaan...

"Elohim dit à Avram : — "Lève les yeux ! Et du point où tu es placé promène tes regards au Nord, au Midi, à l'Orient et à l'Occident. Eh bien ! tout le pays que tu aperçois, je te le donne. A toi, et à ta race, à perpétuité !"... (Genèse 13, 12 à 15).

Canaan, c'était à la fois le passage obligé entre Sumer l'Asiatique et Memphis l'Africaine. C'était aussi le pays des cèdres indispensables aux économies des deux pays.

La position stratégique de Canaan est la clé du "choix" de ce territoire, par les Elohim, pour le donner en "terre promise" aux Hébreux.

Et, tant que les Hébreux tinrent ce territoire d'une main ferme et réussirent à éviter les heurts entre Egyptiens et

Mésopotamiens, la terre qui leur avait été "promise" leur fut maintenue.

Lorsque les Hébreux furent débordés, les deux Empires rivaux s'entre-déchirèrent. L'Etat Hébreu, qui n'avait plus de raison d'être, disparut alors.

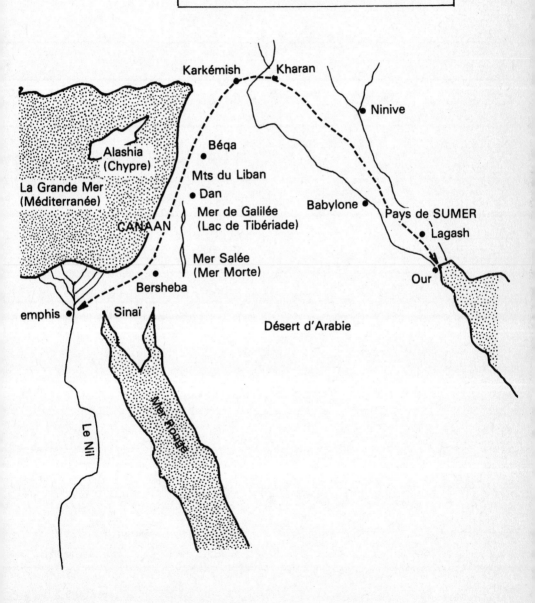

Le chemin des caravanes entre l'Egypte et le pays de Sumer (par la vallée de l'Euphrate, la ville caravanière de Kharan, la vallée de la Béqâ, le pays de Canaan, et le désert côtier du Sinaï
en grisé : les déserts et les steppes.
en clair : les vallées fertiles des fleuves.

Karkémish

Kharan

Ninive

Alashia
(Chypre)

Béqa

La Grande Mer
(Méditerranée)

Mts du Liban

Dan

Mer de Galilée
(Lac de Tibériade)

Babylone

Pays de SUMER

CANAAN

Lagash

Mer Salée
(Mer Morte)

Our

Bersheba

emphis

Sinaï

Désert d'Arabie

Le Nil

Mer Rouge

CHAPITRE III

LA MISSION D'AVRAM
OU
LA CLE DU PERIPLE
DU PATRIARCHE

> *"Et tu répondras, et tu diras à haute*
> *"voix devant ton Elohim : — "Mon père était*
> *"un Araméen nomade qui descendit en Egypte".*
> *(Deutéronome 26, 5) (1)*

En ce début du deuxième millénaire avant notre ère, sur la route des caravanes à mi-chemin entre l'Egypte et le pays de Sumer, erraient des tribus de Sémites nomades, en marge des cités-états.

Elles avaient, elles aussi, largement profité des enseignements du Jardin d'Eden, mais, repoussant le confort matériel des citadins d'Our et de Babylone, ces tribus vivaient sous la tente et nomadisaient dans les vastes steppes qui s'étendaient entre l'Euphrate et le Tigre.

Au Nord du pays de Sumer, entre Babylone et Bagdad, dans le Moyen Euphrate, étaient les Amourou (2).

Un peu plus au Nord, dans le Haut Euphrate, aux alentours de la grande cité caravanière de Kharan, se trouvaient les Araméens.

Plus au Nord encore, entre Kanesh et Karkémish étaient les Hittites (3).

---

(1) En hébreu : "Ve anita ve amarta lifnéï Eloiékha : — "Arami oved avi va iéred Mitséraïémakh"
(2) Ce sont les Amorites de la Bible.
(3) Les Amorites, les Araméens, les Hittites sont des Sémites, fils de Sem, l'aîné de Noé.

Les trois groupes de tribus de Sémites nomades :
Amorites, Araméens, Hittites et
- la poussée des Elamites sur Our, en 1900 av. J.-C.
- celle, en défense, des Amorites sur Babylone en 1850 av.
J.-C.

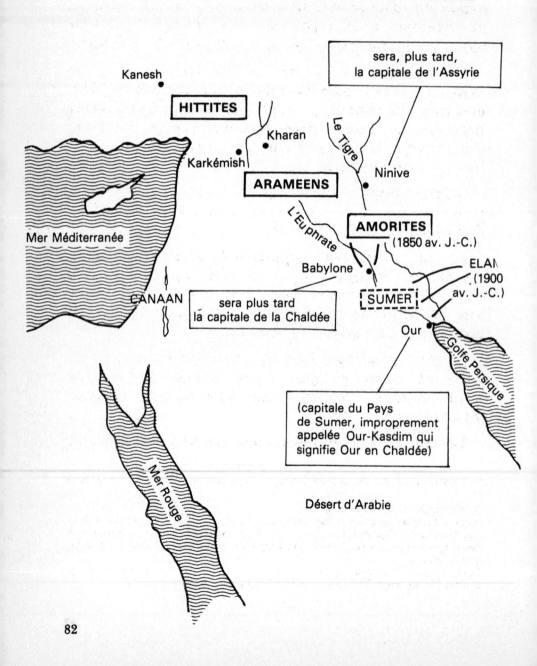

Kanesh

HITTITES

sera, plus tard,
la capitale de l'Assyrie

Le Tigre

Kharan

Karkémish

Ninive

ARAMEENS

L'Euphrate

AMORITES
(1850 av. J.-C.)

Mer Méditerranée

Babylone

ELAM
(1900
av. J.-C.)

CANAAN

sera plus tard
la capitale de la Chaldée

SUMER

Our

Golfe Persique

(capitale du Pays
de Sumer, improprement
appelée Our-Kasdim qui
signifie Our en Chaldée)

Mer Rouge

Désert d'Arabie

Mais Our-en-Sumer allait être submergée par une invasion de sauvages, venus de l'Est Asiatique, les Elamites (1)

Bien que la Bible n'en fasse nulle mention, à mon avis les Elohim ne pouvaient laisser pareille intrusion sans réagir. Pour éviter que ces conquérants n'étendent leur domination sur toute la Mésopotamie et ne ruinent la civilisation naissante, il fallait colmater cette brèche et dresser un obstacle à leur expansion le plus près possible de Sumer.

Tout se passe alors comme si à la tribu des Amorites avait été confié le soin d'établir un état-tampon au Nord de Sumer. Et l'histoire nous dit que les guerriers-pasteurs Amorites, qui nomadisaient aux environs de Babylone, s'emparèrent de la ville et y fondèrent vers 1850 av. J.-C. leur première dynastie.

Si cette initiative n'avait pas été voulue par les Elohim pour préserver la civilisation du Jardin d'Eden, il s'agirait d'une bien curieuse coïncidence.

La culture sémitique supplanta la sumérienne, car la langue, et l'écriture hébraïques (avec son alphabet de vingt-deux caractères), étaient des moyens d'expression bien supérieurs au sumérien (dont l'alphabet comportait encore plus d'un millier de signes).

Le plus grand souverain de cette dynastie sémite fut Amourabi (2) qui rédigea un code de lois. Ce document juridique est le plus important de toute la civilisation mésopotamienne (3).

Les Amorites ne se contentèrent pas de tenir Babylone.

---

(1) La poussée des Elamites en Pays de Sumer se situe aux environs de 1 900 avant notre ère.

(2) Amourabi (1730 - 1685 av. J.-C.).

(3) Ce code réglait la rédaction des actes commerciaux, les problèmes de salaires, le principe des congés obligatoires pour les employés, les questions d'héritage, la réparation des dommages causés aux tiers, le statut de l'épouse, et tous les sujets de droit commercial, civil et criminel.

Ce document était très en avance sur les mœurs du temps. Sans doute Amourabi, comme plus tard Moïse, avait-il été inspiré par les Elohim pour sa rédaction.

Ils reprirent aux Elamites le Pays de Sumer et y établirent leur capitale, à Our. Les Amorites tenaient donc solidement la Moyenne Mésopotamie, avec Babylone, et la Basse Mésopotamie, avec Our.

Mais ils ne pouvaient s'accommoder de l'occupation de Canaan par les Egyptiens. Eux aussi avaient besoin des cèdres du Liban.

Pour obtenir des Egyptiens qu'ils évacuent pacifiquement le pays de Canaan, il semble bien que les Elohim aient voulu d'abord confier à Avram une mission de conciliation (1).

Le récit nous en est donné par la Bible, mais sous une forme ésotérique pour en dissimuler le sens au profane.

Et l'histoire de la mission d'Avram est découpée en plusieurs morceaux qui sont ensuite répartis dans différents chapitres, puis noyés dans un contexte, volontairement banal, qui leur sert d'habillage.

Reconstituons d'abord le puzzle. Nous verrons ensuite quel en est le sens réel.

La Bible nous dit :
... — "Noé engendra trois fils : Sem, Kham et Iaphet...
"Sem engendra Arphaxad, Arphaxad engendra... etc...
"jusqu'à Térakh),
"Térakh engendra Avram, Nakhor et Haran.
"Haran engendra Loth.
"Haran mourut du vivant de son père Térakh, dans son
"pays natal à Our-Kasdim.
"Térakh emmena son fils Avram, Loth fils de Haran
"son petit-fils, et Saraï sa bru, épouse d'Avram son fils.
"Ils sortirent ensemble d'Our-Kasdim pour se rendre au
"Pays de Canaan. Ils allèrent jusqu'à Kharan et y sta-
"tionnèrent.

---

(1) Tous les historiens sont d'accord pour situer le périple d'Avram vers 1730 avant notre ère. A cette date, Amourabi, l'Amorite, règne sur Babylone.

"Térakh mourut à Kharan.

"Elohim dit à Avram : — "Eloigne-toi de ton lieu
"natal"...

"Avram partit comme le lui avait dit Elohim. Il prit
"Saraï son épouse, Loth fils de son frère... pour se ren-
"dre au pays de Canaan... Puis se dirigèrent constam-
"ment vers le Midi... Il y eut une famine dans le pays,
"Avram descendit en Egypte pour y séjourner...

"Les Egyptiens remarquèrent que sa femme était extrê-
"mement belle, puis les Officiers du Pharaon la virent et
"la vantèrent à Pharaon, et cette femme fut enlevée
"pour le Palais de Pharaon.

"Avram fut bien traité pour l'amour d'elle, il eut du
"menu et du gros bétail, des ânes, des esclaves...

"Puis Pharaon manda Avram et lui dit : ... "Or çà !
"Voici ta femme, reprends-la et retire-toi !" Et Pharaon
"lui donna une escorte qui le reconduisit avec sa femme
"et toute sa suite".

(Genèse, Chapitres 10, 11, 12)

Ainsi, tout le récit du périple d'Avram,

— Depuis Our sur le Golfe Persique jusqu'à Kharan à
mille kilomètres plus au Nord,

— Puis de Kharan vers Canaan, sur la Méditerranée, à
des centaines de kilomètres plus au Sud,

— Enfin, de Canaan en Egypte,

— Son séjour en Egypte et son expulsion par Pharaon en
personne,

— Tout cela ne serait plus qu'un conte insignifiant narrant l'histoire d'un quelconque bédouin nomade, errant
de-ci de-là, en poussant ses troupeaux devant lui, sans but
bien défini, et tirant profit à l'occasion des charmes de sa
gracieuse épouse ?

Rien de plus faux !

Croit-on que la Bible perdrait ainsi trois chapitres pour nous narrer de pareilles banalités ?

Tous ceux qui traduisent ainsi la Bible, qu'il s'agisse du Rabbinat français ou du Collège catholique de la Sainte Bible de Jérusalem, feignent d'ignorer que chaque mot hébreu du Livre Sacré a trois sens :

— Le sens commun, vulgaire, valable pour les "non-initiés",

— le sens symbolique,

— et le sens ésotérique, ou hiéroglyphique, les deux derniers sens n'étant accessibles qu'aux "initiés", quelques Talmudistes ou kabbalistes (1).

Si l'on va au-delà du récit banal, le périple d'Avram a un sens tout différent qu'il nous faut dégager.

Mais il convient de rectifier, tout d'abord, deux erreurs.

La première : quand la Bible parle d'Our-Kasdim, qui signifie Our-en-Chaldée, c'est Our-en-Pays-de-Sumer, sur les bords du Golfe Persique, qu'il faut lire. La Chaldée, à l'époque Sumérienne n'existe pas encore. Sa capitale, Babylone, sera à plus de quatre cents kilomètres au Nord de Our.

La seconde erreur est beaucoup plus grave.

Tous les exégètes de la Bible, qu'ils soient chrétiens, musulmans ou juifs, affirment qu'Avram - et donc sa descendance, les Hébreux -, sont originaires d'Our.

Si cela était vrai, Avram et les Hébreux, ses fils, seraient Sumériens.

Les exégètes de la Bible n'ont pas réfléchi qu'avec une pareille affirmation ils font d'Avram - et de sa descendance, les Hébreux, les Juifs -, des Khamites, des fils de Kham, comme les Sumériens.

---

(1) Voir à ce sujet :
— Fabre d'Olivet, "La langue hébraïque restituée", Ed. L'Age d'Homme, Collection Delphica, 1975.
— Saint Yves d'Alveydre, "La Synarchie".

Et, qu'avec une pareille thèse, les Juifs ne seraient plus des Sémites !

Que Térakh, le vieux père - ses deux fils, Avram et Haran -, Saraï, l'épouse d'Avram -, et Loth, fils de Haran, se soient rendus à Our, en pays de Sumer est incontestable.

Qu'ils en soient repartis, à l'exception de Haran, décédé, est tout aussi vrai.

Puisque la Bible nous le dit !

Mais, le Livre Sacré ne nous dit nulle part que Térakh, Avram ou Saraï, sont originaires d'Our en pays de Sumer.

Il précise, au contraire, qu'ils sont tous originaires de la ville de Kharan, du Pays Araméen, en hébreu : "L'Aram-Naaraïm", le pays d'entre les deux fleuves, le Tigre et l'Euphrate, à mille kilomètres au Nord d'Our :

1. - Térakh quitte Our en emmenant son fils Avram, Saraï sa bru, et Loth le fils de Haran décédé. Si le berceau de la famille avait été Our, pourquoi ne pas avoir laissé parmi les siens le jeune Loth ? Car personne ne revient plus à Our !

2. - Qu'est devenu Nakhor, le troisième fils de Térakh ? L'a-t-on laissé à Our ? Non, puisqu'on le retrouve à Kharan quelques chapitres plus loin. C'est donc qu'il n'est pas venu à Our puisqu'il n'en est pas reparti. Our n'est donc pas le berceau de la famille.

3. - "Avram dit à son serviteur : — "VA dans mon pays, dans mon LIEU NATAL, chercher une épouse pour mon fils Isaac !". Le serviteur s'achemina vers l'Aram Naaraïm, vers la ville de Nakhor" (Genèse 24, 10)... Il en ramena Rebecca. Ne cherchez pas sur la carte la "ville de Nakhor". Vous ne la trouveriez pas. C'est tout simplement la ville où habite Nakhor. Et cette ville, nous dit la Bible, c'est Kharan.

4. - Lorsque Jacob voulut fuir son frère aîné Esaü, à qui il venait de dérober son droit d'aînesse contre un plat de lentilles, sa mère lui dit : — "Pars ! Va te réfugier auprès de mon frère, à Kharan". (Genèse 27, 43).

5. - Quand Isaac envoya son fils Jacob prendre femme, il lui dit : — "Lève-toi ! Va dans le territoire d'Aram chez le père de ta mère... Jacob partit et se dirigea vers Kharan. " (Genèse 28, 2-10).

6. - D'ailleurs, chaque année à la fête des moissons les Juifs ne récitent-ils pas, évoquant Avram le grand ancêtre : — "Mon père était un Araméen nomade qui descendit en Egypte." (Deut. 26, 5) ? Croit-on qu'ils diraient "Araméen nomade" si Avram et son père Térakh avaient été des citadins sédentaires de Our en Pays de Sumer ?

7. - Lorsque Josué, après la conquête de Canaan, réunit toutes les tribus à Sichem, il leur dit :
— "Vos ancêtres habitaient jadis au-delà du fleuve (l'Euphrate) jusquà Térakh, père d'Avram et de Nakhor." (Josué 24, 2-3).

Or, pour le pays de Canaan, la ville d'Our en Sumer se trouve en deçà de l'Euphrate. Canaan et Our sont toutes deux du même côté du fleuve, à l'Ouest de l'Euphrate. Par contre, la ville de Kharan est au-delà de l'Euphrate, de l'autre côté du fleuve par rapport à Canaan.

8. - L'Elohim des Patriarches, en parlant de lui, dit :
— "Ani El Shaddaï". — "Je suis l'Elohim des montagnes", car c'est sur une montagne qu'il apparaissait toujours. Or, en Basse Mésopotamie, il n'y a pas de montagne dans le Pays de Sumer. Mais il y en a en Aram, mille kilomètres plus au Nord.

9. - L'archéologue André Parrot (1) note la présence

---

(1) M. André Parrot, Conservateur en Chef des Musées Nationaux, Chef de la Mission Archéologique de Mari, auteur de "La Bible et l'Orient"; "De Babylone à Jéricho" (Fischbacher, Paris 1934); "Découverte des mondes ensevelis (Delacnaux et Niestlé, Neuchâtel 1955), etc...

d'une tribu de "Bene Yamina" dans les steppes qui entourent Kharan au deuxième millénaire avant notre ère. N'est-ce pas le nom d'une des douze tribus d'Israël, Benjamin ? Le chef des Bene Yamina portait le titre de "Davidum". N'est-ce pas le prénom hébreu David ? Les Bene Yamina étaient renommés pour leurs qualités guerrières. Or, quand Jacob, sur son lit de mort, fait venir près de lui ses douze fils pour leur révéler le destin de leurs descendants, il dit : — "Benjamin est un loup qui déchire et qui s'assouvit de carnages". (Genèse 49, 27).

10. - Le chiffre 40 était un nombre sacré des tribus de la steppe Araméenne. On le retrouve mentionné presque à chaque chapitre de la Bible.

11. - La Bible est d'ailleurs très précise lorsqu'il s'agit de désigner la ville natale d'Avram. Il suffit de la lire attentivement.

"Elohim dit à Avram : — "Eloigne-toi de ton pays, DE TON LIEU NATAL, et de la maison paternelle, et va au pays que je t'indiquerai... Avram partit comme le lui avait dit Elohim. Il était âgé de soixante-quinze ans LORSQU'IL SORTIT DE KHARAN". (Gen. 12, 1-4).

Ainsi le vrai périple d'Avram s'éclaire !

Il est né en "Aram-Naaraïm", le Pays d'Aram, entre le Tigre et l'Euphrate, à proximité de la ville de Kharan (Genèse 12, 1-4). Il nomadisait avec sa famille, son père Térakh, ses deux frères, Nakhor et Haran, sa femme Sara, son neveu Loth, au milieu de sa tribu, les Araméens.

Plus au Sud, les cousins Amorites se trouvaient en Basse Mésopotamie et régnaient sur Babylone et Our en Sumer.

Plus au Nord étaient les tribus cousines Hittites.

Ces trois groupes de Sémites nomades bivouaquaient, chacun sur son territoire. Et tous trois contrôlaient la route des caravanes allant de Mésopotamie vers l'Egypte, et du Nil vers le Golfe Persique.

Ils vivaient en bonne intelligence et les familles des trois tribus s'alliaient volontiers entre elles par mariage. Ezéchiel s'adressant aux Hébreux, quelques siècles plus tard, leur dira : — "Ton père était Amorite et ta mère Hittite." (Ezéchiel 16, 3).

Et voici comment je vois pour ma part la mission de conciliation d'Avram entre les deux empires rivaux et le vrai périple du patriarche.

Avram partit donc de Kharan pour Our en Sumer où régnait son cousin Amourabi l'Amorite. Son père Térakh, sa femme Sara, son frère Haran et son neveu Loth, l'accompagnaient. Il avait laissé son autre frère Nakhor à Kharan pour garder les troupeaux.

Avram arriva à Our en Sumer où son frère Haran mourut (1). Après avoir obtenu l'accord d'Amourabi pour une solution pacifique, Avram quitta Our avec sa famille pour regagner Kharan, où son père mourut à son tour (1).

Partant de Kharan il arriva à Sichem, en Canaan. C'est là qu'Elohim lui apparut de nouveau et lui dit :

— "C'est à ta postérité que je destine ce pays". (Genèse 12, 7).

Ce sera, au moment voulu, l'état-tampon entre la Mésopotamie et l'Egypte. Mais Avram doit d'abord poursuivre sa mission. Il se dirigea sur Béit-El, puis nous dit la Bible, constamment vers le midi.

Le but du voyage n'était donc pas Canaan mais bien l'Egypte. "Or, il y eut une famine dans le pays, Avram descendit en Egypte pour y séjourner". (Genèse 12, 10). Il semble évident que cette famine n'est invoquée que pour dissimuler le sens véritable du voyage.

De même qu'est un leurre l'histoire d'Avram demandant

---

(1) Cette indication qui n'a aucun intérêt pour l'ensemble du récit nous est sans doute donnée par la Bible pour mieux jalonner les étapes. Un moyen mnémotechnique, en quelque sorte.

à sa femme d'affirmer qu'elle est sa sœur, car "elle est très belle" et Avram craint que les Egyptiens ne le tuent pour s'emparer d'elle. Elle a, à l'époque, plus de soixante-cinq ans ! C'est donc un habillage pour les "non-initiés".

Certes "femme", en hébreu, se dit "Isha", féminin de "Ish" qui signifie : "homme".

Mais ce mot hébreu, dans le texte biblique, peut avoir trois sens (1) :

— le sens courant, ordinaire, banal : "femme", épouse de "Ish", l'homme;

— le sens symbolique : "idée", "image", "transposition de l'esprit de l'homme", "plan";

— le sens kabbalistique, qu'il ne m'appartient pas et qu'il n'est pas utile de révéler ici.

Si, au lieu du sens ordinaire de "isha", on prend le sens symbolique de "idées, plans, propositions", on voit le périple d'Avram à Our en Sumer et en Egypte prendre une tout autre valeur.

Arrivé en Egypte, Avram fut reçu par les Officiers de Pharaon. Il leur exposa le plan des Elohim : les deux civilisations, l'Egyptienne et la Mésopotamienne, devaient se développer harmonieusement et sans heurt entre elles. Les deux empires ne devaient pas axer leur action sur la volonté de puissance mais sur le développement spirituel. Sans quoi ils s'entre-déchireraient et disparaîtraient l'un et l'autre pour laisser la place aux Barbares.

Ce plan séduisit les Officiers de Pharaon qui le soumirent au souverain égyptien. Ce dernier l'accepta aussi. C'est ce que la "traduction ordinaire" de la Bible nous donne sous la forme : "Cette femme était extrêmement séduisante. Les Officiers de Pharaon la virent et la vantèrent à Pharaon. Et cette femme fut enlevée pour le Palais de Pharaon". (Genèse 12, 14-15).

---

(1) Voir ce que dit du mot "isha" Fabre d'Olivet, op. déjà cité.

Pharaon offrit à Avram, l'envoyé des Elohim, de nombreux présents : "Quant à Avram il fut bien traité pour l'amour d'elle. Il reçut du menu et du gros bétail, des ânes, des esclaves et des chameaux." (Genèse 12, 16). Cette explication cadre mieux avec le caractère fier et ombrageux d'Avram que de continuer à le laisser passer pour un mari complaisant tirant profit de l'inconduite de son épouse septuagénaire.

Malheureusement Pharaon se ravisa quelque temps plus tard. L'Egypte tenait le défilé de Canaan et le précieux bois du Liban. Elle ne voulut pas lâcher ses gages. Et le plan de paix des Elohim fut finalement repoussé par Pharaon.

Ce que la "traduction ordinaire" nous donne sous la forme :

"Pharaon dit à Avram : — Or ça ! maintenant, voici ta femme ! Reprends-la et retire-toi. Et Pharaon lui donna une escorte qui le reconduisit avec sa femme et toute sa suite." (Genèse 12, 19-20).

Pharaon aurait-il pris tant de peine pour un humble bédouin ? N'est-ce pas plutôt ainsi que l'on traite les ambassadeurs, même après une rupture des relations diplomatiques ?

"Avram remonta de l'Egypte, lui, sa femme et toute sa suite et Loth avec lui, s'acheminant vers le midi", nous dit la traduction de la Bible par le Rabbinat français (Genèse 13, 1). On est un peu interloqué, parce que pour rentrer chez lui à Kharan ou pour aller en Canaan, il lui faut en quittant l'Egypte remonter plein Nord. En se reportant au texte hébreu on trouve l'explication de cette erreur d'orientation. La direction prise par Avram est, en hébreu : "ha-Neguebah", ce qui veut dire "vers le Néguev". Et le Néguev, qui est au Sud d'Israël, est synonyme de "midi".

Donc Avram, partant d'Egypte, prit la route du Néguev,

c'est-à-dire du Nord. Il arriva entre Beït-El et Aï, et se fixa à Khébron (1).

Il prospecta le pays de Canaan, fit visite aux différents roitelets locaux : Melchissédec, Abimélek, pour tenter de les rallier au plan des Elohim.

Certains se laissèrent un moment convaincre. La Bible nous dit qu'ils prirent sa femme la supposant sa sœur : "Abimélec, roi de Ghérar, envoya prendre Sara" (Genèse 20, 2).

Quelle désinvolture ! Croit-on que s'il s'agissait réellement de sa femme Avram aurait laissé faire sans réagir, lui qui livre bataille, quelques chapitres plus tôt, pour délivrer son neveu Loth prisonnier de roitelets pillards ?

Ce n'est donc qu'un symbole. La vertu de Sara près d'être septuagénaire n'aura pas eu à souffrir. En réalité, Abimélek accepta le plan que lui proposait Avram.

Mais tous les roitelets de Canaan qui s'étaient laissé séduire un instant par ce plan n'osèrent pas se heurter à la puissante Egypte toute proche. Ils se ravisèrent et "lui rendirent sa femme", (Genèse 20, 1-18), c'est-à-dire repoussèrent finalement les propositions d'Avram.

Ils seront plus tard châtiés puisque le territoire de Canaan leur sera retiré pour être attribué aux Hébreux. Mais Avram avait échoué dans sa mission de conciliation. Les Elohim devaient trouver une autre solution puisque le verrou de Canaan ne leur était pas assuré.

• •

Cette interprétation du périple d'Avram, basée sur le symbolisme du texte hébreu de la Bible, n'a rien de "romancé".

_____

(1) Khébron est l'orthographe exacte du nom de la ville de Hébron.

Elle cadre avec le caractère ésotérique du Livre Sacré mieux que ne le fait la traduction "banale".

Trois religions monothéistes attacheraient-elles depuis des millénaires autant d'importance aux faits et gestes d'Avram - dont elles se veulent les héritières - si les propos de la Bible, à son sujet, relevaient d'une interprétation aussi vaine ?

Et pourquoi peu de temps après le départ d'Avram d'Egypte, à la suite de l'échec de sa mission, de terribles événements s'abattent-ils sur ce pays ? Provoqués précisément par les tribus Araméennes venues de Kharan comme pour venger l'affront infligé par Pharaon à leur chef, Avram l'Araméen !

L'historien égyptien Manéthon les attribue "à la colère divine".

Est-il trop hardi de ma part d'y voir plus simplement la main des Elohim ?

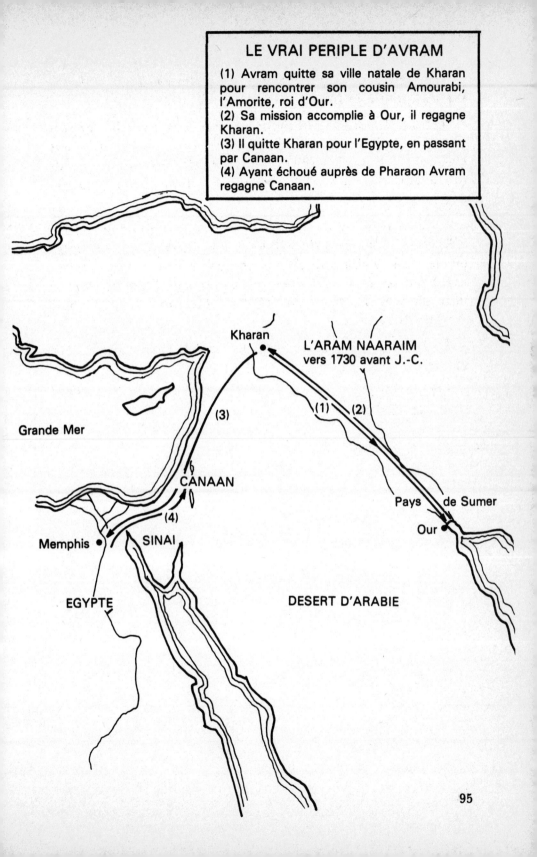

LE VRAI PERIPLE D'AVRAM

(1) Avram quitte sa ville natale de Kharan pour rencontrer son cousin Amourabi, l'Amorite, roi d'Our.

(2) Sa mission accomplie à Our, il regagne Kharan.

(3) Il quitte Kharan pour l'Egypte, en passant par Canaan.

(4) Ayant échoué auprès de Pharaon Avram regagne Canaan.

Kharan

L'ARAM NAARAIM
vers 1730 avant J.-C.

(3)

(1) (2)

Grande Mer

CANAAN

Pays   de Sumer

(4)

Our

Memphis

SINAI

EGYPTE

DESERT D'ARABIE

CHAPITRE IV

"A TA RACE
J'AI DONNE
CETTE TERRE !"
OU
LA CLE DU SILENCE
DE LA BIBLE
SUR LES EVENEMENTS
QUI LUI SONT CONTEMPORAINS

*"— A ta postérité j'ai donné cette terre,
depuis le torrent d'Egypte jusqu'au grand
fleuve l'Euphrate". (Genèse 15, 18)*

Après son échec auprès des roitelets de Canaan, Avram s'établit dans la plaine de Mamré, l'Amoréen, près de Khébron.

Dans quel but ? Pourquoi n'est-il pas rentré à Kharan, en Mésopotamie, pour y rejoindre son frère Nakhor, sa famille, sa tribu les Araméens ? Pourquoi reste-t-il en Canaan alors que cette terre n'est promise qu'à sa postérité et pas à lui-même ?

La Bible va nous l'expliquer tout au long du Chapitre 14 de la Genèse. Et cependant ce récit semble se greffer sur l'histoire d'Avram sans avoir aucun lien avec elle.

Jugez plutôt :

"Amrafel, roi de Shinéar,
"Ariokh, roi d'Elassar,
"Kédarlaomer, roi d'Elam,
"Tidal, roi de Goyim,
"firent la guerre à :
"Béra, roi de Sodome,

"Birsha, roi de Gomorrhe,

"Chinab, roi d'Adma,

"Shéméver, roi de Tsévoyim,

"et au roi de Béla".

"Kéderlaomer et ses trois alliés avaient déjà défait les Réfaïm à Ashtérosh-Carnaïm, les Zouzim à Ham, les Emim à Shavé-Kinyatayim, et les Horéens dans la montagne de Séïr.

"Ils marchaient sur Cadès lorsque les cinq rois Cananéens, de Sodome, de Gomorrhe, d'Adma, de Tsévoyim et de Béla se rangèrent contre eux en bataille, dans la vallée des Sidim, qui est devenue la Mer de Sel (1) et furent écrasés.

"Les vainqueurs pillèrent Sodome et Gomorrhe. Ils s'emparèrent de Loth, le neveu d'Avram. Des fuyards vinrent en apporter la nouvelle à Avram, dans les plaines de Mamré l'Amoréen.

"Avram arma ses fidèles, trois cent dix-huit (2), et suivit la trace des ravisseurs jusqu'à Dan. Il se jeta sur eux la nuit, les battit et les poursuivit jusqu'à Hoba, à l'Ouest de Damas.

"Avram délivra son neveu Loth, reprit tout le butin et le restitua au roi de Sodome, en présence de Melchissédec, roi de Salem." (Genèse, chap. 14).

Les conclusions à tirer de ce récit sont nombreuses.

Les quatre rois agresseurs venaient de l'Est. Probablement s'agissait-il de tribus pillardes d'Arabie. Peut-être venaient-ils de plus loin encore, d'au-delà du Tigre. C'est ce que semblent indiquer les noms de Shinéar et d'Elam.

---

(1) On l'appelle aujourd'hui la Mer Morte.

(2) La Bible dit "qu'il arma ses fidèles, trois cent dix-huit".... mais peut-être étaient-ils plus nombreux. L'alphabet hébreu a, en effet, une particularité : chaque lettre a une valeur numérique, "alef" = 1, "bet" = 2, "iod" = 1o, "kaf" = 20, etc... En additionnant la valeur numérique de chaque lettre on obtient la valeur numérique du mot. Cette particularité a donné naissance à une science spéciale très développée dans la Kabbale. C'est, en hébreu, la "guimatériyia", elle consiste en une interprétation symbolique de la valeur numérique des mots.

Or, le plus brave serviteur d'Avram s'appelait Eliézer (Genèse 15, 2). Le total de la valeur numérique des lettres hébraïques d'Eliézer donne 318.

Ce récit nous donne aussi un tableau de l'inorganisation politique totale de Canaan et de l'extrême faiblesse de ce pays.

Ce mince territoire semblait compter autant de rois qu'il y avait d'infimes bourgades. Aucune solidarité ne régnait entre elles : les pillards battirent successivement les Réfaïm, les Zouzim, les Emim et les Horéens.

Ce n'est qu'ensuite que les petites villes de Sodome, Gomorrhe, Adma, Tsévoyim et Béla se coalisèrent pour tenter de résister. Mais en vain !

Et l'on peut dire qu'à part ce tardif sursaut, les pillards venus de l'Est ne rencontrèrent que peu de résistance au cours de leur raid.

Lorsque Avram les prit en chasse, les escarmouches se déroulèrent de la Mer Morte, extrême sud de Canaan, pour remonter jusqu'à l'extrême Nord du pays à Dan. Et Avram défit ses adversaires plus au Nord encore, près de Damas.

C'est-à-dire que dans sa poursuite des pillards, Avram traversa Canaan de part en part sans que ce pays eût présenté la moindre force organisée, soit pour l'en empêcher, soit pour l'aider à châtier les voleurs.

Canaan n'était donc pas un état organisé. C'était un territoire à prendre !

On aura noté aussi qu'aucune garnison égyptienne n'était intervenue au cours de ces multiples accrochages dont certains ressemblaient à une véritable bataille rangée. Ni pour soutenir les bourgades Cananéennes attaquées par les pillards, ni contre Avram qui se faisait justice à lui-même.

L'Egypte, qui contrôlait à cette époque Canaan, devait se borner sans doute à l'occupation de quelques points stratégiques sur la côte pour assurer le ravitaillement et la protection de ses convois de cèdres.

Et, enfin, les rois pillards, qui avaient répandu la terreur du Nord au Sud de Canaan, avaient été battus par Avram avec ses trois cent dix-huit guerriers.

Avram et sa troupe constituaient donc une force militaire, à l'échelle des combats dans ce petit pays, avec laquelle il fallait désormais compter.

Le roi de Salem, Melchissédec, ne s'y trompa point qui, après la victoire d'Avram, lui apporta du pain et du vin, et le bénit d'avoir triomphé de ses ennemis.

On comprend mieux ainsi pourquoi Avram s'était fixé à Khébron, en Canaan, au lieu de retourner chez lui, à Kharan, en Mésopotamie.

Sitôt après la victoire d'Avram sur les pillards, un Elohim lui apparaît et lui dit :

"— "Ne crains point Avram ! Je suis un bouclier pour toi. Ta récompense sera très grande... Je te donne ce pays en possession... Ta postérité séjournera sur une terre étrangère, où elle sera asservie et opprimée durant quatre cents ans... Puis ils la quitteront avec de grandes richesses... Pour toi tu rejoindras paisiblement tes pères... Mais la quatrième génération reviendra ici..." Ce jour-là Elohim conclut un pacte avec Avram et lui dit : — "J'ai donné cette terre à ta postérité, depuis le torrent d'Egypte jusqu'au grand fleuve l'Euphrate..." (Genèse, chap. 15).

Le désir des Elohim est donc qu'Avram reste - avec ses guerriers qui viennent de faire leurs preuves - en Canaan, bien que cette terre ne soit attribuée à perpétuité qu'à sa descendance. Ils seront utiles pour les événements militaires qui vont suivre.

Mais les Elohim annoncent déjà à Avram que sa race va se rendre sur une terre étrangère (elle n'est pas indiquée par les Elohim mais nous savons que ce sera l'Egypte), qu'elle y restera quatre cents ans, qu'elle y sera opprimée, mais qu'ils l'en délivreront.

Toutefois, les Elohim ne nous disent pas comment les Hébreux viendront d'abord en Egypte et pour y faire quoi ? Heureusement, l'histoire profane sera plus prodigue de détails.

Ce passage nous révèle cependant, pour la première fois, le "pacte" (c'est en toutes lettres dans le texte hébreu) que les Elohim passèrent, "ce jour-là" avec Avram.

Preuve supplémentaire que les Elohim, les Célestes, ou Supraterrestres, ne doivent pas être confondus avec IHVH, le Dieu Unique, l'Eternel Tout-Puissant.

Dieu n'a nul besoin de conclure un pacte d'égal à égal avec sa créature !

Le territoire qui fit l'objet de la promesse était bien délimité. Il était considérable. Reporté sur une carte moderne, il engloberait Israël actuel, avec la Cisjordanie, la Jordanie, la Syrie et l'Irak, avec ses puits de pétrole.

Même sous le roi David, époque où l'Etat Hébreu a connu la plus grande expansion, il n'atteignit jamais cette taille. A l'heure actuelle les Israéliens se contenteraient d'aller de la Méditerranée au Jourdain.

Après cette promesse solennelle des Elohim à l'égard de la postérité d'Avram, la Bible va se consacrer désormais à nous raconter le lent enfantement de la race d'Avram, sans se préoccuper de ce qui se passe dans le reste du monde.

Tous les exégètes de la Bible s'étonnent qu'on ne puisse situer que difficilement dans le temps les faits que raconte le Livre Sacré. On n'en trouve la plupart du temps pas de trace dans les écrits profanes. Et ces exégètes s'étonnent encore davantage que des faits historiques patents ne se trouvent pas mentionnés dans la Bible.

Cette observation n'est pas fondée pour les livres de Josué, des Rois, des Juges et de Samuel qui sont des chroniques relatant des faits historiques précis. Les livres consacrés aux Prophètes constituent un cas à part.

Mais la remarque est vraie pour le Pentateuque. Ce sont les cinq premiers livres de la Bible : Genèse, Exode, Lévitique, Nombres et Deutéronome. Ils ont été rédigés par Moïse, inspirés par les Elohim. On peut les qualifier d'ésotériques, c'est-à-dire qu'ils ont un sens caché que ne peuvent découvrir que ceux qui sont arrivés à la "connaissance".

Il ne faut jamais oublier, lorsqu'on aborde la lecture du Livre Sacré, que la Bible n'est ni un manuel d'histoire ni un atlas de géographie.

Son but est de nous transmettre "un message" pour "les temps à venir". Et c'est bien ainsi que le comprennent les millions et millions de lecteurs de ce plus grand "best-seller" de tous les temps. Pour la Bible la naissance de la race d'Avram a plus d'importance que les querelles des nations.

Et l'on comprend fort bien que, vue sous cet éclairage, la Bible prenne plus d'intérêt à nous raconter l'histoire de certains personnages qu'à se soucier des autres événements, peut-être plus importants aux yeux du profane, qui se déroulent à la même époque.

Les guerres, les changements de dynastie, les révolutions qui se produisent, çà et là, dans le monde peuvent n'avoir avec le message que nous délivre la Bible que peu de rapport, ou pas de rapport du tout. La Bible les considère comme des épiphénomènes qui n'ont même pas à être mentionnés dans le Livre Sacré.

Si le message est rédigé à l'intention des hommes de l'an 2000 de notre ère pourquoi la Bible s'embarrasserait-elle de nous raconter ce qui se passe en Egypte, ou ailleurs, en l'an 2000 avant notre ère ?

Et il va s'en passer, en effet, des événements !

Evénements que les historiens profanes retrouveront dans les tablettes d'argile gravées par les annalistes de Cour d'Asie, ou savamment dessinées sur papyrus par les scribes africains.

La Bible, elle, n'en a que faire !

Pour cette période donnée, ce qui compte à ses yeux, c'est la race d'Avram. C'est la descendance du premier patriarche, descendance avec laquelle les Elohim vont renouveler l'alliance, à chaque génération.

Et la Bible, sans se soucier des événements qui se passent en Mésopotamie et en Egypte et que l'histoire profane retiendra, va consacrer plusieurs chapitres à nous conter :

— l'arrivée sur terre d'Isaac, au foyer d'Avram et de sa femme Sara, naissance mystérieuse dans ce ménage de centenaires dont l'épouse a toujours été stérile,

— le mariage d'Isaac, à quarante ans, avec Rebecca, qu'on est allé chercher à Kharan, la ville natale d'Avram, et dans la famille de celui-ci,

— la naissance des deux jumeaux, Esaü et Jacob, au foyer d'Isaac et de Rebecca,

— les chamailleries des deux frères,

— le départ de Jacob pour prendre, lui aussi, femme à Kharan,

— son mariage avec ses cousines Lia et Rachel,

— son retour, vingt ans plus tard, avec femmes et enfants, dont Joseph, le plus jeune,

— Joseph, abandonné par ses frères et son séjour en Egypte auprès du Pharaon.

Et nous voici de retour en Egypte !

Que s'y est-il passé depuis le passage d'Avram - venu proposer le plan de paix des Elohim à Pharaon -, et qui fut éconduit par ce dernier ?

La Bible n'en parle pas !

Mais les historiens profanes ont été plus loquaces. Il faudra donc retrouver ces événements et les confronter aux repères du texte biblique. Nous verrons qu'ils s'emboîtent très harmonieusement les uns aux autres.

Et une fois ce travail accompli, nous verrons encore le texte de la Bible prendre un éclairage tout à fait nouveau.

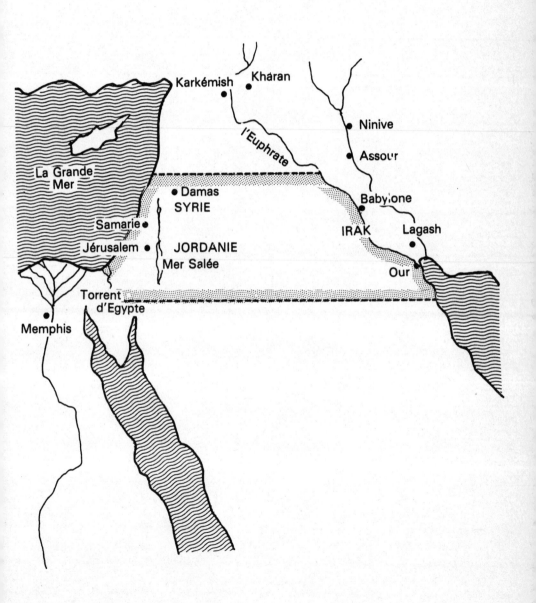

"A ta race j'ai donné cette terre depuis le torrent d'Egypte jusqu'au grand fleuve l'Euphrate"
(Genèse 15, 8)

107

CHAPITRE V

LES PHARAONS HEBREUX
OU
LA CLE DE LA REUSSITE
DE JOSEPH EN EGYPTE

"— Pharaon eut un songe. Il se tenait au bord du Nil,
Et voici que du fleuve sortaient sept vaches,
Belles et grasses"... (Genèse 41, 1-2)

On s'est bien gardé de vous le dire à l'école...

Mais savez-vous qu'il y eut en Egypte des Pharaons Hébreux !

Et que leur dynastie dura un siècle et demi ?

La Bible est totalement muette à ce sujet, mais c'est l'histoire profane qui nous l'apprend.

Après le périple historique d'Avram - (et l'échec de ce que je crois avoir été sa mission de conciliation entre Amourabi l'Hébreu et le Pharaon d'Egypte) - que pouvait-il advenir sinon une guerre entre les deux états qui se disputaient les cèdres du Liban ?

Que serait devenue la civilisation que les Elohim avaient fait éclore dans le Jardin d'Eden ? A moins d'un événement inattendu s'interposant entre les deux rivaux, elle n'eut pas survécu longtemps.

L'historien égyptien Manéton (1) ne s'y était pas trompé qui écrivit :

---

(1) Manéton, prêtre et historien égyptien du 3ᵉ siècle av. J.-C. C'est le meilleur spécialiste de la préhistoire égyptienne : c'est lui, notamment, qui mit de l'ordre dans le classement et la date du règne des innombrables pharaons. C'est lui qui les a répartis en 31 dynasties.

— "Il nous vint un Pharaon nommé Timéos. Sous ce roi, je ne sais pourquoi, la colère divine souffla sur nous. Et, à l'improviste, un peuple de race inconnue, venu de l'Orient, eut l'audace d'envahir notre pays. Grâce à leur force ils s'en emparèrent sans coup férir. Ils firent roi un des leurs, Shalit (ou Salitis)."

Manéton parle de "colère divine" ! Je pense aussi que c'est le refus hautain opposé par Pharaon à Avram qui fut sans tarder sanctionné par les Elohim.

Mais Manéton dit : — "Je ne sais pourquoi...". Feinte pudeur ou ignorance, il ne fait pas le rapprochement entre le périple d'Avram l'Araméen, et ces envahisseurs venus de l'Orient, Araméens et Amorites.

C'est vers 1730 av. J.-C. que les historiens localisent le passage du Patriarche Avram en Egypte. Et tous les Egyptologues mentionnent que c'est vers 1725 ou 1720 que les tribus des Hébreux, Amorites et Araméens (la famille d'Avram), se mirent en marche, depuis l'Euphrate vers la Méditerranée, traversèrent le Pays de Canaan (avec l'aide - je pense - d'Avram et de ses guerriers, que les Elohim, nous dit la Bible, avaient maintenus sur place), et déferlèrent sur l'Egypte, dont la résistance s'effondra.

La dynastie égyptienne du Moyen Empire fut renversée et les envahisseurs installèrent sur le trône égyptien une dynastie araméenne. Elle s'y maintint de 1720 à 1580 avant notre ère, soit 140 ans.

Les envahisseurs hébreux, munis de glaives, de casques et de cuirasses de bronze, montés sur des chars de combat tirés par des chevaux, n'avaient eu aucune peine à écraser les unités égyptiennes lentes et sommairement armées.

Les Egyptiens furent vaincus par la conjonction de trois éléments qui leur faisaient totalement défaut :

— le cheval, qu'ils ignoraient, et qui répandit la terreur dans leurs rangs,

— l'arc composite, dont étaient dotés leurs adversaires araméens. Cet arc, composé de plusieurs plaques de bois élastique entremêlées de lamelles souples en os, avait une portée beaucoup plus grande et une précision de tir que ne pouvait avoir le faible arc en bois d'une seule pièce des Egyptiens. Et les flèches de roseau à pointe d'ébène des Egyptiens étaient loin d'être aussi meurtrières que les flèches de bois lourd à pointe de métal que l'arc composite des Araméens permettait de tirer,

— mais surtout les Araméens avaient pour eux la connaissance du bronze, ignoré des Egyptiens, et dont étaient faits leurs épées, leurs casques et leurs cuirasses. Et cela devait, par la suite, métamorphoser la métallurgie égyptienne.

Les enseignements du Jardin d'Eden avaient bien profité aux Araméens. D'où en effet ces nomades auraient-ils pu tirer ces Connaissances, en avance sur celles des Egyptiens ?

Tous les historiens s'accordent pour dire que les envahisseurs venaient de la plaine asiatique (Araméens et Amorites), qu'ils dédaignaient les maisons (nous savons que les trois groupes de tribus vivaient sous la tente).

Les historiens disent aussi que ces nomades croyaient en un Dieu Unique et que leur culte était "aniconique", c'est-à-dire sans image ni matérialisation de Dieu.

C'est exactement le Dieu d'Avram et le culte des Hébreux.

Manéton donna à ces envahisseurs le nom d'Hyksos. De "Hyk", qui signifie "roi", dans la langue sacrée et "Sos", "pasteurs". Les "rois pasteurs". Avram et sa tribu d'Araméens ne sont-ils pas des pasteurs, par excellence ?

Les nouveaux Pharaons Hébreux dédaignèrent Memphis et établirent leur capitale à Avaris. Ils se contentèrent d'abord d'occuper la Basse Egypte, celle du delta. Et pendant cent quarante ans ils effacèrent ainsi la frontière entre l'Egypte, Canaan et la Mésopotamie (où régnait Amourabi l'Hébreu).

Une dynastie égyptienne conservait Thèbes et la Haute Egypte (1).

L'invasion des Araméens-Hyksos ne fut pas une invasion de masse. Les vainqueurs ne s'emparèrent ni des biens ni des terres des Egyptiens. Ils se contentèrent d'établir des garnisons solides dans le delta et la Basse Egypte.

Il s'agit donc bien d'une expédition punitive limitée, ayant pour objectif d'écarter le pharaon égyptien récalcitrant et cette caste militaire victorieuse lui a substitué son propre chef, Salitis, s'appuyant sur des troupes aguerries pour interdire aux Egyptiens tout retour offensif sur Canaan et la Mésopotamie.

Trente-cinq pharaons hébreux se succédèrent sur le trône d'Avaris, formant les 15e et 16e dynasties.

La première dynastie comprit six pharons :
Salitis, qui régna dix-neuf ans,
Bnon,
Apachnas,
Apapi 1er,
Janas,
Assès.

Ce fut Assès qui réunit les deux Egyptes sous sa loi. La dynastie de Thèbes disparut sans combat. A ce moment-là, la dynastie pastorale était puissante, les grands vassaux de Thèbes acceptèrent la tutelle du Pharaon Hébreu d'Avaris, peut-être même la sollicitèrent-ils !

Mais cela ne dura pas. Un prince de Thèbes, Rasquenéen-Tarler se révolta contre le souverain Apapi II, dont la capitale avait été transférée d'Avaris à Tanis.

Et il y eut de nouveau deux Egypte.

---

(1) C'est la 17e dynastie.

Les Pharaons Thébains supportèrent de plus en plus difficilement l'implantation d'un Pharaon Hébreu sur la Basse Egypte.

Une tablette de bois, - dite "de Carnavon", a été retrouvée. Elle est à cet égard particulièrement éloquente. On y voit le Pharaon de Thèbes qui a réuni autour de lui tous les Grands d'Egypte et qui se plaint.

— "A quoi sert mon pouvoir ? Nous sommes assis ensemble, moi à Thèbes, un Asiatique à Tanis, et un nègre d'Ethiopie au Soudan Egyptien et chacun de nous trois tient sa tranche d'Egypte".

Et, l'un des Grands d'Egypte lui rétorque avec sagesse pour lui déconseiller la guerre :

— "Les champs du pays Hyksos appartiennent toujours aux Egyptiens. Et c'est du bétail égyptien qui broute dans le delta."

La Haute Egypte et Thèbes gardèrent leur indépendance mais elles étaient coupées de la Mésopotamie et de Canaan.

Les Pharaons Hébreux de la Basse Egypte, au contraire, pouvaient maintenir par Canaan le contact avec leur pays natal, l'Aram Naaraïm, le pays des Araméens.

Et l'on comprend mieux ainsi les épisodes de la Bible nous narrant l'odyssée en Egypte de Joseph l'Hébreu - fils de Jacob et arrière petit-fils d'Avram l'Araméen -, et sa prodigieuse ascension auprès d'un Pharaon Araméen comme lui !

"Pharaon dit à Joseph :
— "Vois ! Je te mets à la tête de tout le pays d'Egypte".
Il le fit monter sur son second char.
On cria devant lui : — "Abrek !" (En hébreu : — "A genoux !")
Et il fut installé chef de tout le pays d'Egypte."
(Genèse 41, 41-47)

Le Pharaon Hébreu avait tout simplement choisi comme Intendant et Premier Ministre un de ses parents, Joseph l'Hébreu.

C'est à Tanis que cela se passait !

La tradition chrétienne désignait un "Aphobis" comme étant le Pharaon de la Bible, protecteur de Joseph. L'historien Jules l'Africain l'appelle "Apapus".

"Aphobis", "Apapus", mais c'est l'Apapi de notre dynastie de Pharaons hébreux !

Les Elohim ont tout lieu d'être satisfaits, je pense !

Les Amorites règnent sur Babylone. Les Araméens sur la Basse Egypte. Ils tiennent, à eux deux, deux solides verrous. Les Elohim pourront poursuivre leur œuvre de civilisation et les deux pays, la Mésopotamie en Asie, l'Egypte en Afrique, pourront continuer à s'épanouir sans lutte suicidaire entre eux.

Les échanges commerciaux ne furent jamais aussi prospères entre ces deux continents par la vieille route des caravanes, à travers Canaan.

L'administration des Hébreux devait être bonne et sage, si l'on en croit la Bible. Joseph, intendant avisé, amassa des réserves pendant les périodes d'abondance et les fit distribuer aux Egyptiens pendant les périodes de sécheresse. Les Egyptiens ne connurent plus la disette sous son administration. Joseph décida aussi d'une importante réforme agraire. Et les Hyksos enseignèrent aux Egyptiens à allier le cuivre à l'étain et l'art de travailler le bronze.

Malgré cela, les Egyptiens supportaient mal leurs nouveaux maîtres et n'en faisaient nul mystère. Ce qui prouve au moins l'extrême libéralisme de ces derniers.

C'est par un trait sans insistance que la Bible nous le révèle.

Quand Joseph, au faîte de sa puissance, invita ses frères

venus de Canaan et ses collaborateurs Egyptiens à partager son repas, la Bible nous dit : "Il fut servi à part, et ses frères à part, et à part aussi les Egyptiens ses convives. Car les Egyptiens ne peuvent manger en commun avec les Hébreux, cela étant une abomination en Egypte." (Genèse 43, 32).

Comme on le voit on ne badinait pas en ce qui concerne la collaboration avec l'occupant en ce temps-là !

Mais la dynastie des Amorites sur Babylone ne devait pas durer. Elle fut renversée, vers l'an 1600 avant notre ère, par des peuplades de sauvages Kassites, venus de l'Est, d'au-delà du Tigre.

Le premier verrou fixé par Elohim venait de sauter.

La coopération fructueuse entre les deux dynasties-sœurs, l'une sur Babylone, l'autre sur la Basse Egypte, et qui avait duré cent vingt ans cessa brutalement. Elles s'accordaient un soutien mutuel, l'effondrement de l'une n'allait pas manquer d'être bientôt suivi par la fin de l'autre.

Et, en effet, sitôt les Amorites renversés en 1600 à Babylone par les tribus Kassites, on voit se dessiner en Haute Egypte un fort mouvement d'indépendance contre la dynastie des Hébreux-Araméens, dits Hyksos, implantée en Basse Egypte.

C'est sous la poussée des Egyptiens de Thèbes que le trône de Tanis fut renversé. En 1580 avant notre ère, vingt ans à peine après la prise de Babylone par les Kassites, la Haute Egypte, avec son Pharaon Amosis (1), en profite pour chasser les Hyksos. L'Egypte sera réunifiée et elle va contrôler de nouveau Canaan. Les petits princes locaux passeront sous sa tutelle.

Le deuxième verrou vient, lui aussi, de sauter.

_____

(1) Le Pharaon Amosis fut le fondateur de la XVIIIᵉ dynastie.

Le renversement de situation fut brutal pour les Hébreux. Ceux qui ne purent s'enfuir furent gardés en Egypte et réduits en esclavage. Ce bouleversement est pudiquement évoqué dans la Bible par un euphémisme :

"Un roi nouveau s'éleva sur l'Egypte, lequel n'avait pas connu Joseph... Et l'on imposa à ce peuple des officiers de corvée pour l'accabler de labeurs." (Exode 1, 8-11).

Le séjour des Hébreux en Egypte devait durer plus de quatre siècles et demi, dont un siècle et demi à la tête des affaires du pays et plus de trois siècles en esclavage.

On le voit les Egyptiens firent bonne mesure dans leurs représailles.

Les Hébreux durent attendre l'an 1230 avant notre ère pour que Moïse, mandaté par les Elohim, vint les sortir "de la maison d'esclavage", nous dit la Bible.

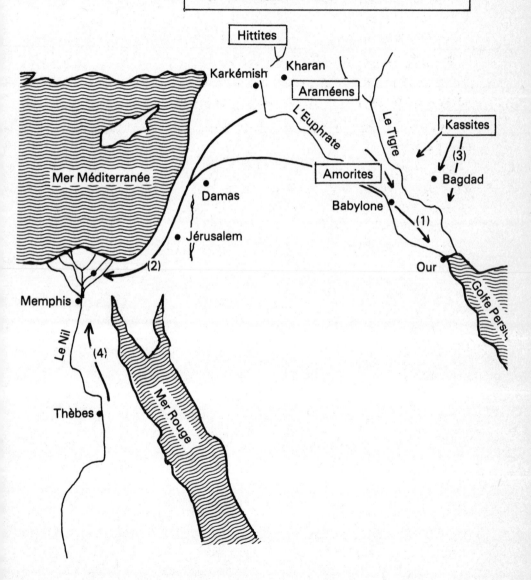

(1) 1730 Amurabi, l'Amorite, règne sur Babylone et Our.
Mission d'Avram à Our et en Egypte.
Echec et retour en Canaan

(2) 1720 Les Araméens envahissent l'Egypte.

(3) 1600 Les Kassites s'emparent de Babylone

(4) 1580 l'Egypte chasse les Hyksos.

Hittites

Karkémish   Kharan

Araméens

L'Euphrate   Le Tigre   Kassites

Mer Méditerranée   Amorites   (3)

Bagdad

Damas   Babylone   (1)

Jérusalem   (2)   Our

Memphis   Golfe Persi

Le Nil   (4)

Mer Rouge

Thèbes

CHAPITRE VI

LA MISSION DES HEBREUX

OU
LA CLE DU CHOIX D'ISRAEL
COMME PEUPLE ELU,
PAR LES ELOHIM

*"Avram y érigea un autel et il
proclama le nom de l'Eternel".*
(Genèse 12, 8)

Israël est "le peuple élu" par les Elohim pour accomplir sur terre certaine mission. Même parmi les adversaires d'Israël et de la religion juive, personne ne conteste ce choix, cette élection.

Mais chacun se pose très légitimement deux questions :

1. Pourquoi ce choix d'Israël comme "peuple élu" plutôt que tel ou tel autre peuple de la même période historique ?

2. Dans quel but ? En d'autres termes quelle est la mission confiée par les Elohim à Israël ?

La raison du choix d'Israël est simple.

Nous avons vu que les Elohim sélectionnaient des groupes humains qu'ils éduquaient dans le Jardin d'Eden puis renvoyaient auprès de leurs congénères pour servir, à leur tour, d'éducateurs. Après qu'ils eurent fermé le Jardin d'Eden ils choisirent Noé, sa femme, ses trois fils et ses brus pour les enfermer dans l'arche toute une année. Puis ils laissèrent Noé et sa descendance se tirer d'affaire tout seuls pendant quelques siècles avec le bagage de connaissances que les Elohim leur avaient inculquées pendant leur séjour à bord de l'arche. (Genèse, Chap. 7-8-9) (1).

Lorsque les Elohim décidèrent de reprendre contact avec l'humanité pour lui faire faire un nouveau bond dans la "connaissance" et vers le progrès moral, il est fort possible qu'ils aient procédé à des tentatives auprès d'autres terriens avant de se manifester à Avram.

Quand un être supraterrestre se manifeste à un habitant de notre planète, ce dernier peut être soit totalement terrorisé, soit agressif, soit compréhensif.

S'il est terrorisé, sa frayeur l'inhibe complètement et empêche tout dialogue entre les deux interlocuteurs.

S'il a un réflexe d'agressivité qui met en danger le supraterrestre, celui-ci n'insiste pas et le dialogue est interrompu. Combien de fois n'a-t-on pas lu de nos jours que la plupart des terriens qui voient - ou croient voir -, les occupants d'une soucoupe volante, ont pour réaction d'aller prendre leur fusil de chasse ! A l'époque d'Avram, c'était l'arc et les flèches, mais le résultat était le même et tout contact était abandonné.

Si, au contraire, le terrien garde son calme, si son attitude est pleine de compréhension, le dialogue peut s'engager.

Sans doute les Elohim firent-ils plusieurs tentatives pour entrer en contact avec les hommes de cette époque. Peut-être commencèrent-ils par des Egyptiens ou des Sumériens. Qu'en savons-nous ? Mais ces tentatives, si elles eurent lieu, se révélèrent certainement infructueuses.

Le mérite d'Avram fut d'être, parmi les contactés, le premier à croire en Elohim et en la mission qu'ils voulaient lui confier. La Bible nous dit :

"Et il eut foi en Elohim. Et Elohim lui en fit un mérite". (Genèse 15, 6).

---

(1) "La Bible et les extraterrestres", chap. 6.

Les Juifs n'appellent-ils pas Avram "le premier croyant" ? Ce qui laisse présumer qu'avant lui les contactés furent incrédules.

"Elohim dit à Avram : — "Eloigne-toi de ton pays, de ton lieu natal et de la maison paternelle et va au pays que je t'indiquerai..." "Avram partit comme le lui avait dit Elohim". (Genèse 12, 1-4).

N'avait-il pas un certain mérite à tout abandonner ainsi ? Et c'est comme cela qu'Avram fut choisi et que sa postérité devint "le peuple élu". Il était le premier homme, contacté par les Elohim à avoir ajouté foi à ce qu'ils lui avaient dit.

L'ancêtre des Hébreux avait répondu à l'appel des Elohim. Il quitte la maison de son père, sa ville natale, sa tribu, pour se rendre dans un pays qui ne lui est même pas indiqué aussitôt. Il y affronte des épreuves quasi insurmontables dans un milieu le plus souvent hostile. Et Avram ne fléchit jamais.

"Espérant contre toute espérance, Avram a cru ! Dans la persuasion que ce qu'il a promis une fois, "Dieu" est assez fort pour l'accomplir." (Saint Paul, Epître aux Romains, 4, 18-21).

Et toute l'histoire d'Avram est illustrée de contacts entre les Elohim, les Supraterrestres, et lui. Et toute cette partie de la Bible est comme illuminée par la foi et la confiance inébranlables d'Avram en Elohim.

Quand Avram se trouvait à Kharan,
"Elohim dit à Avram : — "Eloigne-toi de ton pays... Je te ferai devenir une grande nation." (Genèse 12, 1—2).

Quand Avram fut arrivé en Canaan avec son neveu Loth,
"Elohim apparut à Avram et lui dit : — "C'est à ta postérité que je destine ce pays". (Genèse 12, 7).

Quand Avram fut séparé de Loth,

"Elohim lui dit : — "Lève les yeux. Et du point où tu es placé, promène tes regards au Nord, au Sud, à l'Est et à l'Ouest. Eh bien ! Tout le pays que tu aperçois, je te le donne. A toi et à ta race à perpétuité." (Genèse 13, 14-16).

Quand Avram se plaignit de la stérilité de sa femme, Sara, la parole du Seigneur se fit entendre à Avram :
"Ne crains point Avram ! Je suis un bouclier pour toi. Ta récompense sera très grande"... Il le fit sortir en plein air et dit : — "Regarde le Ciel et compte les étoiles, ainsi sera ta descendance." Et il eut foi en Elohim." (Genèse 15, 1-5).

Puis c'est une véritable alliance que les Supraterrestres concluent avec Avram :
"Avram était âgé de quatre vingt dix-neuf ans, Elohim lui apparut et lui dit : — "Ani El Shaddaï (Je suis l'Elohim de la montagne). Marche en ma présence. Sois irréprochable. Et je maintiendrai mon Alliance avec toi et je te multiplierai à l'infini." (Genèse 17, 1-2).

Avant de détruire Sodome les Elohim tinrent à consulter Avram.
"Elohim se révéla à lui dans les plaines de Mamré, tandis qu'il était assis à l'entrée de sa tente pendant la chaleur du jour..." (Genèse 18, 1).

Pour le mettre à l'épreuve :
"Elohim lui apparut et lui dit : — "Prends ton fils Isaac. Achemine toi vers la terre de Moria. Et, là, offre-le en holocauste sur une montagne que je te désignerai". (Genèse 22, 1-2).

Quand Avram mourut, c'est avec son fils Isaac que les Elohim maintinrent le contact :
"Elohim lui apparut et lui dit : — "Ne descends pas en Egypte (1). Arrête-toi dans ce pays-ci (2). Je serai avec

---

(1) En Egypte où règnent les Pharaons Hébreux.
(2) Canaan.

toi et je te bénirai. Car, c'est à toi et à ta postérité que je donnerai toutes ces provinces." Et Isaac demeura à Ghérar". (Genèse 26, 2-3).

Un Elohim se révéla à lui :
— "Je suis l'Elohim d'Avram ton père. Sois sans crainte, car je suis avec toi. Je te bénirai et je multiplierai ta race." (Genèse 26, 24).

Avant même qu'Isaac ne meure, les Elohim choisirent Jacob, son fils cadet pour se manifester à lui, de préférence à l'aîné Esaü,
— "Je suis l'Elohim d'Avram et de ton père Isaac. Cette terre je te la donne à toi et à ta postérité." (Genèse 28, 13).

Et c'est ainsi, par trois fois, et sur trois générations successives, que le choix des Elohim se porta sur les Hébreux.

Habituellement, ce sont les peuples qui choisissent leur "Dieu". Ils en prennent généralement plusieurs pour faire bonne mesure et diminuer les risques d'erreur.

Avec les Hébreux l'ordre des facteurs est inversé. Ce sont les Elohim qui ont choisi leur peuple, lui ont donné une loi, la Tora, lui ont affecté un territoire, Canaan, et lui ont imposé leur Dieu, IHVH.

Mais les Elohim sont exigeants. Ils veulent que leur peuple atteigne à la perfection morale et s'y maintienne :
— "Je suis El-Shadaï ! Marche en ma présence et sois parfait". (Genèse 17, 1).

— "Marche en ma présence !", cela signifie que les Elohim ne vont pas quitter leur peuple des yeux. "Sois parfait !", sois irréprochable. Aucune religion n'est aussi exigeante pour ses adeptes. A cette époque, les tribus de Cananéens, les nomades qui hantent le désert d'Arabie, sans parler des peuples d'Europe et d'Amérique, en sont encore à l'adoration des pierres. Les Egyptiens ballottent entre Isis, Osiris, Amon, Hatton et bien d'autres, et n'ont pas de préceptes moraux. Les Sumériens de Mésopotamie cultivent un polythéisme très primitif.

Pour les Egyptiens, comme pour les Mésopotamiens, les dieux ne sont que la personnification des forces naturelles ou des astres : le soleil, la lune, l'orage, la fertilité.

Un anthropomorphisme encore puéril les amène à donner à leurs dieux une forme humaine ou animale, et souvent un mélange des deux.

A côté de ces dieux il y a une multitude de génies, bons ou mauvais, qu'il vaut mieux avoir avec soi, d'où la naissance de la magie.

Par contre, Avram, très tôt, puis chacun de ses descendants, aura, par les Elohim, la révélation du Dieu Unique, l'Eternel, IHVH. C'est l'affirmation de l'Eternité, concept métaphysique auquel ni la civilisation égyptienne, ni la grecque, ni la romaine, n'accédèrent jamais.

Et la religion juive va se fonder sur cette foi en un Dieu Un, Créateur et Incréé. Présent en toutes choses et Immatériel, et sur la nécessité, pour les Hébreux, pour mériter leur Dieu, de respecter, chaque jour et à tout instant, les principes de haute moralité insérés dans la loi que les Elohim leur ont donnée.

Pour la religion juive, l'homme doit tendre vers la perfection morale plutôt que de rechercher le progrès matériel.

Quand les Juifs s'écarteront de la Loi, l'Alliance sera rompue et les Elohim laisseront pleuvoir sur eux sanctions et châtiments. Quand ils s'en rapprocheront les Elohim leur accorderont leur protection, en envoyant au besoin un des leurs :

— Moïse, pour les faire sortir d'Egypte où ils avaient été réduits en esclavage,

— Josué, pour la conquête de Canaan, la terre qu'ils leur avaient promise,

— Cyrus, pour anéantir Babylone qui les tenait en captivité,

— Jésus, pour tenter de faire de la religion juive la religion universelle,

— et tant d'autres.

Et, tant que les Hébreux respecteront l'Alliance, ils tiendront leur terre de Canaan d'une main ferme. Ils accompliront ainsi la mission initiale que leur avaient confiée les Elohim : empêcher les deux civilisations rivales d'Egypte et de Mésopotamie de se faire la guerre et de s'entre-détruire.

Mais les successeurs de Josué n'achevèrent pas la conquête de Canaan. Un peuple venu de la mer, originaire de Kaftor, la Crète, s'était implanté sur la côte sud de Canaan. C'était les Philistins. Ils avaient d'abord tenté de s'installer sur le delta égyptien, mais ils avaient été repoussés par Ramsès III (1).

Ils poussaient souvent des pointes vers l'intérieur de Canaan, ne laissant nul répit aux douze tribus des Hébreux qui s'étaient partagé le pays sans faire l'effort suffisant pour les en expulser.

Une fois, les Philistins s'emparèrent même de l'arche d'alliance, au cours d'une bataille contre les Hébreux (2).

L'histoire profane nous dit que quelques mois à peine après la bataille d'Aphèq et la défaite des Hébreux-Araméens, les Araméens de Kharan s'emparaient de Babylone (1050 av. J.-C.).

Nous pouvons très bien n'y voir qu'une simple coïncidence !

---

(1) Ramsès III, 1197-1165 av. J.-C.
(2) C'est au cours de la bataille d'Aphèq, 1050 av. J.-C. que les Philistins battirent les Hébreux et s'emparèrent de l'arche d'alliance, qu'ils transportèrent à Asdod. Mais ne sachant s'en servir pour établir le contact avec les Elohim, et frappés d'une épidémie d'hémorroïdes, nous dit la Bible, ils restituèrent l'arche sans combattre aux Hébreux, à Béit-Shémésh, sept mois plus tard. (Samuel 5 et 6).

Coïncidence aussi, huit cents ans plus tôt, quand les sauvages Elamites s'étaient emparés d'Our-en-Sumer et que les Hébreux-Amorites avaient aussitôt colmaté la brèche en s'emparant de Babylone ?

Je préfère penser, pour ma part, à la poursuite de leur plan par les Elohim : ne jamais laisser face à face l'Egypte et la Mésopotamie, avoir toujours un état-tampon hébreu entre les deux.

Et c'est ainsi que les Hébreux-Amorites s'empareront de Babylone en 1850 av. J.-C., que les Hébreux-Araméens s'empareront de Canaan et y resteront de 1200 à 1050 av. J.-C., et quand après la bataille d'Aphèq en 1050 les Elohim purent craindre que leur résistance ne s'effondre, les Araméens restés à Kharan s'empareront de Babylone.

Et la corrélation de ces deux événements n'est pas une simple coïncidence.

Mais les Douze Tribus se ressaisirent en Canaan. Pour remédier à l'anarchie dans laquelle elles se laissaient aller, elles s'unirent sous le sceptre d'un roi qui coordonnerait leur effort de guerre. Ce premier roi fut Saül (1).

A la mort du roi Saül, un de ses généraux, David, se fit proclamer roi à Khébron (2).

Sous le roi David l'état hébreu fut à son apogée.

Il écrasa les Philistins à l'Ouest, battit les Moabites à l'Est, remonta vers le Nord où les Syriens furent vaincus, il s'empara de Damas qui devint vassale d'Israël.

A la mort de David son fils Salomon lui succéda (3).

---

(1) Saül monta sur le trône en 1030 avant notre ère. Il battit les Philistins à Ayalon. Mais vingt ans plus tard, en 1010, il fut vaincu par eux sur les Monts Ghelboé et trouva la mort dans la bataille.

(2) Le roi David s'était déjà illustré alors qu'il n'était qu'un jeune berger en abattant le géant Goliath le Philistin avec sa fronde. David régna quarante ans : de 1010 à 970 avant notre ère.

(3) Salomon régna quarante ans : de 970 à 931 avant notre ère.

Salomon fut renommé pour sa sagesse. Mais moins énergique que David son père il ne put maintenir l'intégralité du royaume que ce dernier lui avait laissé.

A sa mort le royaume fut partagé et ce fut le commencement de la décadence. Quoi qu'il en soit, le verrou de Canaan, tant que les Hébreux le tinrent d'une main ferme, fit son office. Et pendant deux siècles et demi les Egyptiens et les Mésopotamiens ne purent se faire la guerre.

Il est curieux de constater que, s'il englobe la Syrie et la Jordanie actuelles, par contre le Liban et la poche de Gaza en sont exclus.

Byblos

Cédad

Sidon

Damas

Tyr

Dan

Mer Méditerranée

Rabba

Jérusalem

Pays d'Ammon

Gaza

Khebron

Pays de Moab

Beersheva

Pays d'Edom

Cadès

CHAPITRE VII

FIN DES DEUX ROYAUMES HEBREUX, DESTRUCTION DE LEURS OPPRESSEURS

OU
LA CLE DES CHATIMENTS

> — *"Et le roi Salomon aima beaucoup*
> *d'épouses étrangères...*
> *C'est alors qu'il se mit à bâtir un haut-lieu*
> *Pour Kémosh, l'idole immonde de Moab...*
> *Et Elohim fut courroucé contre Salomon..."*
> *(1 Rois, 11, 1-9)*

A la mort de Salomon les difficultés allaient recommencer pour les Hébreux.

Leur royaume se coupa en deux (1) :

— Au Nord, le royaume d'Israël, avec pour capitale Samarie,

— Au Sud, le royaume de Juda, avec pour capitale Jérusalem.

Et les deux royaumes se firent, parfois, la guerre.

L'hostilité entre l'Egypte et la Mésopotamie - que la création par les Elohim de l'état hébreu en Canaan avait permis de neutraliser -, allait s'allumer de nouveau.

Mais les Hébreux, divisés et affaiblis, ne croyant plus en leur mission, ne seront plus en état de dresser un barrage efficace entre les deux empires rivaux.

Les deux Royaumes Hébreux devaient être écrasés l'un

---

(1) En 931 avant notre ère.

après l'autre dans cette lutte pour l'hégémonie qu'engagè-rent l'Egypte et la Mésopotamie.

Mais les royaumes oppresseurs payèrent de leur existence la destruction des états hébreux.

Et, cependant, tous les événements qui allaient se dérou-ler avaient été annoncés par les Prophètes, longtemps à l'avance, et consignés par écrit, comme pour prendre date.

En effet, les Elohim - par la bouche des Prophètes qu'ils inspiraient - avaient mis en garde, à intervalles réguliers, Samarie et Jérusalem, leur annonçant le sort qui serait le leur si les Hébreux restaient rebelles et sourds à leurs aver-tissements. Les Prophètes indiquaient la marche à suivre "pour retrouver l'alliance des Elohim".

Ils ne furent pas écoutés !

Pas plus que n'écoutèrent les Assyriens, puis les Chal-déens, destructeurs les premiers d'Israël, les seconds de Juda.

Pas plus que n'écouta l'Egypte, pas plus que n'écoutè-rent les petits états limitrophes qui prêtèrent la main aux exactions.

Alors les prophéties se réalisèrent avec une précision qui laisse rêveur lorsqu'on les relit aujourd'hui.

Mais voyons d'abord ce que nous dit l'histoire, nous ver-rons ensuite ce qu'avaient dit les Prophètes.

•••

Le Pharaon Shéshonq 1er (945-925 av. J.-C.), qui avait pourtant marié une de ses filles à Salomon, entreprit une expédition sur Canaan dès la mort de son gendre, en 931 av. J.-C.... Sans lendemain !

Pour ne pas être en reste, le roi d'Assyrie Salmanassar III (858-824 av. J.-C.) marchait à son tour sur Canaan et écra-sait une coalition de princes Araméens, à laquelle s'était joint leur cousin le roi d'Israël Achab.

En 734 av. J.-C., l'Assyrie annexait une partie du royaume d'Israël et obligeait le royaume de Juda à lui payer tribut (1).

En 721 av. J.-C., elle s'emparait de Samarie, la capitale d'Israël, déportait ses habitants et installait à leur place des colons païens (2).

C'en était fini du royaume d'Israël !

Seul subsiste encore le royaume du Sud, celui de Juda, avec ses deux tribus : Juda et Benjamin.

Les dix tribus du royaume d'Israël, déportées par Ninive l'Assyrienne, disparaîtront curieusement aux yeux de l'histoire. La Bible ne les évoquera plus jamais ! Que sont-elles devenues ? Il est certain qu'avec leur particularisme et la vigueur du lien qui les unissait elles ne se sont pas dissoutes dans l'Empire Assyrien. Et le sort des "Dix Tribus Perdues d'israël" a posé pendant longtemps une énigme aux historiens.

Mais nous verrons plus tard quelle fut la réaction de ces Tribus après l'effondrement de leur royaume, et le rôle qu'elles ont joué dans le déroulement des événements dont furent victimes les descendants de Juda, leurs frères, les Juifs.

Quant à l'Assyrie, après avoir détruit le royaume d'Israël, elle multipliera par la suite ses campagnes militaires contre le royaume de Juda (3). Mais sans succès !

En 612 av. J.-C., c'est à l'Assyrie d'être à son tour attaquée.

---

(1) Le roi d'Assyrie est alors Tiglet-Pilésser III (745-727 av. J.-C.). Le roi d'Israël était Péquakh (737-732 av. J.-C.). Et celui de Juda Achaz (736-716 av. J.-C.).

(2) C'est le roi d'Assyrie Sargon II (721-705 av. J.-C.) qui invente ainsi la déportation des peuples vaincus.

(3) Ces assauts contre Juda sont menés par Sennachérib (704-681 av. J.-C.) et par son successeur Assaradon (680-669 av. J.-C.). Ce dernier s'emparera de la Basse Egypte mais les Assyriens en seront chassés par le Pharaon de Thèbes, Psamétèque (663-609 av. J.-C.).

Les Mèdes, venus de l'Est, aident Babylone (Chaldée) à s'emparer de Ninive. L'Assyrie avait vécu... Les Egyptiens avaient, cependant, volé au secours de leurs anciens ennemis. Et le roi de Juda, Josias, qui avait voulu s'opposer à leur avance, avait été défait et avait trouvé la mort au combat (1).

Nabuchodonosor II, roi de Babylone, écrasa les Egyptiens (2). Il ne manifesta, cependant, aucune reconnaissance pour le royaume de Juda dont le roi était mort en tentant d'arrêter les Egyptiens. Il exigea le tribut et fit du nouveau roi de Juda, Ioïaquim, son vassal.

En 598, les Juifs s'étant révoltés, Nabuchodonosor s'empara de Jérusalem et déporta, à Babylone, une partie de ses habitants (3).

Nouvelle révolte des juifs en 589 av. J.-C. !

Les Chaldéens mirent de nouveau le siège devant Jérusalem qui fut prise malgré les efforts des Egyptiens, peu rancuniers, pour soulager la ville (4).

Le Temple fut détruit !

Ce qui restait de Juifs fut emmené en captivité à Babylone...

Ce fut la deuxième déportation. Le dernier royaume Juif avait vécu !

Cinquante ans après, Cyrus, roi des Perses, s'emparait de Babylone et libérait les Juifs.

．•．

Voilà pour l'histoire...

Voyons maintenant les Prophètes et leurs prophéties.

---

(1) Josias, roi de Juda, 640-609 av. J.-C., tué à la bataille de Meggido (609 av. J.-C.). Le Pharaon était Nékao. Le roi de Babylone, Nabopalassar, aidé du roi des Mèdes, Cyaxare, s'était déjà emparé de la capitale de l'Assyrie, Ninive, en 612 av. J.-C.

(2) Nabuchodonosor II (605-562 av. J.-C.), écrasa les Egyptiens à Karkémish, près de Kharan en 605 av. J.-C.

(3) Première révolte des Juifs en 598 / 5 + 9 + 8 = 22, c'est aussi la dernière lettre de l'alphabet hébreu, "tav", qui pour les kabbalistes est "annonciatrice de la fin". Deuxième révolte des Juifs en 589 / 5 + 8 + 9 = 22.

(4) Cette armée égyptienne était menée par le Pharaon Hophra.

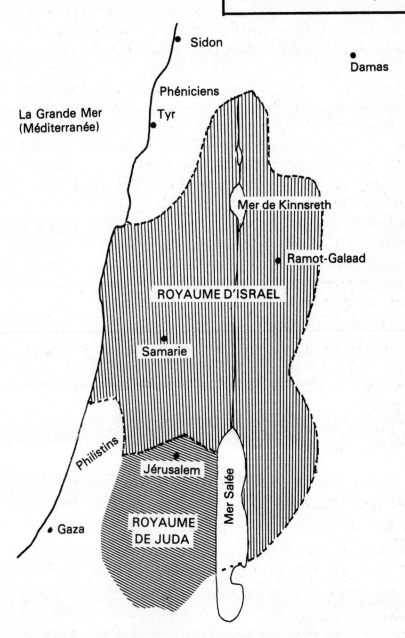

LES DEUX ROYAUMES

de 931 à 721 av. J.-C. pour Israël
de 931 à 587 av. J.-C. pour Juda

Sidon

Damas

Phéniciens

La Grande Mer
(Méditerranée)

Tyr

Mer de Kinnsreth

Ramot-Galaad

ROYAUME D'ISRAEL

Samarie

Philistins

Jérusalem

Mer Salée

Gaza

ROYAUME
DE JUDA

Car, tous ces événements :

— chute de Samarie et destruction du royaume d'Israël par l'Assyrie,

— chute de l'oppresseur Assyrien et de sa capitale, Ninive,

— prise de Jérusalem par les Chaldéens, destruction du Temple, fin du royaume de Juda, et déportation des Juifs à Babylone,

— punition de l'oppresseur chaldéen et prise de Babylone par Cyrus, roi des Perses,

— libération des Juifs déportés à Babylone et reconstruction du Temple,

tous ces événements - (et bien d'autres que nous verrons par la suite) - ont été prédits par les Prophètes, des décennies parfois des siècles à l'avance (des millénaires même pour les événements qui nous concernent), et couchés par écrit, donc irréfutables.

Toutes les grandes religions de l'Antiquité ont eu leurs "inspirés", plus ou moins turbulents, plus ou moins sincères, et chacun prétendait parler au nom de "son Dieu".

Mais seule la religion juive semble détenir le record à la fois pour le nombre de ses prophètes et pour la véracité de leurs prédictions.

C'est ainsi que le "dieu" des Cananéens, Baal, alias Hadad, assista impuissant à l'exécution de ses quatre cent cinquante "prophètes" qu'Elie le Tishbite, prophète des Elohim, avait convaincus d'imposture sur le Mont Carmel (1).

Si Baal avait ses faux prophètes il arrivait aussi que des imposteurs prétendissent parler au nom des Elohim : le roi

(1) Achab (874-853 av. J.-C.) régnait alors sur Israël, après avoir épousé Jésabel, la païenne adoratrice de Baal, fille du roi de Tyr et Sidon, Ittoboal.

d'Israël, Achab, partant en guerre, consulta ses quatre cents "prophètes" qui lui prédirent plein succès. Le prophète réellement inspiré, Mikhayou (Michée), fils de Yimla, lui prédit un échec sanglant. Achab passa outre. Son armée fut vaincue et il trouva la mort au combat à Ramot-Galaad.

Le premier de tous les prophètes hébreux fut Moïse, qui sa vie durant fut en contact avec les Elohim. La mission qu'ils lui confièrent fut de faire sortir les Hébreux d'Egypte, "la maison de l'esclavage", pour les emmener en Canaan, la Terre Promise, après avoir pris, en passant, la Jordanie.

Son successeur, Josué, fils de Nunn, "en qui demeure l'esprit", fut le prophète conquérant. Après avoir passé le Jourdain il assura la conquête de Canaan, puissamment aidé en cela par les Elohim (1). Il fut ainsi celui qui permit aux Elohim la réalisation de la "promesse".

A l'époque des Juges, ce fut la prophétesse Débora qui mena les Hébreux au combat contre ce qui restait de Cananéens (2).

Le prophète Samuel fut le dernier des Juges. Il fit couronner Saül premier roi des Hébreux.

Gad, puis Nathan, furent les prophètes du roi David.

Mais c'est surtout après la mort du roi Salomon et le partage de l'état hébreu en deux royaumes que les Elohim multiplièrent les avertissements par la bouche de leurs prophètes, tant vis-à-vis de l'un et l'autre rois, que pour les deux peuples d'Israël et de Juda (3)

---

(1) Cf. "La Bible et les Extraterrestres" chap. XI "Moïse, l'Extraterrestre récalcitrant".
(2) En 1120 av. J.-C.

(3) "Elohim me dit : — "Ouvre la bouche et mange ce que je vais te donner..." Dans sa main il y avait un rouleau de livre. Il le déroula devant moi, et le rouleau était écrit recto-verso... — "Mange ce rouleau, et va parler aux Fils d'Israël". (Ezéchiel 2 et 3). Cette phrase du prophète est à rapprocher de celle de la Genèse lorsque Adam et Eve, dans le Jardin d'Eden ont mangé de "l'Arbre de la Connaissance". Il est bien évident que dans les deux cas il s'agit d'une image, comme nous disons nous-mêmes d'un livre qui nous a plu que "nous l'avons dévoré".

La Bible cite, pour le royaume d'Israël, de 931 jusqu'à 721 av. J.-C. (date de sa disparition), soit pendant deux cents ans environ :

Abiyia, Jéhu, Elie, Elisée et Jonas.

Pour le royaume de Juda, de 931 à 598 av. J.-C. (prise de Jérusalem), soit pour ces trois cent trente-trois années :

Shémaya, Iddo, Azariaou, Odad,
et les prophétesses Ulda et Uriyia (1)

Mais à part Elie, le Tishbite, et Elysée son disciple, dont la Bible nous entretient longuement, le Livre Sacré ne consacre que quelques lignes aux autres prophètes.

Il en est d'autres, par contre, dont les prophéties ont été consignées par écrit et insérées dans la Bible sous forme de Livres. Il est donc possible de les comparer aux événements qui les ont suivies et de vérifier si ces prophéties se sont ou non réalisées.

La première vague de ces prophètes déferle en 750 av. J.-C.

Les Elohim les envoient par paires, espérant être ainsi mieux entendus : deux pour le royaume d'Israël, Amos et Osée; deux pour le royaume de Juda, Michée et Isaïe.

Amos était berger à Téqoa, en Juda, et les Elohim l'envoyèrent prêcher dans le royaume du Nord, en Israël (2)

Israël traversait alors une période faste, s'agrandissait et

(1) Abiyia prophétisa sous le roi d'Israël Jéroboam (931-910 av. J.-C.) - Jéhu, sous le roi Basha (909-886 av. J.-C.) - Elie et Elisée sous Achab (864-853 av. J.-C.) - Jonas sous Jéroboam II (783-743 av. J.-C.) - Shémaya prophétisa sous le roi de Juda Roboam (933-913 av. J.-C.) - Iddo sous Abia (913-911 av. J.-C.) - Azariaou sous Asa (911-870 av. J.-C.) - les prophétesses Ulda sous Josias (640-609 av. J.-C.) et Uriya sous Ioakhim (609-598 av. J.-C.).

(2) En vingt ans, de 743 à 724 av. J.-C. six rois se succèdent sur le trône d'Israël. Tous des usurpateurs et des assassins : Zaccharie, 743 av. J.-C., règne six mois. Il est assassiné par Shalloum (743), règne un mois et est assassiné par Ménakhem (743-738) qui règne six ans et est assassiné par Péqaya (738-737) qui règne deux ans et est assassiné par Péqakh (737-732) qui règne six ans et est assassiné par Osée (732-724) qui règne neuf ans et est détrôné par les Assyriens.

s'enrichissait. Et, cependant, Amos annonce, dès 750 av. J.-C., sa ruine prochaine :

— "Elle est tombée, elle ne se relèvera plus la vierge d'Israël !" (Amos 5, 2).

— "Je vais, moi, susciter contre vous, maison d'Israël, une nation qui vous opprimera !" (Amos 6, 14).

De pareils propos ne pouvaient que déplaire au roi d'Israël, Jéroboam II, qui le fit expulser. Amos rentra en Juda et reprit modestement la garde de son troupeau.

Mais Sargon II, roi d'Assyrie, comme Amos l'avait prédit, s'emparait de Samarie, la capitale, et déportait ses habitants, en 721 av. J.-C., trente ans après la prophétie.

Le second prophète, contemporain d'Amos, s'appelait Osée. Il était, lui, originaire du royaume d'Israël et il prophétisa lui aussi sous Jéroboam II.

Il avait épousé une femme qu'il aimait, qui lui fut infidèle et qui le quitta. Elle lui revint ensuite repentie, et, comme il l'aimait toujours, il lui pardonna et la reprit.

Il a transposé son drame personnel sur le plan des rapports des Elohim avec le peuple hébreu : ce peuple trahit la confiance des Elohim, les Elohim le châtient donc, mais si le peuple revient à eux, les Elohim pardonneront.

Osée - tout comme Amos -, annonce dès 750 av. J.-C. la chute de Samarie et la destruction du royaume d'Israël, trente ans à l'avance :

— "Assour (l'Assyrie) sera leur roi puisqu'ils ont refusé de revenir à moi !" (Osée 11, 5).

— "Samarie expiera, car elle s'est révoltée contre ses Elohim !" (Osée 14, 1).

— "Je vais te détruire, Israël, qui pourra te secourir ?" (Osée 13, 9).

Pendant cette même période, Michée et Isaïe prophétisaient en Juda.

Michée était un Judéen, de Moréshet près de Khébron.

Il annoncera, lui aussi, la chute du royaume d'Israël dès 750 av. J.-C., ainsi que la fin de Samarie, sa capitale :

— "Je vais faire de Samarie une ruine dans la campagne". (Michée 1, 6).

Mais il annoncera aussi, dès 750 av. J.-C., la chute du second royaume, celui de Juda, la prise de Jérusalem, sa capitale, la destruction du Temple, la déportation des habitants à Babylone, et la libération ultérieure des déportés :

— "Car, il n'y a pas de remèdes aux coups des Elohim. Ils atteignent jusqu'à Juda. Ils frappent même jusqu'à Jérusalem." (Michée 1, 9).

— "Sion deviendra une terre de labour, Jérusalem un monceau de décombres, et la montagne du Temple une hauteur boisée". (Michée 3, 12).

— "Tu iras jusqu'à Babel (Babylone) et c'est là que tu seras délivré". (Michée 4, 10).

Jérusalem tomba en 587 av. J.-C., cent trente ans après cette prophétie, le Temple fut détruit et les Juifs furent déportés à Babylone. Ils en furent délivrés par Cyrus, en 538 av. J.-C., deux cent douze ans après que la prophétie ait été énoncée.

Le quatrième prophète de cette première vague fut Ishayiaou, dont on a fait Isaïe. Il était né en 765 av. J.-C. et c'est à la mort du roi Ozias, en 740 av. J.-C., qu'il reçut dans le Temple de Jérusalem sa vocation prophétique.

En 732 av. J.-C., le roi d'Israël Péqakh et le roi de Damas, Pricin, voulurent entraîner le jeune roi de Juda dans une coalition contre le roi d'Assyrie, Téglat-Phalassar III.

Sur son refus ils l'attaquèrent.

Le prophète Isaïe rassura son jeune roi :

"Dans soixante-cinq ans Ephraïm (Israël) déchu cessera d'être une nation". (Isaïe 7, 1-8).

Comme le jeune roi restait sceptique Isaïe insista :

— "Un Elohim m'a dit : — "Prends-toi une grande feuille et écris dessus en caractère d'homme : Proche est le butin, se hâte le pillage. Car l'enfant (1) ne saura pas dire "Papa", "Maman" ! que déjà on apportera devant le roi d'Assyrie les richesses de Damas et les dépouilles de Samarie". (Isaïe 8, 1-4).

Et la prophétie se termine par un passage qui paraît obscur :

— "Im lo taaminou, ki lo téamenou !", (Isaïe 7, 9). mais qui ne l'est nullement quand on connaît la suite :

— "Si vous manquez de confiance (en moi), vous manquerez d'avenir !", c'est-à-dire : "vous êtes perdus !".

En effet, le prophète affirmait à son roi qu'il s'en tirerait seul dans sa guerre contre Damas et Samarie, que Israël cesserait d'être une nation "dans soixante-cinq ans".

Mais le jeune roi Achaz ne l'écouta pas et fit appel à l'Assyrie pour l'aider. Les Assyriens accoururent, détruisirent Israël, mais firent aussi passer le royaume de Juda sous leur tutelle. Et, de ce jour, l'avenir de Juda était compté aussi.

Il s'était écoulé, depuis la prophétie, non pas 65 ans mais 11 ans (6 + 5 et non 65) (2).

Isaïe que l'on n'avait pas écouté annonça alors la ruine du royaume de Juda et de sa capitale Jérusalem :

— "Et ce jour-là il y aura un grondement contre Juda comme celui de la mer. On regardera le pays et l'on n'y verra que ténèbres et détresse. La lumière s'enténèbrera d'ombre." (Isaïe 5, 30).

---

(1) Il s'agit de l'enfant qu'Isaïe vient d'avoir d'une prophétesse.

(2) Dans son désir de faire cadrer, à tout prix, la prophétie avec l'événement, la Sainte Bible Catholique de Jérusalem ne lésine pas sur le contre-sens et traduit les mots hébreux "shishim ve-khamesh", qui signifient "soixante-cinq", par : ..."encore six ou cinq ans", pour ressembler davantage à "onze".

Quarante ans ne s'étaient pas écoulés que le roi d'Assyrie Sennachérib entrait en campagne contre Juda et lui faisait payer tribut.

Un siècle après la prophétie c'était la fin de Jérusalem et de Juda (1).

.. .

Après la disparition du royaume d'Israël, une seconde vague de prophètes avait déferlé sur Juda. Les Elohim envoyèrent à partir de 626 av. J.-C., successivement :
Jérémie,
puis dix ans plus tard Nakhum,
et, enfin, Ezéchiel.

Rien n'y fit !

Le royaume de Juda, tout comme celui d'Israël, courait à sa perte. Les prophètes ne furent pas écoutés.

Jérémie est né à Jérusalem en 643 av. J.-C., en 626 il reçoit sa vocation de prophète. Il a vingt et un ans. Il va traverser cette pénible histoire de la fin du royaume de Juda, torturé par le drame de son peuple, prêchant, menaçant, prédisant la ruine.

En vain !

Les rois incapables se succèdent sur le trône de Juda (2).

Jérémie dicta à son ami Baroukh, en 605 av. J.-C., tous les oracles qu'il avait prononcés depuis vingt ans. Mais le rouleau tomba entre les mains du roi de Juda, Ioakim, qui le fit brûler. Baroukh le récrivit de mémoire et le compléta.

---

(1) C'est le roi de Babylone Nabuchodonosor II qui prit d'assaut Jérusalem, rasa le Temple, et déporta la population en 587 av. J.-C.

(2) Josias 640-609 av. J.-C., tué à Meggido en tentant d'arrêter le Pharaon Nékao.
Ioachaz, 609 av. J.-C., destitué par Nabuchodonosor.
Ioakhim, 609-598 av. J.-C., c'est la prise de Jérusalem et la première déportation.
Sédécias, 598-587 av. J.-C., il se révolte en 589 av. J.-C., c'est la prise de Jérusalem, la destruction du Temple et la seconde déportation.

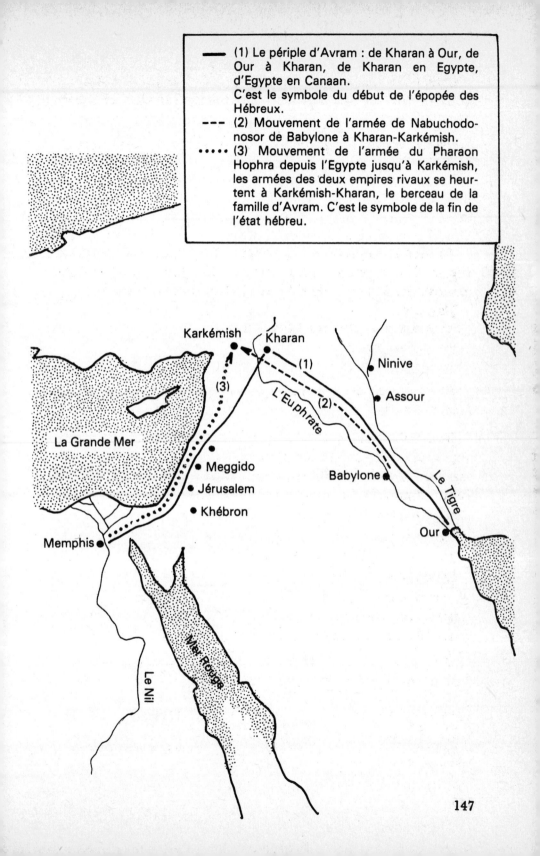

(1) Le périple d'Avram : de Kharan à Our, de Our à Kharan, de Kharan en Egypte, d'Egypte en Canaan.
C'est le symbole du début de l'épopée des Hébreux.

--- (2) Mouvement de l'armée de Nabuchodonosor de Babylone à Kharan-Karkémish.

••••• (3) Mouvement de l'armée du Pharaon Hophra depuis l'Egypte jusqu'à Karkémish, les armées des deux empires rivaux se heurtent à Karkémish-Kharan, le berceau de la famille d'Avram. C'est le symbole de la fin de l'état hébreu.

Karkémish

Kharan

(1)

Ninive

Assour

L'Euphrate

(2)

(3)

La Grande Mer

Meggido

Babylone

Le Tigre

Jérusalem

Khébron

Memphis

Our

Mer Rouge

Le Nil

Quand Jérusalem fut prise, en 598 av. J.-C., par Nabu-chodonosor II (605-562 av. J.-C.), roi de Babylone, Jérémie resta auprès de Godolias, le Gouverneur nommé par les Chaldéens. Mais Godolias fut assassiné. Jérémie craignant les représailles des Chaldéens s'enfuit en Egypte.

Sur les quatre parties du livre de Baroukh, seules les trois premières sont de Jérémie :
1 - Menaces contre Juda et Jérusalem, sa capitale,
2 - Prophéties contre les Nations,
3 - Les Consolations.

Par contre, la quatrième partie, récit des souffrances de Jérémie avant et après le siège, est de Baroukh. Elle n'est pas admise dans le Texte Sacré.

Il en est de même des "lamentations", (bien qu'elles aient valu à Jérémie la paternité usurpée du mot "jérémiades"). Elles lui ont été attribuées par la Vulgate et la Bible Grecque, mais ce sont, en réalité, des complaintes funèbres, d'auteurs anonymes, composées après la chute de Jérusalem.

C'est un véritable déchirement pour Jérémie d'être ainsi "un prophète de malheur", mais il ira jusqu'au bout de sa pénible mission.

— "Vois ! Je te donne mission en ce jour auprès des peuples
"Et des royaumes, pour arracher et pour démolir,
"Pour détruire et pour renverser
"Pour bâtir et pour planter !" (Jérémie 1, 10).

Jérémie annonce, dès 626 av. J.-C., la prise de Jérusalem, trente-neuf ans à l'avance :

— "Voici qu'on entend une rumeur qui approche.
"Un grand ouragan vient du Nord
"Qui réduira les villes de Juda en solitudes !"
(Jérémie 10, 22)

Il prédit la déportation des habitants de Jérusalem à Babylone :

— "Et, avec tes ennemis, je te ferai passer
"Dans un pays que tu ne connais point !"

(Jérémie 15, 14)

— "Je livrerai Sédécias, le roi de Juda,
"Ses serviteurs et la population de cette ville
"Qui aura échappé à la peste, à l'épée et à la famine,
"Entre les mains de Nabuchodonosor, roi de Babylone".

(Jérémie 21, 7)

Et le roi Sédécias et sa capitale Jérusalem tombèrent entre les mains des Chaldéens, après un siège long et meurtrier, et toute la population fut déportée, en 587 av. J.-C.

— "Pleurez celui qui est parti, car il ne reviendra plus
Et ne reverra pas la terre qui l'a vu naître."

(Jérémie 22, 11)

Il s'agit du roi Ioachaz, déporté en Egypte par Nabuchodonosor en 602 av. J.-C. Il y mourra sans revoir Jérusalem.

— "Malheur à celui qui bâtit sa maison sur l'injustice.

Nul de sa race ne parviendra à s'asseoir sur le trône
De David et à régner sur Juda". (Jérémie 22, 30)

C'est le roi Ioakhim. Il sera déporté à Babylone, en 598 av. J.-C. Et, en effet, lorsque quatre siècles plus tard, un royaume juif se reconstituera autour de Jérusalem, aucun de ces derniers rois de Juda (1) ne fut un descendant de Ioakhim (2).

Après avoir ainsi prédit la prise de Jérusalem par Nabuchodonosor, roi de Babylone, Jérémie annonce aussi la

---

(1) Après la révolte des Maccabées contre l'occupation grecque (Judas Maccabée et ses frères Jonathan et Simon) la royauté fut restaurée en Juda. · Judas Maccabée (−166−160). · Jonathan (−160−142). · Simon (−141−134) ·. Jean Hyrcan (−134−104) ·. Aristobule 1ᵉʳ (−104−103) ·. Alexandre Janée (−103−76) ·. Alexandra sa femme (−76-67)·. Hyrcan II (− 67)·. Aristobule II (− 67-63)·. Hérode (− 37 à 4 de notre ère).
(2) Quand il s'agira de donner à Jésus une filiation davidique, Matthieu, dans son Evangile, le fera descendre, non pas de Ioakhim, sur la descendance duquel pèse cette malédiction de Jérémie, mais de Josias, tombé à Méggido.

chute prochaine du vainqueur de son peuple. Et cependant celui-ci est alors au faîte de sa gloire.

Non seulement Jérémie annonce longtemps à l'avance la chute de Babylone, que rien ne laisse cependant encore prévoir, mais il en donne la date d'une manière on ne peut plus précise. Jugez plutôt :

— "Toutes les Nations seront soumises au Roi de Babylone,
Ainsi qu'à son fils et à son petit-fils.
Jusqu'à ce que vienne enfin le temps de son pays.
Alors de puissantes Nations et de grands rois l'asserviront".

(Jérémie 27, 6-7)

Et voici le déroulement des faits historiques :

— "Toutes les Nations seront soumises au roi de Babylone" : "Nabuchodonosor règne, en effet, de 605 à 562 av. J.-C. et toutes les nations du monde connu de l'époque lui sont effectivement soumises.

— "Ainsi qu'à son fils" : et le fils de Nabuchodonosor, Evil Mérodak règne de 561 à 560 av. J.-C. et conserve intact l'empire.

— "Et son petit-fils" : le petit-fils de Nabuchodonosor règne de 559 à 556 av. J.-C. avec le même succès, c'est Nergal-Sharézer.

— "Alors de puissantes nations l'asserviront" : et, en effet, le quatrième roi qui monte sur le trône après cette prophétie est renversé par Cyrus, roi des Perses, en 538 av. J.-C. Il s'appelait Nabonide. Babylone est prise, son roi emmené en captivité. La ville est ensuite la proie des Grecs, puis des Romains, et disparaît dans les sables.

Il est prodigieux que ces faits historiques aient pu être prévus avec cette précision par le prophète près d'un demi-siècle à l'avance.

Jérémie ne plaisantait pas avec les faux prophètes. L'un d'entre eux, Ananya, né à Gabaon, prétendit que le joug de Nabuchodonosor serait brisé dans les deux ans (alors qu'il en a fallu près de cinquante). Jérémie lui dit :

— "Ecoute bien, Ananya ! Elohim ne t'a pas envoyé. Et toi tu as leurré ce peuple par des espoirs mensongers. C'est pourquoi ainsi parle Elohim : "Voici que je te renvoie de la surface de la terre. Au cours de cette année même tu mourras." (Jérémie 28, 1-17). Et Ananya mourut cette même année, au septième mois.

Jérémie avait non seulement prévu la chute de Babylone près de cinquante ans à l'avance, mais il annonça encore plus à l'avance le retour à Jérusalem des Juifs déportés à Babylone et la reconstruction du Temple, détruit par Nabuchodonosor. Et il le fait avec une précision encore plus étonnante :

"Voici en vérité ce que dit Elohim : — "Quand Babylone sera au terme de soixante-dix ans pleinement révolus, je prendrai soin de vous et vous redeviendrai accessible". (Jérémie 29, 10-14).

"Je prendrai soin de vous", pour des déportés, ne peut pas être interprété autrement que par leur libération.

"Je vous redeviendrai accessible", pour interpréter correctement cette phrase il faut se souvenir que le Temple est la demeure des Elohim parmi leur "peuple élu", et que c'est là qu'ils "leur sont accessibles".

La destruction du Temple et la déportation datent de 587 av. J.-C., la reconstruction et la "dédicace" du Temple sont de 515 av. J.-C., soit soixante douze ans plus tard. Le prophète avait dit : "soixante dix ans pleinement révolus".

Jérémie, de son vivant, n'était guère apprécié de ses compatriotes. Il prédisait les malheurs de Juda et de Jérusalem de même que la victoire de Nabuchodonosor avec une telle fougue que ses concitoyens le traitaient de défaitiste, de traître à la solde de l'ennemi, et voulurent cent fois le mettre à mort.

Mais ce qui prouve sa sincérité et celle de ses prophéties c'est qu'après la victoire écrasante de Babylone, il n'hésite pas - lui que l'on croyait vendu aux Chaldéens -, à prophétiser leur désastre et le retour des Juifs à Jérusalem.

— "Babel est prise !

"Ses divinités sont couvertes de honte, ses idoles sont en pièces.
"Car, du Nord (la Perse), un peuple s'avance contre elle
"Qui fait de son territoire une solitude
"Que nul n'habite plus.
"En ces jours, les fils d'Israël,
"Unis aux fils de Juda reviendront.
"La Chaldée sera mise à sac !
"Israël était une biche pourchassée
"Que des lions avaient mise en fuite.
"Le roi d'Assyrie fut le premier à la dévorer,
"Et voilà que le dernier lui a brisé les os,
"Nabuchodonosor, roi de Babylone.
"Mais je ramènerai Israël à son pâturage !
"Babel sera une ruine parmi les Nations !" (Jérémie 50)

Ces prédictions datent de 585 av. J.-C., Nabuchodonosor est à l'apogée de sa gloire et son empire s'étend de l'Euphrate à la Méditerranée. Et, cependant, à peine un quart de siècle plus tard, Cyrus fonde l'Empire Perse (559 av. J.-C.). Encore vingt ans, et il s'empare de Babylone et reconstruit le Temple !

Il est intéressant de noter que tous les prophètes antérieurs, tout en annonçant la fin des deux royaumes hébreux pour leur désobéissance aux Elohim, prédisaient aussi la ruine des pays qui les asserviraient, comme si ces vainqueurs n'étaient que les instruments momentanés du destin.

Isaïe prophétisait déjà :

— "Encore un court délai et mon courroux (contre le peuple élu) s'apaisera et ma colère les détruira (les Assyriens). (Isaïe 10, 25).

Cette prophétie date de — 720, et un siècle plus tard Ninive est prise par le roi des Mèdes, Cyaxare.

— "Et Babylone, la perle des royaumes, l'orgueil et la gloire des Chaldéens, sera comme Sodome et Gomorrhe bouleversée par Elohim". (Isaïe 13, 19).

Et deux siècles après cette prophétie Cyrus s'emparait de Babylone.

— "Babylone ne sera plus jamais habitée jusqu'à la fin des générations. Les bêtes sauvages y auront leur gîte et les chiens hurleront dans ses palais." (Isaïe 13, 20).

Et, en effet, que reste-t-il de Babylone dont les ruines à cent soixante kilomètres au Sud de Bagdad sont à peine visibles sur les bords de l'Euphrate ?

Dix ans après Jérémie apparaît le prophète Nakhum, en 615 av. J.-C. Le royaume d'Israël a déjà été détruit par les Assyriens. Seul reste encore le royaume de Juda.

Les Assyriens sont alors au comble de leur puissance, et, cependant, Nakhum prédit leur effondrement prochain. Il annonce le châtiment de l'Assyrie et la ruine de Ninive, sa capitale :

— "Par le cours impétueux des flots, les Elohim balaient les assises de la ville... Ainsi parle Elohim : — "Je briserai son joug qui pesait sur toi, Israël".

(Nakhum 1, 8-13)

— "Les portes protégées par les cours d'eau sont enfoncées (Ninive est bâtie sur le Tigre)... Tout est pillé, dépouillé, ravagé." (Nakhum 2, 7-11).

— "Nul rejeton se rattachant à ton nom ne sortira plus de toi". (Nakhum, 1, 14).

— "Malheur à toi, ville de sang !

"Ninive est ruinée ! Le feu te consumera !" (Nakhum 3, 1-7-15).

Et l'Assyrie disparaîtra à tout jamais, après la chute de Ninive en 612 av. J.-C.

La joie des Hébreux après la prise de Ninive par les Babyloniens fut de courte durée. La poigne de Babylone sur la nuque des Hébreux se fit encore plus lourde !

.·.

Surgit alors un prophète, Abaqouq, en 608 av. J.-C., qui fulmine certes contre l'oppresseur, mais qui n'hésite pas à interpeller les Elohim, et à leur réclamer des comptes de leur gouvernement du monde.

Certes, estime Abaqouq, le peuple juif, rebelle, devait être châtié par les Elohim. Et Babylone a été l'instrument de cette sévère correction. Mais pourquoi les Elohim choisissent-ils de punir le méchant par encore plus méchant que lui ?

Et on sent là comme un écho de cette révolte qui a grondé parmi les Dix Tribus Perdues d'Israël, quand le royaume du Nord, vaincu, vit toute sa population emmenée en déportation par les Assyriens.

Le désespoir, mêlé de fureur, qui s'empara d'elles les amenèrent-ils à dénoncer leur alliance avec les Elohim ?

Et d'alliées des Elohim qu'elles étaient, en sont-elles devenues les ennemies ?

Quelque chose de grave s'est passé car la Bible fait peser sur ces égarés un silence de mort. Il n'en sera plus jamais fait mention dans le Livre Sacré. Et cependant ces dix tribus perdues d'Israël ne se sont pas évanouies dans la nature (1).

---

(1) Seul Jérémie y fait une vague et dernière allusion, mais combien éloquente : "La Nation renégate d'Israël..." (Jérémie 3, 11).

Il ne reste plus, comme fidèles, que les deux tribus qui occupent le royaume de Juda et sa capitale Jérusalem.

Pour peu de temps encore. Car Babylone va les déporter à deux reprises successives à quelques années de distance. Mais les deux dernières tribus, Juda et Benjamin, restèrent inébranlablement fidèles aux Elohim, malgré toutes les épreuves qu'elles endurèrent.

Le tour d'horizon des prophètes ne serait pas complet si l'on ne contait pas en quelques mots l'histoire de Jonas. C'est l'histoire d'un prophète que les Elohim chargent d'annoncer à la ville de Ninive sa prochaine destruction. Jonas savait fort bien que les annonciateurs de mauvaises nouvelles n'étaient guère appréciés dans l'Antiquité. Cela n'a pas tellement changé de nos jours d'ailleurs. Effrayé de la responsabilité à lui confiée, Jonas préfère s'enfuir sur un bateau. Le navire est pris dans une tempête. Et l'équipage mis au courant de l'attitude de Jonas le jette par dessus bord pour apaiser le courroux des Elohim. Un grand poisson, nous dit-on, engloutit Jonas et le rejeta vivant sur le rivage. Jonas, repentant, accomplit alors sa mission. N'est-il pas aujourd'hui permis de se demander si ce grand poisson n'était pas tout simplement un sous-marin des Elohim, qui l'avait recueilli à son bord et l'a ensuite ramené sur la terre ferme ?

Pendant que Jérémie prêchait à Jérusalem, un autre prophète, Ezechiel, prophétisait à Babylone, parmi les Juifs de la première déportation.

C'est un prêtre mais c'est un visionnaire qui décrit avec un luxe de détails étonnant ses rencontres avec les Elohim et leurs engins de transports... Jusqu'à ces dernières années les descriptions d'Ezechiel paraissaient de pures hallucinations auxquelles il n'était pas convenable d'attacher foi. Depuis que le cinéma, la télévision nous ont familiarisés avec les engins spatiaux, les fusées interplanétaires, les "lems" et "les objets volants non identifiés" on s'aperçoit que ce qu'il décrit mérite beaucoup d'attention.

Ezéchiel prophétisa, lui aussi, la chute de Jérusalem :

— "Ainsi parle Elohim : Prends une brique et mets-la devant toi. Tu y graveras une ville, Jérusalem. Puis tu entreprendras contre elle un siège. Tu construiras contre elle des retranchements. Tu élèveras contre elle une terrasse. Tu établiras contre elle des camps. Et tu installeras contre elles des béliers tout autour. C'est un signe pour la maison d'Israël". (Ez. 4, 1-3).

Onze ans plus tard, Nabuchodonosor mettait le siège devant Jérusalem, s'emparait de la ville comme Ezéchiel l'avait décrit et détruisait le Temple.

— "Et le Prince chargera son bagage sur son épaule dans l'obscurité. Il sortira par le mur qu'on percera pour faire une sortie. Il sera pris, emmené à Babylone, au pays des Chaldéens. Mais il ne le verra pas et il y mourra". (Ezéchiel 12, 12-13).

Cette prophétie sur le roi de Judas Sédécias se réalisa à la lettre. Emmené prisonnier à Babylone, après la chute de Jérusalem, il y resta jusqu'à sa mort.

Le prophète avait dit qu'il serait emmené, captif, à Babylone, mais qu'il ne verrait pas le Pays des Chaldéens. Et, en effet, Nabuchodonosor, sitôt qu'il l'eût fait prisonnier, lui fit crever les yeux.

Tous les historiens se sont étonnés de la surprenante survie du peuple Hébreu alors que tous les peuples qui leur étaient contemporains ont disparu.

Or, cet anéantissement des nations contemporaines d'Israël et de Juda a été prophétisé par Ezéchiel : Amonites, Moabites, Edomites, Philistins et Tyriens, toutes ces nations ont disparu de l'Histoire. Seul Israël s'est maintenu depuis les Temps Bibliques jusqu'à nos jours :

— "Fils d'homme, dit Elohim, tourne ta face contre les Amonites et dis-leur : — Parce que tu as crié

"Hourra !" sur mon sanctuaire lorsqu'il fut profané (1), sur la Terre d'Israël lorsqu'elle fut dévastée, et sur la maison de Juda lorsqu'elle fut emmenée en exil, je te livre aux fils de l'Orient (les Chaldéens). Je ferai de Rabba (capitale des Amonites) un parc à chameaux et des villes d'Amon un bercail à brebis." (Ez. 25, 2-5).

— "Je te ferai disparaître du rang des peuples et te retrancherai d'entre les pays." (Ez. 25, 6-7).

— "Parce que Moab et Edom ont dit : Voilà que la maison de Juda est comme toutes les Nations (vaincue par Nabuchodonosor), aux fils de l'Orient je donne ces pays. On ne se souviendra plus des fils d'Amon parmi les Nations et c'est ainsi aussi que je châtierai Moab... J'étendrai la main sur Edom... et j'en ferai une ruine". (Ez. 25, 8-13).

— "Parce que les Philistins ont agi par vengeance, l'âme pleine de dédain (pour les malheurs d'Israël) j'étendrai ma main sur les Philistins et les anéantirai". (Ez. 25, 15-16).

— "Parce que Tyr a crié : Hourra, elle est brisée celle qui était la Porte des Nations (Jérusalem), les remparts de Tyr seront détruits et ses tours démolies... Je ferai de toi une roche aride..." (Ez. 26, 1-14).

Ces prophéties se sont toutes réalisées. Nabuchodonosor annexa tous ces territoires qui disparurent de l'Histoire. Qui, n'ayant pas lu la Bible, a jamais entendu parler d'Amon, de Moab, d'Edom ?

Ezéchiel a prophétisé aussi contre l'Egypte. Mais il n'en

---

(1) J'ai souvent signalé la mauvaise traduction de l'hébreu, tant par la Bible Catholique que par celle du Rabbinat français. La première traduit ce passage par : "Parce que tu as crié : Ha ! Ha ! sur mon sanctuaire..." La seconde préfère : "Parce que tu as crié Holà ! sur mon sanctuaire..." Ce qui ne veut à peu près rien dire ni d'un côté, ni de l'autre. Alors que le mot hébreu "héakh" signifie tout simplement : "Hourra !".

La traduction anglaise de la Bible, "Les Saintes Ecritures", op. déjà cité, commet bien entendu la même erreur.

annonce pas la destruction totale ni la disparition comme pour les autres :

"L'Egypte deviendra le plus faible des royaumes et elle ne dominera plus sur les autres nations". (Ez. 29, 15).

Et, en effet, le Pharaon Nékao fut écrasé par Nabucho-donosor à Karkémish, près de Kharan. La Chaldée annexa alors tout le Sinaï. Puis l'Egypte fut conquise par le roi des Perses, Camboudjaïa (dit : Cambise), puis par les Grecs. Alexandre de Macédoine et ses successeurs furent remplacés par les Romains. Enfin l'Egypte fut dominée par les Mamelouks de Turquie avant de devenir un Dominion anglais. Et, depuis lors, elle n'a plus joué un rôle de premier plan dans le concert des Nations.

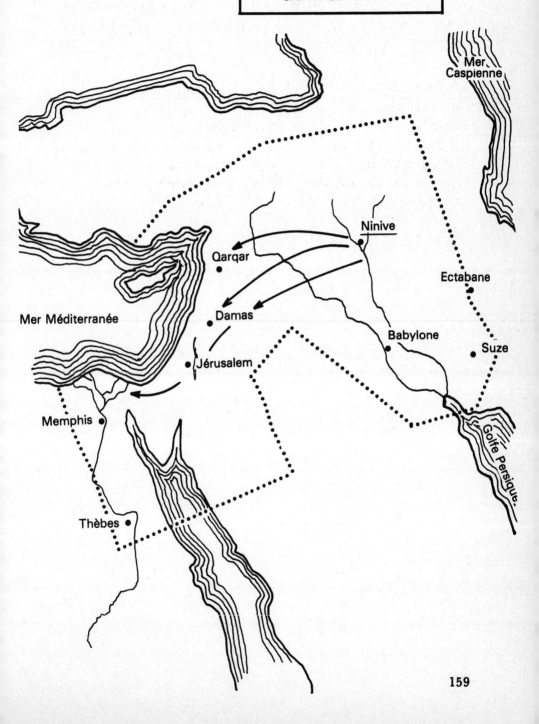

L'EMPIRE ASSYRIEN

(- 750 - 625 av. J.-C.)

CAPITALE : NINIVE

Mer Caspienne

Ninive

Qarqar

Ectabane

Mer Méditerranée

Damas

Babylone

Suze

Jérusalem

Golfe Persique

Memphis

Thèbes

159

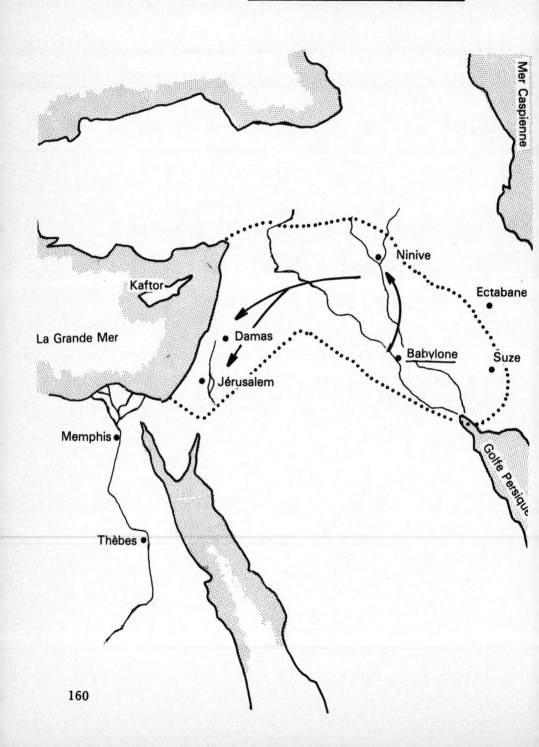

L'EMPIRE CHALDEEN
(- 620 - 540 avant J.-C.)
Capitale Babylone

Mer Caspienne

Ninive

Ectabane

Kaftor

La Grande Mer

Damas

Babylone

Suze

Jérusalem

Memphis

Golfe Persique

Thèbes

CHAPITRE VIII

LE "DEVIN" ET
LE "DIVIN"
OU
LA CLE DES PROPHETIES

"Elohim me dit : — "Fils de l'homme, debout !
"Va auprès de la Maison d'Israël !
"Et tu devras leur parler avec mes paroles."

(Ezéchiel 3, 4)

Le "devin", nous dit "le Grand Robert", est un mot du 13ᵉ siècle, du latin populaire "devinus", dérivant lui-même du latin classique "divinus".

Le devin,
"c'est celui qui prétend découvrir ce qui est caché par des moyens qui ne relèvent pas d'une connaissance naturelle ou ordinaire". (Grand Robert, 1965).

Le "Littré", plus précis, distingue bien le "devin" du "prophète". :

...."Le prophète prédit ce qui doit arriver, grâce à des communications surnaturelles qu'il a avec la divinité. Le devin, qui non seulement prédit l'avenir, mais encore découvre ce qui est caché, doit sa PRETENDUE connaissance aux sciences occultes et à tous les procédés divinatoires qu'ont IMAGINES la SUPERSTITION et la SUPERCHERIE". (Littré, Dictionnaire à "devin).

Et, en cela, Littré est en plein accord avec les prescriptions de la Bible, qui est pleine de respect pour les "prophètes" et couvre de mépris les "devins".

— "Ne consultez point les devins, de peur de vous souiller en vous adressant à eux". (Lévitique 19, 31).

D'où vient ce don des prophètes ?

Les croyants diront : — "Ils sont inspirés par Dieu !"

Cette réponse a le mérite de la simplicité et je pourrais m'en tirer avec cette affirmation qui me dispenserait de toute démonstration.

Mais, si ma thèse est acceptée que les Elohim ne sont pas le Dieu-Un mais des "supraterrestres", il me faut accepter, à mon tour, que ce soient eux qui inspirent les prophètes, et non pas le Dieu-Un.

Mais par quel procédé ? Comment les Elohim, les Supraterrestres peuvent-ils prédire l'avenir de l'humanité avec cette précision ?

La Bible est muette à ce sujet. Nous en sommes donc réduits aux hypothèses. Et le champ en est infiniment vaste. On entre très vite dans le domaine de la science-fiction et ce n'est pas notre propos.

Mais une remarque préalable s'impose.

Dans le domaine des hypothèses possibles, il y a tout ce que l'esprit inventif de l'homme, avec ses connaissances du vingtième siècle, peut imaginer. Il y a tout ce que l'homme pourra encore découvrir et qui ouvrira bien d'autres horizons à son imagination.

Mais il y a, aussi, "l'inimaginable" !

Pour résoudre, en effet, les problèmes qui se sont posés aux "supraterrestres", nous faisons des raisonnements "d'hommes", avec la modeste science acquise par les "hommes", et une imagination "d'hommes". Mais rien ne nous dit que les "supraterrestres" ont suivi les mêmes voies que nous pour obtenir les résultats auxquels ils sont arrivés. Ils ont pu, dès le départ, explorer d'autres chemins, plus courts, plus efficaces... Et sans aucun lien avec les nôtres...

Quels chemins ? Mais si nous pouvions les imaginer, c'est que nous raisonnerions non plus en "hommes", mais en "supraterrestres"...

Cette remarque étant faite, s'il me fallait cependant échafauder des hypothèses, voici qu'elle serait ma modeste contribution. La liste n'en est pas limitative et tout lecteur imaginatif pourra certainement en trouver bien d'autres aussi convaincantes.

Il est possible, par exemple, de faire intervenir quelques notions scientifiques sur "l'espace-temps". Depuis qu'Einstein nous a familiarisés avec la "relativité", nous savons tous que la notion de "temps" n'a pas le même sens pour un voyageur se déplaçant à une très grande vitesse que pour un spectateur immobile.

En d'autres termes, le temps s'écoule plus ou moins vite selon que l'on reste sur terre ou que l'on voyage à très grande vitesse dans le vide intergalactique.

Pour un voyageur qui se déplacerait, à bord d'un vaisseau spatial, à la vitesse de la lumière - on sait que celle-ci se propage à 300 000 kilomètres-seconde -, le temps s'écoulerait infiniment plus lentement que pour ses contemporains restés sur terre.

Quelques semaines de voyage intergalactique pour notre passager correspondraient à quelques siècles pour les terriens. A l'échelle du cosmos, le temps, la vitesse et l'espace se télescopent et n'ont plus le même sens que sur terre.

Rien n'interdit de penser que les Elohim, venant d'une lointaine galaxie, aient inventé des engins se déplaçant à une vitesse voisine de celle de la lumière.

La Bible ne dit-elle pas :

— "Car mille ans sont, à tes yeux, Seigneur,
"Comme le jour d'hier quand il passe,
"Et comme une veille de la nuit".

(Psaumes 90, 4).

Le Nouveau Testament n'a-t-il pas repris, lui aussi, cette équivalence :

— "Devant le Seigneur un jour est comme mille ans, "Et mille ans comme un jour !"

(Deuxième épitre de Pierre, III, 8)

Si cette distorsion du temps est telle aux vitesses vertigineuses atteintes par les Elohim, il est bien évident que, pour eux, le passé, le présent et le futur de l'humanité sont comme un film de photographies qui se projetteraient, toutes ensemble, mais à côté les unes des autres, sur un écran gigantesque.

Voyant l'avenir de l'humanité des décennies, et même des siècles, avant que les humains n'en fassent leur temps présent, les Elohim n'ont aucune peine à le faire prédire - par les prophètes qu'ils inspirent -, des décennies ou des siècles plus tôt aux humains.

Mais alors, direz-vous, comment se fait-il que les astronautes, que les Américains ont envoyé sur la lune, et ceux que les Russes ont promené dans l'espace, n'aient pas ce don de double vue ?

C'est que l'homme avec ses fusées est encore très loin, mais très loin, d'atteindre une vitesse comparable à celle de la lumière.

Le télescopage entre les notions de vitesse, de temps et d'espace, à la vitesse atteinte par les hommes, est encore infinitésimal.

Peut-être l'homme parviendra-t-il un jour à des vitesses se rapprochant de celle de la propagation de la lumière !

Il aura égalé alors, non pas Dieu, mais les Elohim !

"En matière de recherche sur les structures de l'espace et du temps, nos notions de passé et d'avenir ne tiennent plus... A une vitesse extrême, limite de celle de la lumière, qu'est-ce que le temps ?"
(Louis Pauwels et Jacques Bergier "Le matin des magiciens", Gallimard 1960).

"Il ne faut pas croire que le temps écoulé rentre dans le néant. Le temps est un, et éternel. Le passé, le présent et l'avenir ne sont que des aspects différents d'un enregistrement continu, invariable, de l'existence perpétuelle."
(Eric Temple Bell, "Le flot du temps", Gallimard).

Mais que devient alors le libre-arbitre de l'homme que les Elohim lui ont laissé, avions-nous dit ?

Le libre-arbitre subsiste :

"Le voyageur qui remonte la Seine en bateau sait d'avance les ponts qu'il rencontrera. Il n'en est pas moins libre de ses réactions, il n'en est pas moins capable de prévoir ce qui pourra venir à la traverse."
(Révérend Père Dubarle, cité par Pauwels et Bergier).

Voici quelques hypothèses, bien modestes, sur la manière dont les Elohim peuvent prédire l'avenir de l'humanité. Vous pouvez avancer les vôtres... Sachez qu'aussi hardies seraient-elles vous serez toujours très en-dessous de ce qu'affirment nos physiciens dès qu'il s'agit du cosmos.

Vous pourriez, naïvement, penser que lorsque l'homme se déplacera dans les vides intergalactiques à une vitesse égale à celle de la lumière (trois cent mille kilomètres-seconde) il ne mettra ni plus ni moins de temps que la lumière pour aller d'une planète à l'autre.

Quelle lourde erreur serait la vôtre, vous dit le professeur Langevin :

"Andromède, constellation de l'hémisphère boréal, est à environ trois millions d'années-lumière de la terre. On pourrait penser qu'un voyageur se déplaçant à la vitesse de la lumière mettrait trois millions d'années pour aller de la terre sur Andromède, et autant pour en revenir. Il n'en est rien ! Ce voyageur ne vieillirait que de quelques années."

Par contre, sur terre, les générations se succéderaient

sans doute à une vitesse qui, pour notre astronaute, paraî-
trait vertigineuse.

Tout cela semble paradoxal, incohérent, mais il faut
bien nous résoudre à admettre que pour les astro-
physiciens qui travaillent à l'échelle du cosmos nos façons
de calculer terre à terre n'ont plus cours et que 2 et 2 à
l'échelle cosmique ne font plus quatre !

• •

Comment les Elohim peuvent-ils savoir ce qui se passe
sur terre et comment peuvent-ils intervenir dans le destin
de l'humanité ?

Je suppose qu'à cet égard les moyens ne doivent pas leur
manquer.

Tout d'abord, j'accepte, pour ma part, l'hypothèse - très
controversée et inimaginable pour beaucoup - du contact
direct avec des initiés. A mon avis, les missions d'Elohim
sur notre terre pour prendre langue avec certains d'entre
nous n'ont jamais dû cesser depuis la préhistoire.

Par ce contact direct avec les "initiés" triés sur le volet,
les Elohim sont donc très exactement renseignés sur la
situation de l'humanité à un moment donné, et ils peuvent
aussi, par leur intermédiaire, agir d'une manière décisive
sur les événements nous concernant.

Ensuite, je crois que les Elohim connaissent les hommes
beaucoup mieux que ceux-ci ne se connaissent eux-mêmes.
Ils n'ont donc aucune peine à prévoir les chemins périlleux
que ne manquera pas de prendre une humanité abandonnée à elle-même.

Par la voix inspirée de leurs prophètes, les Elohim mettent donc les hommes en garde et les préviennent que s'ils
persévèrent dans la mauvaise voie des calamités sans nombre s'abattront sur eux.

C'est ce qu'ils firent, notamment, pour le royaume d'Israël en 750 av. J.-C. Il n'était pas difficile pour les Elohim de prévoir qu'avec cette cascade de rois incapables -six en vingt ans, chacun ayant assassiné son prédécesseur pour lui ravir le trône - le royaume du Nord serait bien incapable de résister à la convoitise des tyrans Assyriens.

C'est ce que firent aussi les Elohim pour le royaume de Juda.

C'est ce qu'ils font, pour les temps actuels, pour toute l'humanité.

Mais qui les écoute ?

Enfin, je crois qu'avec la haute technicité qui est la leur, les Elohim ne doivent pas avoir beaucoup de difficultés à la fois pour surveiller l'humanité à l'aide d'appareils perfectionnés, et aussi pour exercer une influence décisive sur notre destin.

La surveillance est facile à imaginer. Qui d'entre nous n'a pas vu fonctionner dans un grand magasin, dans une banque, un système de télévision interne qui permet à un contrôleur de surveiller, sur plusieurs écrans, le comportement des clients ?

A une plus grande échelle encore, les USA et l'URSS ne surveillent-ils pas toute l'activité qui se déploie sur terre grâce à leurs satellites d'observation ?

Si l'homme, avec ses moyens encore bien rudimentaires, arrive à de pareils résultats, les Elohim dont la technique est en avance sur la nôtre de plusieurs millénaires, ne doivent pas avoir de gros problèmes pour connaître dans le détail ce qui se passe sur notre planète.

Etant très exactement renseignés sur telle situation critique dans laquelle nous nous sommes engagés, les Elohim - s'ils estiment devoir intervenir pour "rectifier le tir" - disposent de bien des moyens.

A une époque donnée, les "initiés" peuvent avoir une

autorité propre dans le gouvernement des hommes. Les Elohim, par contact direct, peuvent grâce à eux infléchir telle ou telle politique dangereuse.

Si l'affaire en vaut la peine, les Elohim n'hésitent probablement pas à envoyer un des leurs sur terre pour prendre la direction des opérations. Mon hypothèse s'appuie sur le fait que ce "parachuté" apparaît aux yeux de ses contemporains ayant déjà atteint lui-même l'âge adulte. On ignore à peu près tout de sa naissance, de son enfance, de son adolescence, et "sa mort terrestre" est généralement entourée de mystère, parce qu'en réalité il a tout simplement regagné sa planète d'origine une fois sa mission terminée.

A mes yeux, les exemples abondent. Depuis Moïse jusqu'à Jésus-Christ en passant par Cyrus le Grand, pour ne prendre que ces trois cas les plus typiques.

Quand il y a urgence extrême, les Elohim n'hésitent pas à intervenir directement aux côtés des humains, si l'on en croit la Bible, qu'il s'agisse du sort d'une bataille, de faire mourir un ennemi puissant, ou d'assurer la descendance d'une lignée indispensable.

Je crois aussi très plausible l'hypothèse de la suggestion et du conditionnement de certains hommes, pendant leur sommeil quand les Elohim en attendent quelque chose : décision politique, découverte scientifique, que sais-je !

Le savant qui pataugeait dans ses calculs sans en voir l'issue, et à qui la "découverte" a été suggérée pendant son sommeil, ou l'homme de gouvernement qui avait le choix entre deux décisions graves et opposées, chacun d'eux se figure, à son réveil, avoir eu une "intuition géniale" pendant la nuit et se comporte comme le lui ont suggéré les Elohim.

Les exemples, en matière scientifique, abondent - je le suppose -, depuis l'invention de la roue par nos lointains ancêtres jusqu'à celle - récente - de la désintégration de la matière.

Sans parler du domaine politique où l'une des plus récentes intrusions des Elohim dans le domaine des décisions humaines me paraît bien avoir été l'attitude, à tous égards déconcertante de Staline, dictateur de toutes les Russies, anti-juif notoire, l'homme du "complot des blouses blanches" visant à décapiter le monde médical juif en URSS, et qui, à l'étonnement de tous, se fit en 1948 le défenseur le plus acharné de la création de l'Etat d'Israël.

CHAPITRE IX

CYRUS
OU
LA CLE D'UN
ESPOIR DEÇU

> — *"Toi, Israël, ne crains pas !*
> *Car, Moi, ton Elohim,*
> *Je viens à ton secours !"*
> *(Isaïe 41, 43)*

Alors que les Dix Tribus d'Israël, déportées par les Assyriens en 721 av. J.-C., s'étaient révoltées contre ce qu'elles considéraient comme un traitement injuste et trop cruel de la part des Elohim, les Deux Tribus du royaume de Juda, déportées par les Chaldéens cent-vingt ans plus tard, s'inclinèrent devant ce châtiment qu'elles jugèrent mérité.

Alors que les premières, s'estimant injustement traitées, rompaient leur alliance avec les Elohim (1), les populations du royaume de Juda déportées à Babylone firent tout pour retrouver leur bienveillance.

La punition que leur avaient infligée les Elohim porta ses fruits !

Dans la douceur de l'existence qu'ils avaient menée à Jérusalem ils n'avaient pas ajouté foi aux avertissements répétés de leurs prophètes. Mais, maintenant, les prophéties s'étaient réalisées en tous points : Jérusalem avait été

---

(1) La rupture de l'alliance avec les Elohim a dû s'accompagner de l'abandon de ce "qui en était le signe dans la chair du peuple élu", à savoir la circoncision des mâles.

prise, le Temple avait été rasé, les habitants de Juda étaient déportés à Babylone.

Les avanies qu'ils subissaient, les durs travaux auxquels ils étaient astreints, les amenèrent à faire un retour sur eux-mêmes. Les prophètes avaient donc dit vrai ! Et, au lieu de la révolte, c'est un profond sentiment de confiance en les Elohim qui s'empara des survivants.

Et, puisque les Prophètes avaient prédit la délivrance du joug de Babylone et leur retour à Jérusalem, s'ils respectaient l'alliance avec les Elohim mieux qu'ils ne l'avaient fait dans le passé, ils firent tout pour mériter leur retour en grâce.

La suite des événements relatés par l'histoire permet de penser que devant cette attitude soumise et le repentir de Juda les Elohim pardonnèrent.

Le prophète Michée avait dit :

— "Tu iras jusqu'à Babel (Babylone), et c'est là
"Que tu seras délivré". (Michée 4, 10).

Et le prophète Jérémie avait précisé :

— "Voici ce que dit Elohim :
"Quand Babylone sera au terme de soixante-dix ans
"Pleinement révolus, je prendrai soin de vous
"Et j'accomplirai en votre faveur ma bienveillante pro-
messe
"De vous ramener en ces lieux...
"Car mes desseins visent à votre bonheur
"Et non à votre malheur..." (Jérémie 29, 10).

Si les Elohim ne voulaient pas faire mentir leurs prophètes il leur fallait "organiser le retour".

Ce n'était pas chose facile. Ni le sanguinaire roi de Babylone, Nabuchodonosor, ni ses successeurs Evil Mérodak et Nargal-Sharézer, ni même Nabonide, plus faible mais tout aussi cruel, n'étaient hommes à se laisser impressionner et à laisser partir les Juifs - comme l'avait fait pour les Hébreux le Pharaon Ménephta devant les tours de passe-passe et les prodiges de Moïse.

Les Elohim devaient susciter un peuple puissant qui écraserait Babylone, la punirait ainsi de ses méfaits, libèrerait les populations de Juda prisonnières, et les protègerait après leur retour à Jérusalem.

L'Egypte, traditionnel adversaire de la Mésopotamie n'était plus de taille : Nabuchodonosor avait écrasé Nékao à Karkémish et, dix-sept ans plus tard, le Pharaon Hophra avait subi une défaite tout aussi cruelle devant Tyr.

Il fallait donc que les Elohim trouvent autre chose à opposer aux armées de Babylone pour en venir à bout. Et il n'y avait pas beaucoup de choix. Il ne restait que les Mèdes, dont le roi Cyaxare avait aidé Babylone à écraser Ninive autrefois.

Cyaxare avait été remplacé sur le trône de Médie par son fils Ishtoumégou (dont on a fait Astyage). Mais on ne pouvait compter sur lui, il était trop jouisseur pour se comporter en vaillant chef de guerre et les Mèdes n'étaient pas assez farouches guerriers pour les opposer aux Babyloniens.

Toutefois, le roi Astyage avait sous sa dépendance des frères de race, les Perses, qui habitaient l'Elam, à l'Est de Suze, sa capitale. Les Perses, ou Scythes, étaient à l'époque des montagnards à demi-sauvages qui parcouraient les haut-plateaux entre la Caspienne et le Golfe Persique.

Ils étaient divisés en dix tribus : six d'agriculteurs méprisés par les quatre autres qui étaient des guerriers nomades. La plus importante de ces dernières était celle des Passargadiens et un des clans de cette tribu était celui des Akaménish. On en a fait Achéménides et ils donnèrent leur nom à la future dynastie (1).

---

(1) Le premier chef du clan Akamanish s'appelait Tsishpish (Teispès pour les historiens). Kourash 1ᵉʳ (Cyrus) lui succéda, puis Kamboudjáya 1ᵉʳ (Cambise).

C'est sur les Perses que se porta le choix des Elohim pour être le bras du destin contre Babylone. Mais il fallait les y préparer et leur donner un chef.

Le roi des Mèdes, Astyage, avait une fille prénommée Mandane.

Craignant d'être renversé par son gendre s'il le prenait parmi les nobles Mèdes, il préféra lui choisir pour époux un vassal Perse, Kamboudjaïa 1er, chef du clan Akaménish, qui régnait à Suze.

C'était un homme de tempérament doux et tranquille dont il pensait, à juste titre, n'avoir rien à craindre.

Je suppose que cette alliance des Mèdes et des Perses entrait tout à fait dans les vues des Elohim : l'enfant qui naîtrait de cette union n'aurait aucune peine à entraîner les deux peuples, ainsi unis, contre Babylone, s'il en avait le désir. Encore fallait-il s'assurer de ses sentiments et de ses qualités.

La naissance, et aussi plus tard la mort, de cet héritier sont l'une et l'autre entourées d'un tel mystère que toutes les suppositions sont permises. Jugez plutôt !

L'histoire relate que le roi Astyage fut terrorisé par un rêve : son petit-fils lui ravissait le trône. Il décida donc de le faire périr. Il s'empara de l'enfant de sa fille Mandane dès sa naissance, et le remit à son homme de confiance Arpage pour qu'il le mît à mort. Arpage confia l'enfant à un berger Mithradatès, qui exposa l'enfant dans la montagne pour le faire périr. En — 552 un jeune berger prétendit que Mithradatès n'en avait rien fait, car sa femme, Paco, venant de mettre au monde un enfant mort-né, l'avait substitué au fils de Mandane et montré à Arpage comme étant le cadavre de celui-ci.

Ainsi le jeune Cyrus aurait eu la vie sauve. Et ce berger prétendait être Cyrus. Il décidait donc de conquérir son trône. Se révoltant contre son prétendu grand-père, il prit Ectabane, la capitale, et s'empara du roi Astyage.

Il se donna le titre de roi des Perses et prit le nom de Cyrus II. Sa capitale fut Persépolis (1).

Telle est l'histoire de la naissance mystérieuse du Grand Cyrus.

Et tous les auteurs anciens s'accordent pour reconnaître à ce souverain les qualités les plus exceptionnelles que peu d'hommes sur terre ont pu avoir, et à un tel niveau.

Pour Hérodote (2), ce fut non seulement un grand homme de guerre toujours victorieux, un stratège exceptionnel, mais un souverain juste et bon.

Il fut le seul conquérant de toute l'Antiquité à n'avoir aucune cruauté. Il s'attachait les peuples et les rois vaincus par sa bonté. C'était un fin politique.

Pour Eschyle (3) "ce héros favorisé du sort établit la paix entre les peuples frères. Le Ciel ne lui était pas hostile car il était sage".

Isocrate (4) constate "qu'aucun prince de ce temps ni auparavant n'a été l'objet d'une plus grande admiration que Cyrus".

Platon (5) comparait Cyrus à Lycurgue (6).

Et Socrate (7) le couvrait des mêmes louanges.

On se demande où ce jeune berger aurait pu apprendre la stratégie militaire, les sciences humaines et politiques ainsi que l'art d'administrer le plus grand empire que le monde eût jamais connu.

Si les Elohim avaient parachuté l'un des leurs sur terre

---

(1) Cyrus II, 551-529 avant notre ère.
(2) Hérodote (484-420 avant notre ère) "Histoires".
(3) Eschyle (525-456 avant notre ère) "les Perses".
(4) Isocrate (436-338 avant notre ère) "Discours".
(5) Platon (428-348 avant notre ère) "les Dialogues".
(6) Lycurgue (396-323 avant notre ère), homme politique athénien renommé pour sa grande sagesse.
(7) Socrate (470-399 avant notre ère) "Dialogues" de Platon.

pour accomplir cette mission, ils n'auraient pu faire mieux.

Toujours est-il que les Perses, choisis pour être le bras du destin contre l'orgueilleuse Babylone, avaient maintenant un chef. Et de quelle classe !

Ils allaient disposer d'un second atout considérable encore plus inattendu : ils venaient d'apprendre à tremper le fer pour en obtenir de longues et solides épées, alors que l'armement mésopotamien était encore fait de bronze, beaucoup plus fragile.

Et l'ancien monde bronzier allait voler en éclats sous les coups de ces farouches guerriers aux glaives de fer trempé.

Qui avait bien pu apprendre à ces tribus de montagnards à demi sauvages à marteler le fer à chaud et à le tremper ? Qui avait bien pu leur donner ainsi une avance considérable, en fait d'armement, sur leurs contemporains ? Sinon les Elohim ?

Cyrus, devenu roi des Perses, était maître du plateau Iranien. Avant d'aller à l'Ouest attaquer Babylone il tint à assurer ses arrières. Il entra en campagne contre la Lydie (1) qu'il conquit.

N'ayant plus à appréhender de danger venant du Nord, il marcha sur Babylone. Et cette ville, dont les rois avaient fait trembler toute l'Asie Mineure, s'effondra sans même livrer bataille (2). La farouche Babylone se rendit sans combat. Les Prophètes Hébreux avaient donc dit vrai.

Immédiatement, Cyrus autorisa les Juifs, déportés à Babylone, à rentrer chez eux. Et par cet édit mémorable (3) il leur enjoignit de reconstruire le Temple, aux frais de la cassette royale.

---

(1) C'est au cours de cette bataille que le fameux roi de Lydie, Crésus (Kroïsos), trouva la mort en 546 avant notre ère.
(2) La chute de Babylone est de 539 avant notre ère.
(3) Il y eut, en réalité, deux édits de Cyrus. Par le premier en date de 538, Cyrus enjoint aux Juifs déportés de rentrer à Jérusalem et de restaurer l'autel des holocaustes. Par le second, daté de 537, quelques mois plus tard il leur enjoint de reconstruire le Temple, à ses frais. Le texte de ces deux édits se trouve "in extenso" dans le Livre d'Ezra (ou Esdras).

Dès l'apparition de Cyrus, les Juifs y avaient vu la confirmation de toutes les prophéties concernant le châtiment de Babylone et l'arrivée de l'Elohim qui les délivrerait de son joug :

— "Chacun s'en retournera vers son peuple, chacun regagnera rapidement son pays". (Isaïe 13, 14).

Ce sont les prophéties d'Isaïe qui sont, à cet égard, les plus éloquentes. Il ne faut pas oublier que Iéshaéyaou (Isaïe) est né en 765 avant notre ère, qu'il prophétise vers 740, et que les événements qu'il annonce avec précision vont se dérouler près de deux cents ans plus tard puisque Cyrus s'empare de Babylone en 539 avant notre ère.

— "Qui a suscité de l'Orient celui que la victoire appelle à chaque pas ? Qui lui offre les Nations et abaisse les Rois ? C'est moi Elohim qui suis le Premier et serai le Dernier". (Isaïe 41, 3).

— "Toi, Israël, mon serviteur, ne crains pas ! Car, moi, ton Elohim, je viens à ton secours... Je l'ai suscité du Nord pour qu'il vienne, du Levant je l'ai appelé par son nom. Il a piétiné les satrapes comme de l'argile". (Isaïe, chap. 41, 8).

— "Ainsi parle Elohim, votre rédempteur, le Saint d'Israël : "— A cause de vous, j'envoie l'ennemi à Babylone, je ferai tomber les verrous des prisons. Et les Chaldéens éclateront en lamentations". (Isaïe 43, 14).

— "Ainsi parle Elohim à son oint : "— Je l'ai pris par la main pour mettre les nations à ses pieds et délier les ceintures des Rois... Je marcherai devant toi, j'aplanirai les hauteurs, je briserai les portes d'airain et abattrai les verrous de fer... C'est en faveur de mon serviteur Jacob, d'Israël mon élu, que je t'ai appelé... C'est moi qui l'ai suscité selon la Justice... Il rebâtira ma ville et renverra libres mes exilés." (Isaïe 45, 1-13).

— "Du Levant j'ai appelé un aigle, d'un pays lointain l'homme de mon dessein". (Isaïe 46) (1).

— "Mon ami accomplira mon bon plaisir contre Babylone et la race des Chaldéens". (Isaïe 48, 14).

Peut-on désigner Cyrus et sa mission d'une manière plus nette ?

Des Princes de la lignée de David, Sheshbazar et Zorobabel, aidés des Prophètes Aggée et Zaccharie, dirigèrent la communauté juive de retour à Jérusalem.

Les Prophètes Ezra et Néhémie arrivèrent de Perse (2) pour accélérer les travaux de reconstruction du Temple qui traînaient en longueur.

Et Néhémie remit sur pied un état Juif, avec pour capitale Jérusalem. Cet état, protégé par les rois de Perse successifs devait jouir d'une très large autonomie et du droit de battre monnaie. C'est sur ces pièces qu'apparaîtra pour la première fois le nom de Judée pour l'ancien royaume de Juda. On l'appelle aujourd'hui la Cisjordanie.

Les Perses installèrent leur capitale à Persépolis. Ils eurent parmi leurs meilleurs guerriers des Juifs qui s'enrôlaient pour servir des rois si bienveillants pour eux.

On a retrouvé en face d'Assouan, la ville la plus méridionale d'Egypte, sur le Nil, dans la petite île d'Eléphantine, les traces indiscutables d'une importante garnison composée exclusivement de soldats hébreux. Des documents mis à jour montrent le souverain perse, pourtant bien éloigné, se préoccupant de savoir si les guerriers juifs de cette lointaine garnison respectaient bien les principes de la Loi.

Aussi curieux que cela puisse paraître on ignore tout de la fin de Cyrus le Grand.

_____

(1) Cyrus est bien venu du Levant et son emblème était un aigle d'or.
(2) Vers 500 avant notre ère.

Selon un auteur ancien, Bérose (1), il aurait trouvé la mort au cours d'une guerre contre les Parthes. Dans quelles circonstances, à quelle date exacte ? Mystère !

Selon Clésias, autre historien de l'Antiquité, c'est en combattant les Derbices, à l'Est de la Caspienne, qu'il aurait été tué. Mais il ne dit pas ce qu'on aurait fait de son corps.

Hérodote, lui, est plus prodigue de détails. Mais en complète contradiction avec ses confrères. Cyrus aurait demandé en mariage la reine des Massagètes, Tomyris (2). Ses propositions ayant été repoussées dédaigneusement il aurait envahi le pays et aurait péri dans la bataille.

Aucune de ces hypothèses n'est plausible. Pas plus les Parthes, les Derbices que les Massagètes n'auraient été de taille à résister à l'énorme armée perse qui avait fait ses preuves contre les plus puissants états. On ne voit guère la reine d'une petite peuplade se refuser à si puissant monarque. Ni pourquoi Cyrus, qui règne sur le plus grand empire du monde, aurait pris la tête d'une petite troupe chargée d'une expédition punitive aux lisières de ses états.

Quoi qu'il en soit, l'Histoire perd la trace de Cyrus le Grand à partir de 529 avant notre ère. Il est pour le moins étonnant que le monarque, le plus puissant du monde d'alors, puisse ainsi disparaître sans laisser de trace après vingt-deux (3) années d'un règne fastueux et sans que les historiens de l'époque puissent se mettre d'accord sur les circonstances exactes de sa disparition. Or, les chroniqueurs existent de longue date déjà à la cour de chaque monarque. Ils tiennent à jour leurs tablettes sur les faits et gestes même les plus anodins de leur souverain. Et les tablettes sont muettes sur la fin de Cyrus.

---

(1) Bérose, prêtre de Marduk à Babylone, écrivait vers 275 av. J.-C.
(2) Les Massagètes étaient une petite peuplade établie entre la mer Caspienne et la mer d'Aral.
(3) Nous savons maintenant que le chiffre "vingt-deux" correspond à la lettre "tav", dernière lettre de l'alphabet hébreu et synonyme · pour les kabbalistes · de la "fin".

Le mystère qui entoure sa disparition n'a d'égal que celui qui entoure ses origines. De même qu'il était arrivé, venant de nulle part, pour prendre la tête des guerriers Achéménides, s'emparer du trône des Mèdes et châtier Babylone, il semble s'être fondu dans la nature une fois sa mission de libérer les Juifs accomplie.

Cyrus avait soumis trois grands empires : celui des Mèdes, celui des Lydiens et celui des Babyloniens. Son royaume s'étendait de l'Indus à la Méditerranée. Tout le monde civilisé lui appartenait, à part l'Egypte dont son fils Cambise ne fera qu'une bouchée quelques années plus tard.

Où en étaient les Grecs à la même époque ? Athènes et Sparte commençaient leurs premiers balbutiements. Périclès ne viendra qu'un siècle plus tard, et Platon un siècle et demi après.

Rome naissait à peine (1).

Cyrus fut à la fois un grand homme de guerre et un administrateur de génie. Tous les historiens contemporains sont unanimes à estimer qu'il n'aurait pu conquérir un tel empire et en maintenir l'unité qui subsista même après sa mort - contrairement aux autres conquérants -, s'il n'avait apporté avec lui des idées nouvelles et des méthodes de gouvernement inconnues avant lui.

Qui aurait pu enseigner les unes et les autres à celui qui, en se manifestant sur Terre, se prétendait un humble berger élevé par un bouvier ?

Ses contemporains, en tout cas, ne s'y sont pas trompés. Ils le considérèrent comme un "demi-Dieu" tant en raison de sa naissance légendaire que de sa mort environnée de mystère. "Demi-Dieu" ne peut-il pas se traduire en hébreu par "b'néï Elohim", "fils d'Elohim" ? Et ne peut-on penser

---

(1) Cyrus 551-529 avant notre ère. Périclès — 450. Platon — 400. Rome naît de la réunion sur ses collines de quelques villages latins et sabins vers — 550.

qu'une fois sa mission accomplie sur terre, ce "fils des Elohim" a tout simplement regagné sa planète d'origine ?

A la disparition de Cyrus, son fils aîné Kamboudjaya lui succéda (1) . Il paracheva l'œuvre de Cyrus, conquit l'Egypte. Mais un complot ourdi par les nobles Perses le contraignit au suicide. Le chef des insurgés, Daryaoush (2) se fit couronner roi sous le nom de Darius 1ᵉʳ.

Dès la première année de son règne, Darius, par édit impérial, décidait que l'araméen devenait la langue officielle de la Perse. Et tous les historiens estiment que l'usage de la langue et de l'écriture araméenne ont permis un développement considérable de la civilisation dans cet immense empire achéménide.

Ce vieil araméen ! La langue et l'écriture du pays natal d'Avram, l'Araméen !

Mais, en dépit de l'édit de Cyrus de 537 enjoignant aux Juifs de rentrer chez eux et de reconstruire le Temple, nombreux furent ceux qui préférèrent rester à Babylone ou aller commercer en Egypte. Ceux qui étaient rentrés ne mettaient nul empressement à la reconstruction malgré les exhortations des prophètes.

Et les Juifs, par un trait curieux de leur caractère, une fois le danger passé, oublièrent les Elohim.

Ils seront, de nouveau, sévèrement châtiés, pour avoir fait de la mission de Cyrus un grand espoir déçu. L'Empire Perse va s'effondrer. Et les Juifs tomberont sous le joug cruel des Grecs d'abord, des Romains ensuite.

---

(1) Kamboudjaya, ou Cambise II, — 529-522 av. J.-C.
(2) Daryaoush, ou Darius 1ᵉʳ, — 522-486 av. J.-C.

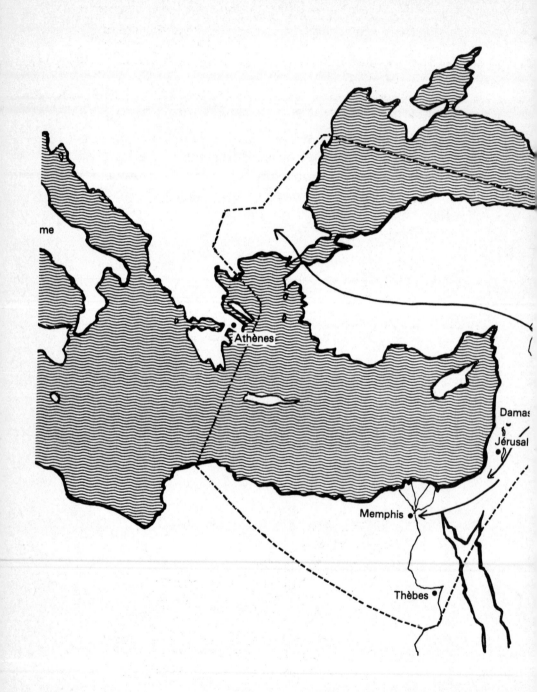

me

Athènes

Damas

Jérusal

Memphis

Thèbes

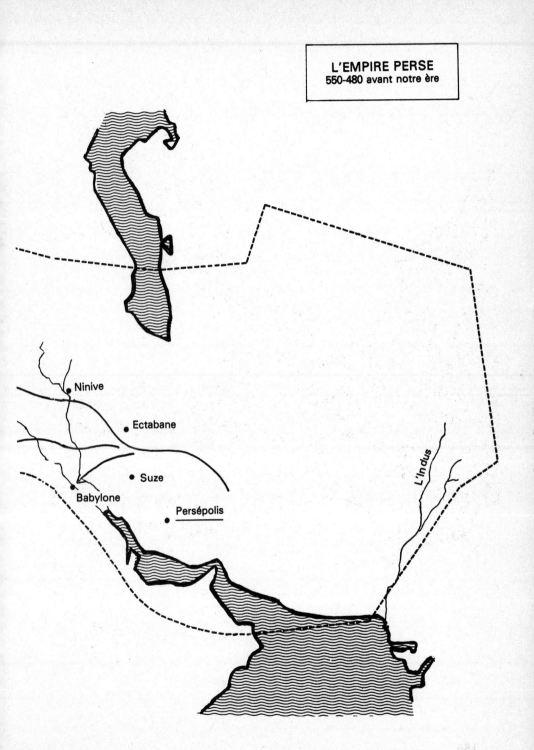

L'EMPIRE PERSE
550-480 avant notre ère

Ninive

Ectabane

Suze

Babylone

Persépolis

L'Indus

CHAPITRE X

L'OCCUPATION GRECQUE OU LA CLE DES MACCABEES

*"Les femmes qui avaient fait circoncire
leur fils étaient mises à mort avec le
nourrisson pendu à leur cou"*
(Livre I des Maccabées)

Dans sa course vers la Méditerranée, l'Empire Perse devait se heurter bientôt à la Grèce, et après les premières victoires, aller de défaite en défaite, jusqu'à son écroulement définitif deux siècles plus tard sous les coups d'Alexandre le Macédonien qui conduisit ses phalanges jusqu'à l'Indus.

Entre-temps, il s'était emparé de la Judée, en 332 av. J.-C., de la Mésopotamie, de l'Egypte, et en — 331 Persépolis était tombée.

On reste stupéfait de voir ce grand Empire Perse s'effondrer ainsi devant la petite Macédoine. A chaque bataille, les armées Perses rassemblaient un nombre de guerriers de dix à quinze fois supérieur à celui des phalanges macédoniennes. Mais, cette fois, contre les Grecs, l'armement ne jouait plus en faveur des Perses. Aucune révélation, "venue d'en haut", ne leur permettait de surpasser leur ennemi. Combattant le torse nu, ils étaient plus vulnérables que les Grecs solidement cuirassés. De plus, la discipline au combat des phalanges, dont devaient s'inspirer les légions romaines, leur permettaient des mouvements coordonnés que les Perses ignoraient et qui les déconcertèrent.

La superbe et l'arrogance grecques s'en trouvèrent renforcées.

Tout comme le faisait Aristote, ses compatriotes Grecs divisaient le genre humain en deux catégories : pour eux, il y avait d'un côté les Grecs, seuls détenteurs, croyaient-ils, de la civilisation; et de l'autre le reste du monde, les Barbares, incultes, comparables à des bêtes ou à des plantes.

De sorte qu'Alexandre, ses généraux, ses soldats, en s'enfonçant très loin en Asie Mineure, crurent pénétrer "chez les Barbares".

Ils furent ahuris de s'apercevoir qu'ils avaient vaincu un peuple beaucoup plus raffiné qu'ils ne l'étaient eux-mêmes et dont la civilisation - ils le sentaient bien -, était plus ancienne que la leur de plusieurs millénaires.

Les villes dont ils s'emparaient étaient de splendides métropoles, sillonrées de larges avenues décorées de statues, jalonnées de palais, auprès desquelles les humbles bourgades du Péloponèse dont ils étaient originaires faisaient bien pâle figure.

Babylone, que l'Hébreu Amourabi avait remodelée mille ans auparavant, était bien plus resplendissante qu'Athènes et dix fois plus grande et imposante. Les jardins suspendus qu'avait créés la belle reine Sémiramis étaient consacrés l'une des sept merveilles du monde.

Ectabane, Suze, Persépolis, rivalisaient de beauté avec Babylone.

Le faste oriental ne pouvait que remplir de confusion ces paysans, bien démunis, qu'étaient alors les Macédoniens !

Le pays de Mésopotamie n'était pas ce demi-désert brûlé de soleil que nos regards découvrent aujourd'hui. Bien au contraire ! La vallée de l'Euphrate, soigneusement irriguée et cultivée, était une terre fertile entre toutes. C'était le berceau du Jardin d'Eden de la Bible. Elle n'a pris ce caractère pelé et sauvage qui est aujourd'hui le sien que depuis la conquête arabe, plus d'un millénaire plus tard, à partir de l'an 800 de notre ère. C'est le fatalisme musulman, négateur de l'effort, qui a transformé des pays à la pointe de la civilisation et de la culture, comme la Mésopotamie, Canaan et l'Egypte, en pays sous-développés et semi-désertiques.

Avec la victoire d'Alexandre et de ses frustes Macédoniens c'est l'effondrement d'un monde ! Jamais plus ni la Perse, ni la Mésopotamie, ni l'Egypte, ne connaîtront le même prestigieux rayonnement. Ces pays vont disparaître du devant de la scène internationale pour n'y plus jamais reparaître au rang qui fut le leur dans l'Antiquité.

Le choc violent entre l'Occident et le monde oriental a fait voler en éclats ce dernier. Car ce sont bien deux univers différents, deux façons de penser et d'agir opposées l'une à l'autre, qui viennent de se heurter, et avec quelle brutalité !

Le monde occidental, dont les Grecs se sont faits le champion, est davantage poussé vers l'analyse, le raisonnement, la logique et l'organisation. Le Grec - puis à sa suite le Romain, et après eux l'Occidental héritier de leur civilisation -, ayant appliqué son esprit à la compréhension d'un phénomène, n'a de cesse qu'il en ait trouvé les applications pratiques, une fois qu'il en a découvert l'agencement. C'est ce que l'on a appelé l'efficacité. Mais on commence à en revenir !

La quête de la pensée orientale est plus désintéressée, d'ordre moins pratique.

A ces deux modes de pensée opposés correspondent deux conceptions tout à fait divergentes de la création du monde et de la finalité de l'humanité.

Certes, la mythologie de la Grèce antique affectait-elle

une divinité à chaque montagne, à chaque boqueteau, à chaque source, à chaque événement marquant de la vie quotidienne. Mais c'était là poésie pure ! La pensée grecque était profondément matérialiste et rationaliste. Le philosophe Grec Démocrite (1) - compatriote d'Alexandre - affirmait déjà :

— "C'est un enfant du hasard qui a pris naissance dans l'eau et le limon et la terre n'est qu'un des mondes qui se sont créés dans l'espace infini". C'est déjà la thèse du plus pur matérialisme qui s'affirme. Et le rationalisme des philosophes Grecs ne voyait dans le monde qu'un agrégat de matière en mouvement régi par des lois purement mécaniques.

La pensée orientale, par contre, attachait plus de prix à la sagesse, à la méditation, et à la connaissance désintéressée qu'à l'agitation et à l'application pratique de ses découvertes.

La pensée grecque était orientée vers l'action, la pensée orientale vers la contemplation. L'une était logique et rationnelle, l'autre imaginative et magique.

Les Egyptiens disaient à leurs conquérants Grecs :
"Vous n'êtes tout de même que des enfants"

Et, en effet, les Grecs, qui avaient copié les mathématiques sur Sumer et emprunté leur alphabet aux Hébreux (2) avaient une civilisation moins raffinée que celle de leurs vaincus.

Mais les Grecs avaient appliqué leurs connaissances à l'obtention de résultats pratiques. Ayant étudié les interactions des forces et des résistances, les poussées et les angles

---

(1) Démocrite, philosophe grec, né à Abdère vers 460 avant notre ère. Il affirme déjà que l'être humain consiste en une infinité d'atomes en mouvement.
(2) Comparaison des alphabets hébreu, grec et français : L'alphabet hébreu comprend 22 lettres-consonnes qui sont en même temps des chiffres. Vieux maintenant de 4 000 ans, il surpasse à l'époque et de très loin l'alphabet égyptien qui en est encore aux hiéroglyphes et qui en compte plus de 600, et l'alphabet sumérien qui compte encore alors plus d'un millier de signes.

Alphabet hébreu		Alphabet grec	Alphabet français
voyelles	consonnes		
qamats ou patakh	alef	alfa	a
	bet	béta	b
	guimel	gamma	g
	dalet	delta	d
tséré ou ségol		epsilonne	é
	hé	héta	h
	vav	(les Grecs ignorent le "v")	v
	dzaïn	dzéta	z
	khêt	khi	kh
	thêt	théta	th
khiriq	iod	iota	i
	kaf	kapa	k
	lamed	lambda	l
	memm	mu	m
	nunn	nu	n
(les hébreux ignorent l'x)		xi	x
kholam		omicronne/oméga	o
	samekh	sigma	s
	ayin		
(cette consonne n'est qu'un support de voyelle, n'a pas d'équivalent)			
	pé/phé	pi/phi	p/f
	tsadé		ts
	qof		q
	resh	ro	r
	shin		sh
	tav	to	t
shourouq ou koubouts		upsilonne	u
(les voyelles en hébreu sont des points ou des traits placés sous les consonnes, au-dessus, ou à côté, pour les phonotiser, ce ne sont pas des lettres).		psi	ps

d'attaque, les leviers et les contrepoids, ils avaient inventé des catapultes et des béliers qui firent merveille dans le siège des villes et qui, à la grande stupeur des guerriers Perses, écrasèrent des murailles que ces derniers avaient crues indestructibles.

Une page de l'humanité était tournée !

Le pôle de la puissance allait passer de l'Orient à l'Occident.

De la Mésopotamie et des bords du Nil le flambeau de la civilisation, dont la flamme vacille, va passer aux Grecs, puis aux Romains, encore plus frustes, pour s'éteindre presque sous le choc des invasions barbares, qui allaient, quelques siècles plus tard, dévaster le monde organisé d'Asie et d'Europe.

La nouvelle culture grecque se répandait dans tout l'Empire. Et très rapidement deux groupes allaient se former parmi les Juifs. Le premier prônait l'acceptation de l'hellénisation, de "l'assimilation" comme on dira plus tard. Il était composé des classes dirigeantes et sacerdotales. Le second refusait que IHVH se confondît avec le Zeus Olympios des païens.

La piété juive envers IHVH, le souvenir de l'Alliance avec les Elohim, les préceptes moraux de la loi de Moïse, allaient se révéler un noyau irréductible. Les Grecs décidèrent de le briser par la force. Et, seul de toutes les autres croyances, le culte juif fut interdit en 167 av. J.-C.

Les Juifs se révoltèrent !

Ce fut la guerre des Maccabées.

D'un côté l'Hellénisme triomphant ! Antiochus Epiphane qui profane le Temple. De l'autre, un prêtre Juif, Mattatias, respectueux de la loi des Elohim, qui prêche la révolte contre les occupants, persécuteurs de sa foi et profanateurs du Temple.

Avec, au milieu, la masse des Juifs. Les uns, soucieux de

leur tranquillité, voient d'un assez mauvais œil Mattatias "et sa bande". Une minorité ira jusqu'à les trahir en les dénonçant à la police grecque. Les autres, poussés par sympathie, aident Mattatias, le ravitaillent, le cachent, et parfois se joignent à lui.

On se croirait en France en 1940 !

Avec un occupant : les Grecs.

Des résistants, les Juifs de Mattatias, vrais maquisards assistés de sympathisants.

Des "collabos", Juifs préférant leur tranquillité plutôt que de combattre, tout prêts à dénoncer leurs frères aux sbires du roi des Grecs.

Mais les résistants juifs ne devaient compter que sur eux-mêmes. Ils n'avaient aucun espoir à attendre d'un "débarquement d'armées alliées", comme avait pu le concevoir la Résistance en France...

Les occupants Grecs, avec à leur tête Antiochus Epiphane, se comportèrent comme d'autres le firent en France, de 1940 à 1944.

On disait, alors, des Allemands : — "Ils nous prennent tout !". Les Grecs l'avaient fait en Judée bien avant eux :

"Antiochus ayant vaincu l'Egypte marcha sur Jérusalem. Entré dans le sanctuaire avec arrogance, Antiochus enleva l'autel d'or, le candélabre de lumière, la table d'oblation, les vases à libation, les coupes, les cassolettes d'or, les couronnes, la décoration d'or sur la façade du Temple dont il détacha tout le placage..." (I Maccabées, I, 20-23).

"Quant aux livres de la Loi, ceux qu'on trouvait étaient jetés au feu après avoir été lacérés. Découvrait-on chez quelqu'un un exemplaire de l'Alliance, ou quelque autre se conformait-il à la Loi, ils étaient mis à mort par décision du roi", (I. Macc. I, 56-57). "Les femmes qui avaient fait circoncire leur fils étaient mises à mort avec le nourrisson pendu à leur cou". (I Macc. I, 60-61).

Ne croirait-on pas voir SS et Gestapo à l'ouvrage ?

La France occupée n'a pas eu l'exclusif privilège de voir certains des siens pactiser avec l'occupant. Les Juifs eurent aussi les leurs, de "collabos" ! Jugez plutôt.

"En ces jours-là surgit d'Israël une génération de vauriens qui séduisirent beaucoup de personnes en disant : —

"Allons ! Faisons alliance avec les Goïms (1) qui sont autour de nous, car depuis que nous sommes séparés des Nations beaucoup de maux nous sont advenus." (I Macc. I, 11). "Ils construisirent donc un gymnase à Jérusalem, selon les usages des païens, se refirent des prépuces, et renièrent l'Alliance Sainte pour s'associer aux païens". (I Macc. I, 14). Ne cherchez pas comment ces circoncis auraient pu se refaire des prépuces. C'est de l'humour juif !

Et, très tôt, comme en France, les "résistants" apparurent : "Cependant, plusieurs en Israël se montrèrent fermes. Ils acceptèrent de mourir plutôt que de profaner la Sainte Alliance. Et, en effet, ils moururent. Une immense colère planait sur Israël". (I Macc. I, 62-64).

Tout comme en France, la résistance, balbutiante en ses débuts, n'allait pas tarder à s'organiser :

"Le Prêtre Matatias quitta Jérusalem pour s'installer à Modin. Il avait cinq fils : Jean, Simon, Judas surnommé Maccabée, Eliazar et Jonatès". (I Macc. II, 1-5). "Les Officiers du Roi vinrent à Modin pour exiger des sacrifices aux idoles. Matatias s'y refusa, égorgea un Juif qui s'apprêtait à obtempérer, tua l'officier et prit le maquis dans la montagne avec ses fils". (I Macc. II, 15-28).

Cette passion religieuse s'explique aisément. S'il est totalement indifférent à un peuple païen, aux cent dieux, d'ajouter à sa panoplie de divinités toutes celles du vainqueur, si un adorateur des Baals accepte facilement de voir

_____

(1) Goïm, mot hébreu qui signifie les Nations (autres que les Hébreux).

en eux, désormais, Zeus et tout l'Olympe, il n'en va pas de même du seul peuple monothéiste de l'Antiquité.

Les Juifs ont vu leurs Elohim dans le désert. Les Elohim se sont adressés à eux et, comme avec des égaux, ont signé avec eux le pacte d'alliance. Les grands ancêtres, Avram, Isaac, Jacob, Moïse, "parlaient aux Elohim face à face, comme on parle à un ami". (Genèse, Exode, Deutéronome). Et les Elohim leur avaient enseigné le culte du "Dieu Un".

Et l'on comprend mieux, ainsi, que nombre de Juifs aient préféré mourir les armes à la main que de retourner à l'idolâtrie et au paganisme.

Et comme dans toute histoire de résistance d'un peuple à l'oppresseur étranger, plus l'occupation se faisait pesante et plus le nombre de gens qui prenait le maquis s'accroissait.

"Alors s'adjoignit à eux la congrégation des Assidiens, hommes valeureux en Israël... Tous ceux qui fuyaient les mauvais traitements vinrent grossir leur nombre et leur fournir un appui." (I Macc. II, 42).

Vint le jour où Matatias et ses hommes furent assez forts pour châtier les traîtres : "Ils se composèrent une force armée frappèrent les pêcheurs dans leur colère et les mécréants dans leur fureur..." (I Macc. II, 44).

Pour échapper à leur vengeance, les "collabos" cherchaient refuge chez l'occupant : "... le reste s'enfuit chez les Goïms pour y trouver sauvegarde". (I Macc. II, 44).

Quand Matatias s'éteignit il confia le commandement de sa troupe à l'un de ses fils, Judas, dit Maccabée (1).

Judas vola de succès en succès. Il vainquit les généraux d'Antiochus IV, dit Epiphane (2) à Emmaüs et à Khébron.

----

(1) Judas Maccabée (Makkaba le marteau qui frappe l'enclume), 200-160 av. J.-C.
(2) Antiochus IV, dit Epiphane, 175-163 av. J.-C.

Le roi Antiochus Epiphane décida d'en finir avec cette résistance qui prenait l'allure d'une véritable guerre, d'autant que les provinces de l'Est de son empire lui causaient aussi quelques soucis :

"Il laissa Lysias, de la famille royale, à la tête de l'Empire depuis l'Euphrate jusqu'à la frontière d'Egypte, et lui confia la moitié de ses troupes pour détruire Jérusalem. Et il partit d'Antioche, sa capitale, avec l'autre moitié pour traverser le Tigre et aller en Perse"
(I Macc. III, 32-37).

Lysias, devenu régent de l'empire, choisit son meilleur général, Nikanor, lui donna quarante mille fantassins et sept mille cavaliers pour envahir le pays de Juda et le réduire en ruines selon l'ordre du roi.

L'armée campa près d'Emmaüs. Elle y fut rejointe par des contingents d'Iduméens et de Philistins.

Judas eut beaucoup de peine à réunir trois mille hommes. Il marcha néanmoins sur Emmaüs et engagea le combat. L'armée de Nikanor fut défaite et Judas mit le feu à son camp.

L'année suivante, le régent Lysias rassembla soixante mille fantassins et cinq mille cavaliers. L'armée campa à Béît-Sour. Judas se porta à sa rencontre avec dix mille guerriers et l'armée de Lysias fut de nouveau mise en fuite après avoir perdu plus de cinq mille hommes.

Judas Maccabée en profita pour régler ses comptes avec les pays voisins de la Judée qui avaient apporté leur concours aux Grecs. Il écrasa successivement les Iduméens, les Amonites et les Philistins.

Quand le roi Antiochus IV Epiphane, qui se trouvait encore à guerroyer aux frontières de la Perse, apprit les échecs successifs des armées de Lysias contre les Juifs, il entra dans une agitation extrême, s'alita et ne s'en releva plus.

Démétrius 1er, dit Soter (162-150 av. J.-C.) qui succéda au fils d'Antiochus IV (1), n'eut pas plus de succès que ses prédécesseurs. Il leva lui aussi une énorme armée, qu'il confia encore au général Nikanor.

Judas Maccabée se porta à sa rencontre à Adasa. L'armée grecque fut de nouveau battue, et Nikanor trouva la mort dans le combat.

On peut se demander comment Judas Maccabée et sa petite troupe de Juifs avaient pu voler ainsi de victoires en victoires contre des troupes courageuses et aguerries commandées par un général qui avait fait ses preuves en matière de stratégie et de bravoure. D'autant que les Juifs luttaient victorieusement à un contre dix et parfois davantage.

Ils eurent, à n'en pas douter, le même concours qu'avait eu avant eux Josué dans sa conquête de Canaan : celui de leurs alliés, les Elohim.

"Au fort du combat, apparaissaient aux ennemis, venant du ciel, sur des chevaux aux freins d'or, cinq cavaliers magnifiques qui se mettaient à la tête des Juifs. Prenant Maccabée au milieu d'eux, et le couvrant de leurs armures, ils le gardaient invulnérable. Ils lançaient aussi des traits et la foudre sur leurs adversaires, qui, bouleversés par l'éblouissement, se dispersaient dans le plus grand désordre." (II Maccabée X, 29-30).

"Venant du ciel", "chevaux aux freins d'or", "lançant des traits et la foudre sur les adversaires frappés "d'éblouissement", tout cela décrit les armes terrifiantes utilisées par les Elohim, mais nous en ignorons la nature...

Et si le narrateur parle de chevaux et de cavaliers c'est

---

(1) Antiochus IV, dit Epiphane (175-163 av. J.-C.), auquel succéda son fils : Antiochus V, dit Eupator (163-162 av. J.-C.), qui fut renversé par le fils de Séleucus, Démétrius, qui devint Démétrius 1er, dit Soter (162-150 av. J.-C.), qui fut tué pendant la guerre civile et remplacé par son adversaire : Alexandre, fils d'Antiochus V (dont il a été question plus haut) et qui régna de 150 à 145 av. J.-C. sous le nom d'Alexandre Balas.

qu'il emploie les termes à sa portée pour définir des objets ou des personnages insolites. Nous disons bien nous-mêmes pour parler d'objets que nous ne pouvons identifier : des "soucoupes volantes" ! Et quand le moteur à explosion a fait son apparition nous avons tout naturellement calculé sa puissance "en cheval-vapeur", puis en "chevaux" tout court.

Après sa victoire, Judas Maccabée envoya une ambassade à Rome pour y conclure un traité d'alliance et d'amitié en bonne et due forme. Les Romains et les Juifs y proclamaient solennellement qu'ils se prêteraient aide et assistance en toute occasion (1).

Mais Rome était encore empêtrée dans sa guerre des Gaules et peu désireuse de s'enfoncer en Asie avant d'avoir achevé la conquête de ce qui était alors l'Europe.

Et lorsque le roi Grec Démétrius Soter envoya une autre armée contre la Judée, Maccabée et ses guerriers se retrouvèrent seuls.

Rome n'enverra jamais ni un bateau ni un légionnaire pour les soutenir.

Et Judas trouva la mort dans la bataille (2).

"Il sévit alors en Israël une oppression telle qu'il ne s'en était pas produit de pareille depuis le jour où l'on n'y avait plus vu de prophète." (I Macc. IX, 27).

La résistance clandestine succéda alors à la lutte

---

(1) Texte du Traité d'Alliance entre Judas Maccabée et Rome : "Prospérité aux Romains et à la Nation des Juifs sur mer et sur terre à jamais ! Loin d'eux le glaive et l'ennemi ! S'il arrive une guerre à Rome d'abord ou à quelqu'un de ses alliés sur toute l'étendue de sa domination, la Nation des Juifs combattra avec elle, suivant ce que lui dicteront les circonstances, de tout cœur. Ils ne donneront aux adversaires et ne leur fourniront ni blé, ni armes, ni argent, ni vaisseaux. De même, s'il arrive que la Nation des Juifs soit attaquée la première, les Romains combattront avec eux de toute leur âme, suivant ce que leur dicteront les circonstances. Il ne sera donné aux assaillants ni blé, ni armes, ni argent, ni vaisseaux. C'est en ces termes que les Romains ont conclu leur convention avec le Peuple des Juifs."

(2) C'était à la bataille de Béézeth, en 160 avant notre ère.

ouverte. Les maquisards se réfugièrent au désert et choisirent pour chef, Jonathan, le frère de Judas Maccabée (1).

Et la guerre d'embuscade, et les exécutions de dénonciateurs recommencèrent. Fort heureusement pour les Juifs une guerre de succession compliquée allait se rallumer chez les Grecs et chaque camp se livra à la surenchère sur l'autre pour avoir avec soi Jonathan et ses guerriers juifs.

Le roi Démétrius trouva la mort au combat et son adversaire Alexandre monta sur le trône.

Jonathan renouvela avec les Romains le pacte d'amitié et d'assistance. Mais ce traité, tout comme le précédent resta lettre morte. Et c'est ainsi que les Juifs apprirent qu'en politique internationale il faut d'abord compter sur soi-même et ne pas trop espérer des autres.

Antioche, la capitale, s'étant une nouvelle fois soulevée contre son roi, ce dernier appela Jonathan à son secours. Trois mille guerriers Hébreux quittèrent Jérusalem et matèrent la révolte.

Sans doute pour marquer sa reconnaissance, le nouveau roi une fois affermi sur son trône, envoya un de ses généraux à la tête d'une imposante armée pour s'emparer de Jonathan. Celui-ci se porta à sa rencontre avec quarante-cinq mille hommes.

Le général grec, nommé Tryphon, voyant que Jonathan était venu avec une troupe nombreuse et décidée, le reçut avec honneur et lui dit : "— Pourquoi as-tu fatigué tout ce peuple alors qu'il n'y a pas entre nous menace de guerre ? Renvoie ces gens et viens avec moi à Ptolémaïs car je suis venu pour te livrer cette ville."

Lorsque Jonathan fut entré à Ptolémaïs il fut fait prisonnier et exécuté en 142 av. J.-C.

Les Juifs placèrent alors à leur tête son frère Simon (142-134 av. J.-C.) qui devint ainsi le troisième Maccabée.

(1) Jonathan, le frère de Juda Maccabée, devint chef des Juifs de — 160 à — 142.

Simon fortifia Jérusalem et les villes de Judée et renouvela, pour la troisième fois, l'alliance avec Rome.

Un nouveau roi monta sur le trône grec d'Asie. Il reprit les hostilités contre Simon et les Juifs. Il fut vaincu à la bataille de Modin, mais Simon victorieux fut assassiné par son gendre qui voulait ainsi se rendre agréable au roi.

Son frère Jean lui succéda (1). Il se rendit, en fait, totalement indépendant des rois Séleucides, conquit la Jordanie.

Et son successeur prit le titre de roi (2). Ce fut le début de la dynastie Asmonéenne (3).

Trente huit ans s'écoulèrent !

Et Rome, qui avait achevé la conquête de la Macédoine, songeait maintenant à celle de l'Asie.

Pompée devint "Commandant Suprême en Asie Mineure" (4).

Il s'empara de la Syrie (5).

Aristobule II régnait alors à Jérusalem. Et Pompée, faisant fi des traités d'amitié et d'alliance entre les Juifs et le peuple de Rome, s'empara de Jérusalem et mit fin au règne d'Aristobule (6).

---

(1) Jean, le quatrième Maccabée, prit le nom de Jean Hyrcan 1ᵉʳ (134-104 avant notre ère).
(2) Aristobule 1ᵉʳ (104-103 avant notre ère).
(3) Après Aristobule 1ᵉʳ. il y eut : Alexandre Janée (103-76 av. J.-C.). Sa femme Salomée Alexandra lui succéda (76-67 avant notre ère).
Puis Hyrcan II (67 av. J.-C.). Et enfin Aristobule II (67-63 av. J.-C.).
(4) En 66 avant notre ère.
(5) En 64 avant notre ère.
(6) Chute de Jérusalem en 63 av. J.-C.

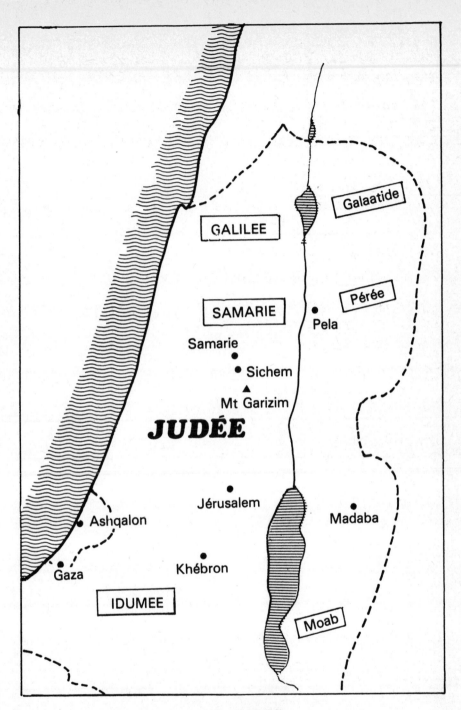

LA JUDEE
au temps des Maccabées
(150 à 63 avant notre ère)

CHAPITRE XI

LE GRAND PLAN
DES ELOHIM
OU
LA CLE DE JESUS

— "Quiconque m'accueille, ce n'est pas moi qu'il accueille, mais Celui qui m'a envoyé". (Marc 9, 37)

— "Car, je suis descendu du ciel pour faire non pas ma volonté, mais la volonté de Celui qui m'a envoyé".
(Jean 6, 38)

En 48 avant notre ère, César défaisait Pompée à Pharsale.

En 47, il nommait l'Iduméen Antipater Gouverneur de la Judée.

En 44, César était assassiné !

En 42, Antoine était maître de la moitié orientale de l'empire.

Mais Octave qui régnait sur Rome, reconnaissait Hérode comme roi de Judée. Il ne restait plus à ce dernier qu'à conquérir son trône occupé à Jérusalem par Antigone, le dernier des Asmonéens.

En 37, Hérode s'emparait de Jérusalem. Il devait régner quarante-et-un ans. Mais, à sa mort, le titre de roi ne fut pas reconnu à son fils (1), et la Judée devint "province procuratorienne".

Les Romains avaient totalement oublié les traités

_____

(1) Archélaus.

d'alliance passés quelques années plus tôt avec Judas Maccabée, et ses frères Jonathan, puis Simon.

L'Empire Romain, triomphant, tenait sous sa coupe la totalité du monde civilisé et y faisait régner la "pax romana".

Pour les Juifs la poigne de Rome remplaçait celle des Grecs à laquelle ils avaient eu tant de peine à échapper.

Et le paganisme s'épanouissait à l'ombre des Légions.

La plèbe ne réclamait que "panem et circenses", du pain, et des jeux de cirque bestiaux et sauvages au cours desquels le gladiateur vaincu était mis à mort sans pitié au milieu des cris de joie de la populace.

L'élite se complaisait en de répugnantes orgies et les Romains avaient mis au point le "vomitorium" pour pouvoir se gorger sans fin.

La force brutale régnait en maîtresse. La pitié, la douceur, étaient des sentiments qui prêtaient à rire chez ce peuple composé en majorité de rustres ignares.

Mais l'unité du monde romain pouvait fournir aux Elohim, je suppose, une occasion excellente pour tenter d'amener toute cette masse à une conception de la finalité de l'homme davantage orientée vers l'élévation morale, la sagesse et la contemplation du monde que vers le matérialisme, la satisfaction des besoins au détriment de tout environnement, et le libre cours des instincts les plus grossiers.

A mes yeux, en effet, depuis le début de l'humanité, le plan des Elohim, les Célestes, les Supraterrestres paraît simple : poursuivre, sans se lasser, la mission qu'ils se sont donnée de faire des hominiens, qu'ils avaient découverts en débarquant de leur lointaine planète, des êtres à niveau moral élevé, sachant dominer leurs penchants sanguinaires et cruels qui les ravalent au rang de la bête dont ils sont morphologiquement si proches.

Pour que l'homme ait le mérite d'y parvenir, ils lui ont laissé son libre arbitre. Malheureusement la perversité humaine reprendra fréquemment le dessus et contrecarrera régulièrement ce plan.

Les connaissances que les Elohim lui inculquent, l'homme les utilisera le plus souvent pour développer son confort matériel, sans se préoccuper outre mesure de son élévation morale.

Et les Elohim reprendront le fil ténu, chaque fois qu'il menacera de rompre, dont ils tissent, de siècle en siècle, sans jamais se lasser, la trame du destin de l'humanité.

Mais comment amener l'Empire romain à plus de sagesse, au respect de principes moraux plus fermes, comment convertir ces païens au monothéisme, où l'homme médite en face de son Dieu et fait son examen de conscience devant Lui ?

La vigoureuse civilisation sumérienne n'était plus qu'un souvenir.

Elle n'était plus qu'un nom sur la carte cette lointaine Mésopotamie, - où les Elohim avaient placé le Jardin d'Eden pour y éduquer les couples sélectionnés d'hominiens -, et qu'ils avaient ensuite noyée sous le déluge pour punir les premiers hommes réfractaires à leur enseignement d'une haute morale (1).

L'Egypte n'avait pas encore pu s'élever jusqu'à la conception abstraite de l'Unicité de Dieu, ni à celle de l'Eternité !

_____

(1) Ce que les hommes de la préhistoire ont appelé le déluge fut un raz-de-marée, accompagné de vents et de pluies violentes. Les eaux du Golfe Persique s'engouffrèrent dans l'estuaire de l'Euphrate emportant tout sur leur passage et inondant toute cette large plaine de la Basse Mésopotamie. C'est à cet endroit que la civilisation du Jardin d'Eden s'était développée et c'était, là, à l'époque, que se trouvaient les plus fortes concentrations humaines.
Avram l'Araméen, en quittant la Mésopotamie pour Canaan, y apporta le souvenir et du Jardin d'Eden et du Déluge mésopotamiens.

C'est donc de Judée que devrait partir encore le souffle nouveau qui devait rénover le monde.

Et, comme chaque fois qu'il y a eu une mission délicate à accomplir, les Elohim préférèrent envoyer un des leurs sur Terre pour tenter de la mener à bien, je suppose.

C'est ainsi qu'Isaac avait été envoyé au foyer d'Avram et de Sara la stérile pour "être leur fils" et perpétuer la race que les Elohim venaient d'élire.

C'est ainsi encore qu'avait été parachuté Moïse pour sortir les Hébreux d'Egypte, la terre d'esclavage, et les mener vers la Terre Promise.

C'est ainsi enfin, probablement, qu'apparut Cyrus pour délivrer les Juifs déportés à Babylone, puis qu'il disparut sans laisser de trace une fois sa mission accomplie.

Et c'est ainsi que les Elohim durent envoyer l'un des leurs, Jésus, pour évangéliser les païens du monde romain.

Jésus ne laisse-t-il pas lui-même percer le secret très souvent ?

Lorsqu'il parle des Elohim, les Célestes, ne dit-il pas : "Mon Père, qui est dans les Cieux..."

Et, de temps à autre, devant le scepticisme de son auditoire qui regimbe à son enseignement, l'aveu de son origine extra-terrestre lui échappe :

"Jésus dit alors : — "Je ne suis plus avec vous que pour peu de temps.
Puis je m'en irai vers celui qui m'a envoyé". (Jean 7, 33).

— "Vous, vous êtes d'en-bas,
"Moi, je suis d'en haut.
"Vous, vous êtes de ce monde,
"Moi, je ne suis pas de ce monde". (Jean 8, 23).

— "Car, c'est d'Elohim que je suis issu et que je viens.
"Je ne suis pas venu de moi-même,

"C'est Lui qui m'a envoyé. (1) (Jean 8, 42).

— "Or, à celui que son Père a consacré
"Et envoyé sur Terre,
"Vous dites : — "Tu blasphèmes"
"Pour avoir dit : — 'Je suis fils d'un Elohim" !
"Ils voulurent l'arrêter, mais il leur échappa." (Jean 10,
36-39).

Comme pour Moïse, comme pour Cyrus, qui apparaissent à l'âge adulte, on sait peu de choses de l'enfance de Jésus et absolument rien sur son adolescence.

L'Evangéliste Matthieu, après quelques versets consacrés à sa généalogie et à sa naissance à Bethléem de Judée, passe aussitôt au baptême de Jésus par Jean. Mais c'est déjà un homme fait :

"Alors paraît Jésus. De Galilée il vint au Jourdain vers Jean pour être baptisé par lui... A partir de ce moment Jésus se mit à prêcher." (Matthieu 3, 13 et 4, 17).

L'Evangile selon St. Marc est plus concis encore. Il n'évoque même pas sa généalogie Davidienne, ni sa naissance, et commence le récit de la vie de Jésus par son baptême par Jean :

"En ce temps-là Jésus vint de Nazareth de Galilée et il fut baptisé par Jean dans le Jourdain". (Marc 1, 9).

L'Evangile selon St Luc commence, lui, par raconter l'histoire de Jean Le Baptiste. Puis au chapitre II seulement commence la vie de Jésus, sa circoncision quand il eut huit jours. Encore quelques versets, que la Sainte Bible de Jérusalem place sous l'intitulé : "La vie cachée de Jésus à Nazareth". Viennent alors quelques paragraphes sur Jésus à douze ans à Jérusalem parmi les Docteurs de la Loi. Et, de nouveau, un sous-titre : "Encore la vie cachée à Nazareth", avec ce bref commentaire :

---

(1) Bien entendu, la Bible Catholique traduit "Elohim", comme toujours, par "Dieu".

"Quant à Jésus, il croissait en sagesse, en taille et en grâce devant Dieu et devant les hommes..." (Luc 2, 52).

Paragraphe qui rappelle assez curieusement celui de l'Ancien Testament concernant Samuel, le Prophète et Juge :

"Quant à Samuel, il croissait en taille et en grâce devant Dieu et devant les hommes." (I Samuel 2, 26).

L'Evangile selon St Jean commence aussi par le baptême par Jean dans le Jourdain de Jésus déjà adulte. Et, sitôt après, Jésus commence à prêcher.

Les Quatre Evangiles ne donnent donc aucun détail sur la jeunesse et l'adolescence de Jésus, à part les quelques paragraphes que lui consacre Luc sur son entrevue avec les Docteurs de la Loi lorsqu'il avait douze ans.

En dehors des Evangiles il n'existe absolument aucun document de l'époque sur Jésus, sa naissance, sa vie et sa mort. Et les Evangiles nous présentent Jésus déjà dans la force de l'âge à trente et un ans.

Cela nous rappelle Moïse sur l'enfance et l'adolescence de qui on ne sait rien jusqu'à sa fuite à Madian, ou encore Cyrus dont on ignore tout jusqu'à sa victoire sur Astyage, son soi-disant grand-père, roi des Mèdes.

Ces trois êtres exceptionnels apparaissent brusquement à leurs contemporains. Et l'on ne sait que peu de choses d'eux, pour ne pas dire rien, avant qu'ils n'entament leur délicate mission.

Et les qualités de chacun sont telles, elles tranchent si nettement sur la médiocrité de leurs contemporains, que tous trois mènent leur mission à bien et que l'histoire garde d'eux un souvenir que les siècles n'arrivent pas à entamer. Et tous trois disparaissent, aussi discrètement qu'ils étaient apparus, sitôt leur tâche accomplie.

Il n'est pas possible que Jésus, cet être exceptionnel -dont les Evangiles nous disent toutes les qualités qui étaient les siennes dès son apparition en public, à l'âge de trente et un ans -, soit resté jusque là à raboter et à scier du bois avec Joseph le charpentier sans rien qui ait attiré l'attention de ses contemporains.

Quelle était la mission de Jésus ?

Tenter d'amener les Romains, barbares ne croyant qu'à la force brutale, et tous les peuples qui leur étaient soumis, à plus de douceur envers les faibles, à plus de compréhension et de solidarité aux misères d'autrui, en un mot amener l'homme, méchant et cruel par instinct, à résister à ses penchants naturels qui le portent au mal plutôt qu'au bien.

Et Jésus se mit à prêcher la miséricorde, la douceur, la pitié, le désintéressement, l'indulgence, la bonté, l'amour du prochain.

Déjà la vieille loi de Moïse que les Juifs s'efforçaient d'appliquer depuis deux mille ans était une réaction contre la brutalité et l'injustice.

"Tu ne tueras point"
"Tu ne commettras pas l'adultère"
"Tu ne voleras pas".
"Tu ne porteras pas de témoignage mensonger contre ton prochain".
"Tu ne convoiteras pas la maison de ton prochain, ni sa femme, ni sa servante, ni son bœuf".
"Tu ne feras pas cuire un chevreau dans le lait de sa mère".
"Si tu achètes un esclave, son service durera six ans, la septième année il sera libre."
"Tu ne molesteras pas l'étranger, ni ne l'opprimeras".
"Si tu prends en gage le manteau de quelqu'un, tu le lui restitueras au crépuscule. C'est tout ce qu'il a pour se couvrir".
"Tu ne feras pas de fausse déclaration. Tu n'assisteras

pas un coupable en témoignant en faveur d'une injustice".

"Lorsque tu rencontres le bœuf ou l'âne de ton ennemi qui s'est égaré, tu dois le lui ramener".

"Quand tu vois l'âne de celui qui te déteste tombé sous son faix, cesse de te tenir à l'écart de ton ennemi. Tu dois, en compagnie de son maître, venir en aide à l'animal".

"Lorsque tu récolteras, tu ne moissonneras pas jusqu'à l'extrême bout du champ. Tu ne recueilleras pas les grains épars de ta vigne. Tu abandonneras cela au pauvre et à l'étranger".

"Tu ne prêteras pas à intérêt à ton frère".

"Si un homme vient de prendre femme, il n'ira pas à l'armée et on ne viendra pas chez lui l'importuner. Il restera un an chez lui pour réjouir la femme qu'il a prise".

"Tu n'exploiteras pas le salarié humble et pauvre, qu'il soit d'entre tes frères ou étranger en résidence chez toi. Chaque jour tu lui donneras son salaire, sans laisser le soleil se coucher sur cette dette, car il est pauvre et attend impatiemment ce salaire".

"Tu ne porteras pas atteinte au droit de l'étranger et tu ne prendras pas en gage le vêtement de la veuve".

Tous ces sages préceptes, et bien d'autres encore qu'il serait fastidieux de citer, font partie des Livres de la Loi que Moïse reçut des Elohim sur le Sinaï, il y a quatre mille ans.

Certes, il y a dans la loi mosaïque ce que l'on a appelé la Loi du Talion :

— "Tu prendras vie pour vie, œil pour œil, dent pour dent, pied pour pied, brûlure pour brûlure, meurtrissure pour meurtrissure, plaie pour plaie".

On parle de la loi du talion comme s'il s'agissait d'une monstruosité, le comble de la barbarie. Mais il faut se reporter à quatre millénaires en arrière. Pour l'époque, c'était un progrès considérable sur les mœurs d'alors. Cela signifiait que la réparation exigée du coupable ne devait pas dépasser le préjudice subi par la victime. C'est un peu l'article 1382 de notre code civil, avec plus de brutalité dans la rédaction :

"Tout fait quelconque de l'homme qui cause à autrui un dommage oblige celui par la faute duquel il est arrivé à le réparer".

Lorsque Jésus arriva, la vieille loi de Moïse avait déjà deux mille ans. Il faut croire qu'elle avait encore du bon, car Jésus précise aussitôt :

— "N'allez pas croire que je sois venu abolir la Loi ou les Prophètes. Je ne suis pas venu abolir mais accomplir. Celui qui violera l'un de ses moindres préceptes et enseignera aux autres à faire de même sera tenu pour le moindre dans le royaume des Cieux. Au contraire, celui qui les exécutera et les enseignera, celui-là sera tenu pour grand dans le royaume des Cieux." (Matthieu 5, 17-19).

Certes Jésus préconise, à la place du vieil adage "œil pour œil", de "ne pas tenir tête au méchant".

"Au contraire quelqu'un te donne-t-il un soufflet sur la joue droite, tends-lui la joue gauche".

Cette phrase a été prononcée il y a deux mille ans. L'homme a fait depuis de très grands progrès. Je ne crois pas cependant que ces progrès soient tels que cette attitude soit déjà entrée dans les mœurs. En tout cas je ne me hasarderai pas à vous recommander d'en faire l'expérience sur un passant dans la rue, même s'il s'agit d'un chrétien très pratiquant. Il y a fort à parier qu'à une gifle que vous lui donneriez sur la joue droite il oublie de vous tendre la joue gauche et n'ait plutôt le réflexe de vous réduire en charpie.

Et Jésus, dans un siècle où ne comptait que la force brutale, la puissance et l'orgueil, prêcha la douceur, la tolérance, l'humilité :

"Ne jugez pas pour n'être pas jugés.

"Demandez et l'on vous donnera.

"Cherchez et vous trouverez.

"Frappez et l'on vous ouvrira.

"Ainsi, tout ce que vous désirez

"Que les autres fassent pour vous,

"Faites-le vous-même pour eux.

"Voilà la Loi et les Prophètes". (Matthieu 7, 1-12).

Il faut croire que sa tâche envers ses contemporains était bien difficile et ingrate. Car il eut souvent des sautes d'humeur comme en témoignent ces quelques phrases :

"Un de ses disciples lui dit : — "Seigneur, permets-moi de m'en aller d'abord enterrer mon père". Mais Jésus lui réplique : — "Suis-moi et laisse les morts enterrer les morts !" (Matthieu 8, 21-22).

Et ces mots, surprenants dans sa bouche :

"N'allez pas croire que je suis venu apporter la paix sur la terre ! Je ne suis pas venu apporter la paix mais le glaive. Car je suis venu opposer le fils à son père, la fille à sa mère, et la bru à sa belle-mère. On aura pour ennemis les gens de sa famille." (Matthieu 10, 34-36).

Ou encore :

"Qui aime son père ou sa mère plus que moi n'est pas digne de moi.

"Qui aime sa fille ou son fils plus que moi n'est pas digne de moi". (Matthieu 10, 37).

"Qui n'est pas avec moi est contre moi". (Matthieu 12, 30).

Ce qui dénote une intransigeance, une intolérance dont il n'est pas coutumier.

Il laisse percer aussi, vis-à-vis de ce qu'on nous dit être sa famille, une grande brusquerie :

"Il parlait encore aux foules, lorsque survinrent sa mère et ses frères qui cherchaient à lui parler... Jésus répondit : — "Qui est ma mère et qui sont mes frères ?" Et, montrant ses disciples d'un geste de la main, il ajouta : — "Voici ma mère et mes frères". (Matthieu 12, 46).

Parfois un peu méprisant pour le petit peuple :

"Les disciples s'approchant lui dirent : — "Pourquoi leur parles-tu en paraboles ?" — "C'est que, répondit-il, à vous il est donné de connaître les mystères du Royaume des Cieux, tandis qu'à ces gens-là cela n'est pas donné... C'est pour cela que je leur parle en paraboles, parce qu'ils voient sans voir et entendent sans entendre ni comprendre". (Matthieu 13, 10).

A Pierre, son fidèle disciple, qui le dissuadait d'aller à Jérusalem où il courait le risque d'être arrêté, il répond avec brusquerie : — "Arrière, Satan ! Tu me fais obstacle !" (Matthieu 16, 23).

Nous avons parlé de la Loi du Talion considérée comme trop brutale et, cependant, deux mille ans encore après Moïse, Jésus lui-même ne dit-il pas :

"Si ta main ou ton pied sont pour toi une occasion de péché, coupe-les et jette-les loin de toi... Et si ton œil est pour toi une occasion de péché, arrache-le et jette-le loin de toi..." (Matthieu 18, 8-9).

Heureusement que tous les fidèles n'ont pas suivi ces ordres à la lettre. Vous imaginez les foules de manchots, de culs-de-jatte et d'aveugles que nous croiserions dans les rues !

Jésus prêcha si bien que trois cent cinquante ans plus tard (1) tout le monde romain s'était converti au monothéisme et ne jurait plus que par le Dieu des Juifs, IHVH, l'Eternel.

_____

(1) La victoire de Constantin 1ᵉʳ, dit le Grand (280-337), contre l'empereur Maxence, sous les murs de Rome, en 312, décida du triomphe du christianisme. En 313, par l'Edit de Milan, Constantin établissait la liberté du culte catholique. Théodose 1ᵉʳ, dit lui aussi "le Grand" (379-395) imposait ensuite le christianisme comme religion d'état.

Le plan des Elohim semblait donc avoir parfaitement réussi. Chacun allait s'efforcer désormais d'affiner ses manières, d'abandonner avec le paganisme la brutalité et la cruauté pour s'adonner à l'amour du prochain.

Tout comme Judas Maccabée, sous l'occupation grecque, Jésus, sous l'occupation romaine, eut le petit peuple pour lui. Il suffit pour en être certain de voir combien fut triomphale son entrée à Jérusalem :

"Alors les gens, en très grande foule, étendirent leurs manteaux sur le chemin; d'autres coupaient des branches aux arbres et en jonchaient le chemin. Les foules qui marchaient. devant lui et celles qui suivaient criaient : — "Hosanna au fils de David ! Béni soit celui qui vient au nom des Elohim !" Quand il entra dans Jérusalem, toute la ville fut en rumeur. — "Qui est-ce ?", demandait-on. Et les foules répondaient : — "C'est le prophète Jésus de Nazareth en Galilée". (Matthieu 21, 8-11).

Jésus rencontra, comme Judas Maccabée et comme tous les prophètes avant lui, l'hostilité des Grands Prêtres dont il mettait en doute la sincérité et dont il sapait l'autorité sur les masses.

Mais les prêches de Jésus ébranlaient les fondements mêmes de l'Empire. Le procurateur romain le fit appréhender par ses légionnaires, le condamna à mort et le fit exécuter.

Il est douteux que les Grands Prêtres aient pris dans ces événements la part que leur accordent les Evangiles dont la rédaction est postérieure de plusieurs décennies aux événements qu'ils retracent.

Il suffit pour s'en convaincre, de lire les imprécations dont les rois d'Israël comme de Judée ont été abreuvés par tous les prophètes au cours des siècles. Les Grands Prêtres ne furent pas davantage épargnés. Et il ne fut jamais touché à un cheveu de la tête d'un prophète, aucun ne fut arrêté, aucun ne fut mis à mort.

La crucifixion n'est d'ailleurs pas un supplice hébreu mais romain. Les Juifs lapidaient leurs condamnés à mort.

Dans les premiers temps, les païens, convertis au mono-théisme, se considéraient comme frères des Juifs, puisqu'ils adoraient le même Dieu. Sur les quatre Evangiles, trois sont l'œuvre de Juifs (1). Les apôtres, qui partirent à travers le monde romain, pour évangéliser et convertir, étaient pour la plupart des Juifs.

L'Eglise chrétienne primitive fut d'abord une petite secte juive qui attendait le retour du Christ. Cette secte observait rigoureusement toutes les pratiques juives, aux-quelles elle ajoutait le baptême et l'eucharistie.

Mais la religion juive n'est pas facilement accessible. Le Juif, en effet, est en face de son Dieu, à chaque minute de sa journée, pour chaque acte de sa vie. C'est un régime assez éprouvant qui ne pouvait que rebuter les nouveaux fidèles.

Or, pour réussir, le christianisme devait faire de la con-version de masses. Et rendre le monothéisme plus aborda-ble à des âmes encore frustes. La vieille religion juive fut donc considérablement simplifiée.

Petit à petit, on y ajouta même de quoi attirer et retenir les païens, une compensation en quelque sorte à l'effort qu'on leur demandait pour s'élever moralement. On leur promit la résurrection des morts, le paradis dans l'au-delà pour ceux qui se seraient bien comportés sur terre, alors que l'enfer et la damnation menaçaient les autres. Puis un concile, quelques siècles plus tard, inventa même, à l'intention de ces derniers, le sursis, sous la forme du pur-gatoire.

_____

(1) Marc, Matthieu et Jean sont des Juifs, qui écrivaient leurs Evangiles pour des Juifs. Seul Luc est païen d'origine.

Un autre concile, qui ne croyait pas aux Extraterrestres, imagina, lui, l'Immaculée Conception, pour expliquer la venue sur terre de Jésus, fils d'un Elohim.

Alors que la religion juive conservait sa rigidité millénaire, la nouvelle religion faisait l'objet de retouches successives pour la rendre plus attrayante. Les nouveaux Juifs, qui avaient pris le nom de Chrétiens, se mirent très tôt hors de la religion juive trop rigoriste à leur goût. C'est vers l'an 135 que la rupture fut consommée : la révolte de Bar Kokhba à Jérusalem fut un échec sanglant et la répression des Romains fut féroce. Les Juifs furent dispersés à travers l'Empire et la propagande du clergé chrétien tenait un argument de poids.

Ces catastrophes qui frappaient le peuple juif n'étaient-elles pas la preuve éclatante de la colère divine et du rejet d'Israël ?

Les Chrétiens affirmèrent alors qu'ils étaient substitués à Israël comme "peuple de Dieu". C'était pour eux "la nouvelle alliance", ou Nouveau Testament.

Et les deux branches de la même croyance s'écartèrent l'une de l'autre au fil des premiers siècles de notre ère au lieu de rester unies dans l'adoration du même Dieu et dans la recherche du progrès moral pour l'homme.

Et, bientôt, la nouvelle religion chercha à se démarquer davantage de l'ancienne.

Les païens convertis ne comprenaient pas que les Juifs n'abandonnent pas leurs anciens rites pour adopter les nouveaux. Ils s'en étonnaient auprès du clergé qui avait poussé à leur conversion. Il convenait donc, au plus tôt, de déconsidérer la religion-mère.

C'est à cette époque que fut imaginée probablement la mise à mort de Jésus, non pas par l'occupant romain, mais par ses compatriotes Juifs (1).

(1) Je suppose que c'est à cette époque aussi que fut attribué le nom de Judas à l'apôtre qui dénonça le Christ aux Romains. On s'assurait ainsi que le petit peuple engloberait dans le même mépris et la même haine les enfants de Juda, les Juifs, et le dénonciateur du Christ.

La route était tracée. Et le christianisme inventa l'antisémitisme, totalement inconnu avant lui, pour se débarrasser de la concurrence.

Et chaque nouveau concile ajouta une charge de plus à l'encontre du peuple Juif.

Le bas clergé, aux prises avec la nécessaire propagande quotidienne, se croyait tenu d'en rajouter. Et le petit peuple trouva dans sa haine du Juif une compensation à toutes les difficultés de son existence précaire.

Et l'on peut dire que pogroms et fours crématoires sont les enfants tout naturels de deux mille ans de catéchisme, enseigné à des générations d'enfants à qui, très tôt, on inculqua le mépris.

Le Christianisme a-t-il réussi dans sa mission ?

Une pareille question ne peut entraîner qu'une réponse nuancée. Si l'on considère le sauvage anthropophage transformé par lui en un humble récitant du "Pater Noster" on pourrait être tenté de répondre par l'affirmative. Mais l'homme du vingtième siècle est encore cruel, intrinsèquement pervers et donne libre cours à ses instincts les plus bas. Il suffit d'écouter à la radio le récit de tous les crimes, de toutes les violences qui se perpètrent, souvent devant des témoins indifférents.

Ce qui est beaucoup plus grave encore c'est qu'on ne s'est jamais autant étripé au nom du Christ que depuis sa prédication.

Aux Croisades, ont succédé les guerres de religion, accompagnées de guerres fratricides entre pays d'Europe puis de conflits mondiaux les plus sanglants que l'humanité ait jamais connus.

Et la volonté des Elohim de sortir l'homme de sa gangue de bestialité se heurte constamment à la méchanceté de l'homme comme si ce dernier désirait volontairement contrecarrer le grand dessein des Elohim.

A considérer le désarroi actuel de l'Eglise Catholique, il est même permis de se demander si le catholicisme survivra à "l'ère des poissons", qui l'avait vu naître, et qui s'est achevée il y a quelques années pour laisser la place à l'ère du verseau.

Quoi qu'il en soit, lorsque Jésus disparut aux yeux de ses contemporains, il avait bien pensé que sa mission était accomplie. Il avait alors trente trois ans, tout comme Alexandre le Grand à sa mort.

Jésus mourut-il sur la croix, comme le racontent les Evangiles, ou plutôt ne regagna-t-il pas sa planète d'origine ? (1).

Mais ce qui semble certain c'est que Jésus, tout comme Isaac, Moïse, Cyrus et bien d'autres, a eu une carrière humaine dont l'origine et la fin sont pleines de mystère.

Et si l'on envisage l'hypothèse qu'ils étaient les uns et les autres des "b'néï Elohim", des fils des Elohim, venus de leur lointaine planète pour nous enseigner leur civilisation et leur morale en avance sur les nôtres de plusieurs millénaires, comme on comprend mieux la prière de Jésus :

"Notre Père qui es dans les cieux,
"Que ton nom soit sanctifié,
"Que ton règne arrive,
"Que ta volonté soit faite
"Sur la terre comme au Ciel !"

---

(1) Comme la croyance en "l'Ascension" pourrait le laiser supposer.

224

L'EXTENSION DU CHRISTIANISME DANS LE MONDE

CHAPITRE XII

L'OCCUPATION ROMAINE
OU
LA GUERRE DES JUIFS

"La vigueur et le mépris de la mort que les Juifs firent paraître, à cette occasion, leur donnaient l'avantage. Et, contre toute apparence, ils passèrent ce jour-là pour être plus vaillants que les Romains".
(Flavius Josèphe, "la Guerre des Juifs").

L'agitation contre les Romains commença dès l'occupation de la Judée par ces derniers. L'épopée de Jésus en fut l'une des manifestations mais elle ne fut pas la seule, loin de là !

Et pendant que l'Eglise Nouvelle s'étendait de Jérusalem à Samarie, puis de Césarée à Damas et Antioche, l'hostilité des Juifs envers l'occupant romain ne cessait de croître. Et les Juifs attendaient le Messie qui, avec l'aide des Elohim, allait détruire la puissance romaine et restaurer sur terre le royaume de David.

Un clan s'était formé, les Zélotes, ou "violents de Dieu", qui décida d'entamer la lutte armée contre l'occupant. Parmi eux, les Sicaires, extrémistes, recouraient au meurtre terroriste pour tenter d'arriver à leurs fins.

Les Juifs, seuls de tous les peuples occupés par les Romains, se révoltèrent sans arrêt contre leur joug, tout comme ils l'avaient fait sous l'occupation grecque.

La poigne de Rome s'en faisait plus pesante encore et la

Judée se hérissait de gibets où l'on crucifiait "terroristes" et "résistants".

En l'an 66 de notre ère, la révolte sporadique qui durait depuis des années, se transforma en guerre ouverte. Les Esséniens de Qumran se joignirent aux Zélotes et aux Sicaires.

Cette guerre sans pitié devait durer quatre longues années.

Rome y immobilisa ses légions les plus aguerries, y usa ses meilleurs généraux et dut abandonner tout espoir de conquête de la Mésopotamie et de l'Orient.

Cet Orient qui a fait rêver tous les conquérants occidentaux : Alexandre, Pompée, César, Napoléon, Hitler !

Une fois encore la Judée allait être un verrou entre deux mondes : le monde romain implanté en Europe et la profonde Asie.

Quintilius Varus était alors Gouverneur de Judée et Rome en était à la douzième année du règne de Néron. Le Général Cestius commandait en chef les légions romaines lorsque la révolte éclata.

Cette guerre des Juifs nous est contée par l'historien Flavius Josèphe (1).

Dès les premiers combats, les pertes subies par Cestius furent considérables.

Les Romains perdirent Priscus, qui commandait la 6e légion, Longinus le tribun, Emilius Jucundus qui commandait la cavalerie. Ils furent contraints à la retraite, abandonnèrent leurs bagages et s'enfermèrent à Gabaon où Cestius passa deux jours. Le troisième jour le nombre des guerriers Juifs croissait toujours.

Cestius donna l'ordre de s'alléger encore et d'abandon-

_____

(1) Flavius Josèphe, de son vrai nom Yosippos, était fils d'un prêtre juif nommé Mathias. Il naquit à Jérusalem en l'an 38 de notre ère.

ner tous les mulets et les Romains se remirent en marche vers Beit-Horon où les Juifs les encerclèrent.

Ces deux noms de Gabaon et de Béit-Horon sont véritablement prodigieux de symbolisme. C'est le nom des deux victoires de Josué lors de la conquête de Canaan (1). C'est là, nous dit la Bible, que Josué arrêta le soleil pour pouvoir achever la défaite de ses ennemis.

"C'est Elohim qui les mit en déroute, en présence d'Israël, et leur infligea à Gabaon une rude défaite. Il les poursuivit même dans la direction de la pente de Béit-Horon... Et tandis qu'ils fuyaient Elohim lançait du ciel sur eux d'énormes grelons qui les assommaient. Il en mourut plus sous ces grelons que sous le tranchant des épées des Juifs. C'est alors que Josué s'adressa à Elohim et s'écria : — "Soleil, arrête-toi sur Gabaon". (Josué 10).

Flavius Josèphe ne nous dit pas si au cours de cette bataille contre Cestius, les Elohim participèrent au combat, comme ils l'avaient fait pour Josué.

Mais la retraite des Romains depuis Gabaon jusqu'à Béit-Horon fut particulièrement pénible. Chaque fois qu'ils étaient engagés dans des passages étroits les Juifs les chargeaient et, après s'être assurés de toutes les éminences de terrain alentour, accablaient les Romains de leurs flèches.

"Les Romains, ainsi réduits à ne pouvoir ni combattre ni s'enfuir, leur désespoir fut si grand qu'ils se laissaient emporter à hurler et pleurer... Si la nuit qui donna le moyen aux Romains de se sauver à Béit-Horon n'était pas survenue, l'armée de Cestius aurait été totalement détruite." (Flavius Josèphe).

Les Juifs encerclèrent Béit-Horon. Cestius choisit quatre cents soldats résolus qu'il laissa dans la ville à faire le plus de bruit possible et s'enfuit de nuit avec le reste de son armée.

---

(1) La conquête de Canaan par Josué peut être localisée vers 1220 à 1200 avant notre ère.

S'apercevant le lendemain que les Romains s'étaient envolés, les Juifs massacrèrent les quatre cents soldats et essayèrent, mais en vain, de rattraper Cestius. Ils revinrent à Jérusalem où il n'y avait plus un soldat romain. Leurs pertes étaient infimes. Celles des Romains s'élevaient à plus de huit mille hommes pour les fantassins et cent quatre-vingts pour la cavalerie.

En attendant le retour en force des Romains, les Juifs se préparèrent à la guerre, relevèrent les murailles de Jérusalem, assemblèrent des machines et forgèrent des armes.

L'empereur Néron, à l'annonce du désastre de ses armées, fit éclater sa colère contre Cestius et nomma Vespasien Généralissime des Armées d'Orient à sa place.

Flavius Josèphe nous dit qu'après avoir considéré l'âge, l'expérience et le courage de ce grand capitaine, Néron lui donna ce commandement "puisqu'il avait des enfants qui seraient des otages de sa fidélité".

Malheureusement pour les Juifs ils avaient affaire à un ennemi "aussi savant dans la guerre qu'ils l'étaient peu eux-mêmes, aussi bien armés qu'ils l'étaient mal, et surtout aussi bien disciplinés qu'ils l'étaient peu".

Vespasien était arrivé avec son armée à Antioche. Il avança de là jusqu'à Ptolémaïs, avec son fils Titus.

Il avait à sa disposition trois légions (1), vingt-trois cohortes et six compagnies de cavalerie, soit environ soixante mille hommes de guerre, les meilleurs soldats de l'empire, sans y comprendre les valets qui étaient en fort grand nombre "et qui ne le cédaient qu'à leurs maîtres en courage et en adresse".

Les Romains étaient passés maîtres dans l'art de la guerre. L'armement, la discipline, la tactique et la parfaite organisation des légions avaient frappé d'étonnement

---

(1) Les trois légions étaient la 5ᵉ, la 10ᵉ et la 15ᵉ

et d'admiration tous les peuples de l'Antiquité. Aucune nation ne put leur résister, et cela pendant de nombreux siècles.

Le généralissime Vespasien donna l'ordre de marche et décida de prendre lui-même la direction des opérations militaires.

La première place qu'il attaqua fut Gadara. Il l'emporta au premier assaut et fit passer au fil de l'épée tous les mâles en état de porter les armes, "tant le souvenir de la honte subie par Cestius les animait contre les Juifs". Vespasien, après le massacre, fit brûler la ville.

L'historien Flavius Josèphe, qui était général de l'armée juive de Galilée, s'était enfermé à Jotapat. Vespasien l'y assiégea et donna l'assaut cinq jours de suite. Sans succès !

Il résolut d'affamer les habitants, tout en essayant d'abattre les murailles de la ville avec ses machines de guerre.

Ce n'est qu'au quarante-septième jour qu'il put s'emparer de la ville dont la garnison était peu nombreuse et épuisée par les incessants combats qu'elle avait menés.

Les Romains, irrités de ce long siège et des pertes qu'ils avaient subies, ne firent aucun quartier.

Flavius Josèphe, qui s'était réfugié dans une caverne, se rendit quelques jours plus tard. Vespasien décida de l'envoyer à Néron pour qu'il le mette à mort après "le triomphe" comme les Romains en étaient coutumiers.

Josèphe se prétendit alors prophète, et persuada Vespasien qu'il serait bientôt empereur s'il suivait ses conseils. Devant cette perspective souriante Vespasien préféra le garder à son service.

Et c'est ainsi que Flavius Josèphe, général de l'armée juive, qui devint historien et se prétendait prophète, passa au service de l'ennemi. Les Juifs ne lui pardonnèrent jamais sa trahison.

De ce jour, la révolte des Juifs contre les Romains fut jugée sévèrement par Josèphe qui se mit à traiter ses compatriotes de "factieux".

Et les places fortes de Galilée furent enlevées les unes après les autres.

A Jérusalem, le Grand Prêtre voulut faire la soumission de la ville aux Romains. Il fut massacré par les Zélotes (1).

Dès l'entrée du printemps, Vespasien décida d'entreprendre une nouvelle campagne contre la Judée.

Il s'apprêtait à marcher sur Jérusalem quand lui parvint la nouvelle de la mort de Néron, qui venait de se suicider après 13 ans de règne (2).

Le trône d'empereur était vacant, et c'était désormais les légions qui dictaient leur loi. Et chaque groupe de légions de l'immense empire aimait assez proclamer empereur son propre généralissime.

Les légions d'Espagne choisirent le leur : Galba. Mais il se fit assassiner en arrivant à Rome.

Les prétoriens de Rome proclamèrent Empereur leur général, Otho (3).

Mais les légions d'Allemagne ne l'entendirent pas de cette oreille et choisirent à leur tour leur propre chef, Vitellius (4)

Les deux candidats se livrèrent bataille dans la Gaule Cisalpine (5), les légions d'Allemagne furent victorieuses, et leur chef, Vitellius s'installa à Rome.

Pas pour longtemps ! Car, pour ne pas être en reste avec

---

(1) Le Grand Prêtre de Jérusalem s'appelait Ananus.
(2) Néron se suicida en l'an 68 de notre ère.
(3) Otho était né en l'an 32 de notre ère à Ferintinum. Vaincu par Vitellius, il se suicida à Bruxelles en l'an 69. Il avait régné trois mois.
(4) Vitellius, né en l'an 15 de notre ère, régna huit mois, en 69, et fut massacré par la populace quand son armée eut été battue par celle de Vespasien.
(5) Les légions d'Allemagne d'Otho, et l'armée de Vitellius se livrèrent bataille à Bédriac.

les troupes de Vitellius, les légions de l'armée d'Orient proclamèrent Empereur, à leur tour, leur Généralissime, Vespasien.

Les provinces d'Asie se rallièrent aussitôt à lui. Mais, avant de marcher sur Rome pour affronter l'armée de Vitellius, Vespasien décida d'abord de s'assurer d'Alexandrie.

L'Egypte était, en effet, le grenier de Rome. En s'en rendant maître il était sûr que la plèbe romaine ne soutiendrait plus Vitellius au risque de mourir de faim.

Prudent cependant, plutôt que de marcher sur Rome à la tête de ses troupes, il se contenta d'envoyer un de ses lieutenants (1) avec une armée par la Cappadoce et la Phrygie (2).

Elle entra dans Rome sans résistance. Vespasien restait le seul empereur.

Mais avant de passer lui-même en Italie, il décida de détruire Jérusalem (3).

Il fit partir d'Alexandrie son fils Titus avec ses meilleures troupes pour ravager, à nouveau, la Judée de fond en comble.

Titus alla de Raphia à Gaza, de là à Césarée et marcha sur Jérusalem. Les Juifs firent une sortie, séparèrent Titus et sa cavalerie du reste de l'armée. Et Titus ne dut son salut qu'à la fuite.

Quatre légions romaines, au grand complet, commencèrent le siège de Jérusalem. Les Juifs firent une nouvelle sortie, si furieuse, contre la X⁰ légion venant de Jéricho, qu'ils la contraignirent à abandonner son camp en débandade.

Toute la légion courait le risque d'être taillée en pièces si Titus ne l'avait rapidement secourue. Il réussit à rameuter ses troupes, colmata les brèches dans son dispositif avec de nouveaux renforts, et poursuivit le siège.

---

(1) C'était le général Primus.
(2) Anciens pays d'Asie Mineure.
(3) Vespasien, né à Réate en l'an 9, mort en 79 de notre ère, empereur de 69 à 79. Outre sa construction du Colisée, il est célèbre par sa boutade : "l'argent n'a pas d'odeur" lorsqu'après avoir inventé les urinoirs publics, il frappa d'une taxe leur utilisation.

Avec un courage désespéré, les Juifs multipliaient les sorties mais d'incessants renforts parvenaient aux Romains.

Les Juifs avaient deux chefs : Simon, qui n'avait pas plus de cinquante capitaines et quinze mille hommes pour l'ensemble de la ville, et Jean, qui, avec vingt capitaines et huit mille hommes, défendait le Temple.

C'était peu en face des meilleures légions romaines aguerries, solidement encadrées, bien armées et disciplinées.

Titus disposait, en outre, d'un abondant matériel de siège : béliers, lance-blocs, tours d'assaut qui facilitait sa tâche.

L'historien Flavius Josèphe, qui n'est pas suspect de tendresse pour ses compatriotes Juifs, qu'il a trahis, est obligé de rendre hommage à la bravoure des assiégés, qui multiplièrent les sorties, mettant le feu aux machines de siège des Romains, souffrant de la faim et de la soif.

"La vigueur et le mépris de la mort que les Juifs firent paraître en cette occasion leur donnaient l'avantage. Et, contre toute apparence, ils passèrent, ce jour-là, pour être plus vaillants que les Romains". (Flavius Josèphe).

"Les Juifs, ne tenant aucun compte de ce qu'ils souffraient, ne pensaient qu'à attaquer les Romains, et s'estimaient heureux de mourir, pourvu qu'ils eussent tué quelqu'un." (Flavius Josèphe).

Une horrible famine sévissait à Jérusalem mais les combats continuaient avec la même intensité.

Quand les Romains faisaient des prisonniers, ils les crucifiaient à la vue des assiégés mais l'ardeur des Juifs au combat restait intacte. Une brigade de Macédoniens, auxiliaires des Romains, témérairement avancée, fut totalement anéantie.

L'historien Josèphe, qui prêtait son concours aux Romains pour tenter de persuader ses compatriotes de se rendre, reçut une volée de flèches, dont une le blessa sérieusement. Il fut transporté inanimé au camp romain.

Les Romains ne se lassaient point. Ils mirent encore vingt et un jours à bâtir de nouvelles terrasses pour mieux attaquer le mur d'enceinte. Ils se rendirent ainsi maîtres de la forteresse Antonia. La cruauté des assaillants était à son comble.

Josèphe raconte que "les Syriens et les Arabes de l'armée de Titus ouvraient le ventre de leurs prisonniers dans l'espoir d'y trouver de l'or" (?). On croirait lire le récit de certaines atrocités récentes de la Guerre de Kippour.

Titus fit mettre alors le feu au Temple.

Si l'on en croit Josèphe, le Temple fut brûlé par Titus le même jour, le même mois que Nabuchodonosor l'avait incendié, en 587 avant notre ère, soit 657 ans auparavant.

Le carnage et le pillage commencèrent alors. Et la barbarie romaine se donna libre cours.

Six mille personnes furent tuées dans le Temple, hommes, femmes et enfants. Les prêtres qui s'étaient réfugiés sur le mur du Temple se rendirent au bout de cinq jours. Titus les fit massacrer.

La ville basse, où se trouvait le Temple, ne pouvait plus guère offrir de résistance organisée. Titus la donna au pillage de ses soldats et il leur permit d'y mettre le feu.

Huit mille quatre cents personnes y furent encore exécutées.

La ville haute résistait toujours. Titus choisit ses meilleurs cavaliers pour en venir à bout. Ils y réussirent, massacrant tout sur leur passage.

"Les soldats romains répandus dans toute la ville tuaient sans distinction tous ceux qu'ils trouvaient dans les rues et brûlaient toutes les maisons avec leurs habitants. Le nombre des cadavres entassés les uns sur les autres était si grand qu'il obstruait les avenues et le sang dans lequel

la ville baignait éteignit le feu en plusieurs endroits."
(Flavius Josèphe).

Les rares survivants furent emmenés en esclavage.

Les Romains rasèrent le Temple et les murailles. Il ne restait à peu près rien de Jérusalem après leur passage (1).

Le chef des Juifs, Simon, fut emmené à Rome, enchaîné, pour "paraître au triomphe". Il fut exécuté à la fin de la cérémonie.

Les derniers combattants de Judée se regroupèrent dans la forteresse de Massada, près du rivage de la Mer Morte. Ils en descendaient pour faire des coups de main contre les liaisons romaines.

Le légat de Judée, Flavius Sylvia, vint les y assiéger.

Le chef des Juifs s'appelait Eléazar.

Le siège dura trois ans (2).

Lorsque Massada tomba après des combats acharnés, les Romains, en pénétrant dans la citadelle, n'y trouvèrent plus que des cadavres. Les survivants, guerriers, femmes et enfants, avaient préféré s'entre-égorger plutôt que de se rendre.

Les derniers habitants de Judée furent alors dispersés aux quatre coins de l'Empire Romain.

Ce fut la "diaspora".

"Alors, le reste de Jacob sera
"Au milieu de peuples nombreux
"Comme une rosée venant d'Elohim
"Comme des gouttes de pluie sur l'herbe". (Michée 5, 6).

---

(1) Dans cette guerre de quatre ans contre Rome, les Juifs perdirent 1 100 000 morts et 300 000 prisonniers qui furent vendus comme esclaves.
(2) Massada tomba en 73 de notre ère. Cette bataille n'était connue que par les textes lorsque les archéologues, il y a vingt ans à peine, ont retrouvé l'emplacement et les ruines de la forteresse qui confirment l'authenticité du récit.

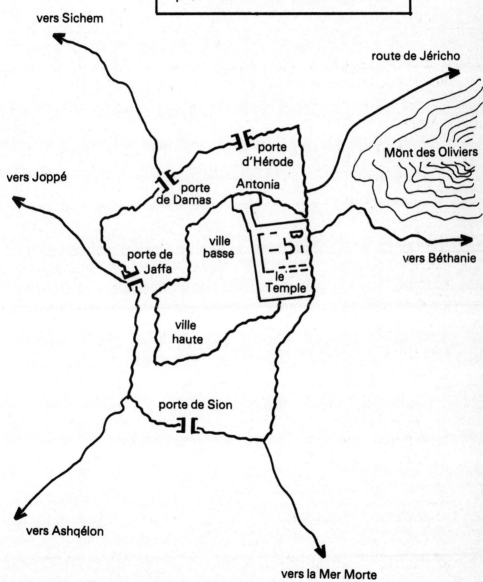

JERUSALEM
avant sa destruction
par Titus en l'an 70 de notre ère

vers Sichem

route de Jéricho

vers Joppé

porte
d'Hérode

Mont des Oliviers

porte
de Damas

Antonia

vers Béthanie

ville
basse

porte de
Jaffa

le
Temple

ville
haute

porte de Sion

vers Ashqélon

vers la Mer Morte

CHAPITRE XIII

UNE NOUVELLE MISSION POUR LES JUIFS OU LA CLE DE LA "DIASPORA"

— *"Puis, je les disperserai parmi*
"des peuples qui leur étaient inconnus,
"à eux, et à leurs ancêtres".
(Jérémie 9, 15)

Cette prédiction date de 626 avant notre ère.

Elle s'est réalisée en 70 après J.-C., soit 700 ans plus tard.

Jérusalem a été rasée ! Et tous les habitants de Judée ont été déportés à travers l'Empire Romain, dont leurs ancêtres, en effet, et eux-mêmes ne connaissaient que la petite partie asiatique.

Les civilisations de Mésopotamie, de Perse et d'Egypte ont été écrasées par le triomphe de la force brutale.

Le monde païen, matérialiste, est victorieux.

De ces deux mondes, l'oriental et l'occidental, c'est ce dernier qui a gagné. Et le centre de l'univers s'est déplacé du bassin Est de la Méditerranée vers l'Italie, de l'Asie vers l'Europe.

Il semble que les Elohim connaissent bien l'évolution que suivent la pensée et la civilisation occidentales. Ils ont vu les Grecs à l'œuvre contre l'Empire Perse, cependant plus civilisé. Ils ont vu les Romains, moins évolués encore que les Grecs, arriver à la domination du monde par le développement et l'exercice de la seule force brutale.

Si mon hypothèse est bonne, les Elohim ont bien cherché, par le christianisme, à tempérer ce penchant occidental, avide de violences, et qui ne songe qu'au progrès matériel.

Mais alors ils ne se font pas trop d'illusions sur le résultat définitif. Il sera difficile d'amener ces êtres frustes, fiers de leur force, aux mœurs de douceur prêchées par les Evangiles.

La "diaspora" des Juifs, leur dispersion à travers l'Empire, aura donc quelque chose de bon : elle permettra de parsemer l'Occident de quelques groupes humains davantage portés vers la contemplation, l'étude de la "tradition révélée" par la Bible, et la méditation, que ne le sont les peuples au milieu desquels ils devront désormais vivre.

La mission des Hébreux à Canaan est achevée. Une autre leur est ainsi confiée. Ils seront, pour les autres peuples, les "Témoins d'Elohim". Ils devront servir d'exemple pour le progrès moral, l'étude de la Tora, la loi que les Elohim ont remise à Moïse sur le Sinaï, le déchiffrement des énigmes qu'elle contient, et l'application des principes de sagesse qu'elle renferme (1).

La "diaspora", ce phénomène étrange et unique dans l'histoire, allait se traduire par un rayonnement universel du petit peuple juif.

Le fait même de la diaspora n'aurait-il pas été, sur le plan providentiel, l'un des meilleurs moyens qu'avaient à leur disposition les Elohim pour une diffusion rapide et universelle du nouvel Evangile ?

_____

(1) L'historien Bouché-Leclercq note que, pour l'universalisme juif, le Temple était à la fois un obstacle et une entrave. En détruisant le Temple, le romain Titus dissociait la religion juive de l'Etat. Loin d'abattre le judaïsme, cette destruction lui donnait une vigueur nouvelle. Ce professeur à la Sorbonne, né à Francières (Oise) en 1842, mort à Nogent-sur-Marne en 1923 est l'auteur de : "Histoire de la divination dans l'Antiquité"; "Histoire des Lagides", etc...

Les premiers prédicateurs, en effet, qu'ils fussent Juifs d'origine, ou néo-Juifs c'est-à-dire chrétiens, rencontraient partout des Juifs qui les hébergeaient et les aidaient dans la propagation de la foi monothéiste.

De fortes colonies juives s'implantèrent de Babylone à Alexandrie, de Rome en Gaule et en Espagne, des bords du Rhin à l'Afrique du Nord.

Entre temps, le Christianisme avait commencé son œuvre. L'Empire Romain, miné par le dedans, aux prises sur ses frontières avec des peuples plus jeunes et encore plus brutaux que lui, allait s'effondrer sous les coups de boutoir des Barbares venus de Germanie : Ostrogoths, Wisigoths et Vandales, poussés vers l'Ouest par les hordes asiatiques des Huns.

L'humanité allait sombrer dans la nuit profonde du Moyen Age dont elle n'émergera que lentement après plus d'un millénaire.

Deux faibles lueurs clignoteront dans les ténèbres :

— la religion chrétienne, qui s'efforcera - après avoir converti les Romains -, d'amener au monothéisme les Barbares, nouveaux vainqueurs triomphants;

— le "reste Juif", dispersé à travers le monde, qui maintiendra le culte du Dieu Unique, IHVH, Incréé et Immortel, Sans Forme et Omniprésent; "reste Juif" avec lequel les Elohim garderont le contact, au moins pour les "initiés"; "reste Juif" qui empêchera la "tradition" de se perdre au fil des âges.

Qu'est-ce que la "tradition" ?

C'est la "connaissance" de ce que la Bible est un Livre Sacré et non pas un recueil d'anecdotes banales.

La "tradition" c'est savoir étudier ce livre et que, pour le comprendre, il faut le dépouiller de ses habillages, bons pour le "profane", mais que "l'initié" doit éliminer, comme on dégage la pierre précieuse de sa gangue.

Celui qui sait lire la Bible sait aussi que les meilleurs renseignements sur le passé lointain de l'humanité s'y trouvent, que les événements présents y sont tout tracés, et que l'avenir de l'humanité y est décrit avec un luxe de détails hallucinant.

Le passé de l'humanité c'est "la Genèse", avec le récit de la venue sur terre des "Célestes", ces Etres venus d'une lointaine planète, dans les temps très anciens.

Le présent, ce sont les Temps Messianiques, prédits par les prophètes, et qui sont aujourd'hui arrivés.

L'avenir, c'est l'Apocalypse prédite par les prophètes, en punition des péchés de l'humanité qui, depuis des millénaires, reste rebelle aux enseignements des Elohim qui voulaient faire de l'homme un être pensant, plein de sagesse et de perfection morale, et n'y sont pas parvenus.

"Respecter la tradition", c'est connaître le secret de cette transmission, de génération en génération, d'une certitude : l'humanité balbutiante a été fécondée, à ses origines, par la venue sur terre d'Etres, plus évolués, venant d'une lointaine planète.

Ce sont les "Elohim", littéralement : "Ceux qui sont venus du ciel", des "Supraterrestres".

Le "ciel", ce n'est pas le séjour des âmes, mais plus simplement c'est l'espace qui nous sépare des autres planètes, les unes sont désertes, d'autres sont habitées.

Et certaines de ces planètes, nées des millénaires avant la nôtre, et sur lesquelles la vie a commencé longtemps avant qu'elle ne commence sur terre, sont habitées par des Etres dont il faudra bien que l'homme admette qu'ils sont plus évolués que lui.

Que ces Etres en soient arrivés, quelques millénaires avant nous, aux déplacements interplanétaires, quoi de plus normal ?

Que l'un de ces voyages les ait amenés sur terre, comme le raconte la Bible, qu'y aurait-il là de tellement original ?

Qu'à l'un de ces premiers atterrissages, ils aient découvert l'homme, le terrien, semblable encore à une bête, c'est ce que nous conte la Genèse.

Etant parvenus eux-mêmes à la "connaissance" et ayant atteint la "suprême sagesse", il n'y a rien de surprenant à ce qu'ils se soient donné comme tâche d'élever l'homme jusqu'à eux, en l'aidant, par des coups de pouce répétés, à sortir de sa bestialité.

"Elohim" ce n'est pas Dieu. Car, Dieu n'a ni forme ni visage. Il est trop grand pour pouvoir s'insérer dans sa création.

.．

Que les Hébreux de l'Antiquité aient pris les Elohim, malgré leur nombre dont la Bible ne fait nul mystère, pour IHVH, le Dieu Unique était assez naturel.

De même, Jésus, fils d'Elohim, parlant de "son père qui est dans les cieux", c'est-à-dire sur une autre planète, allait créer la même confusion parmi ses auditeurs païens, un peu frustes, deux mille ans plus tard.

Les païens allèrent même plus loin : au lieu d'adorer Elohim, seul, ils adorèrent aussi son fils !

Et comment en aurait-il été autrement ?

Nos contemporains eux-mêmes, pour la plupart, n'ont pas la possibilité de concevoir l'essence de Dieu. Car, l'homme raisonne par analogie, et Dieu étant par définition Unique, l'homme ne peut s'en faire une idée par analogie. Il est, donc, obligé de se replier sur un anthropomorphisme, pour figurer Dieu, ce qui est la négation de l'idée même de Dieu.

Et les deux religions, la juive et la chrétienne, sont devenues l'une et l'autre, par la force des choses, des synarchies : il y a la masse qui croit, sans trop chercher à comprendre; et il y a les "initiés" pour lesquels le Talmud, le Zohar, la Kabbale, la Bible et les Evangiles, livrent peu à peu leurs secrets.

Mais, à cette connaissance totale, il ne leur est pas donné d'accéder aussitôt (1). Ils n'y parviennent que par degrés et il faut des siècles et des siècles d'études à plusieurs générations successives pour découvrir, les uns après les autres, tous les secrets des "Dieux".

La mission des "initiés" est de dévoiler à leurs contemporains, petit à petit, "la connaissance". Mais les progrès de la masse sont forcément très lents, surtout sur le plan de l'élévation morale.

Dans cette marche vers la "connaissance" par les initiés, il peut se produire des ruptures : cédant à ses penchants naturels, à ses instincts de jouissance matérielle, un "initié" peut chercher parfois à utiliser à son profit personnel les connaissances qu'il a acquises et qui sont très en avance sur celles de ses contemporains. Il faudrait ne pas connaître la nature humaine pour manifester, à cet égard, un étonnement excessif.

Dans ce cas, la secte des "initiés" s'en sépare et lui coupe la révélation des "connaissances" ultérieures. Pour essayer de retrouver le fil conducteur, l'initié en rupture de ban s'adonne alors à la magie.

Il est arrivé aussi, parfois, que les initiés ayant révélé prématurément la connaissance de certains symboles, l'humanité encore peu apte à suivre, perde l'explication du symbole ésotérique et se mette à adorer le symbole pour lui-même. C'est le fétichisme.

Que d'autres, sans avoir la connaissance, se soient flattés

_____

(1) Selon Saint Yves d'Alveydre l'Antiquité aurait connu l'existence simultanée de trois modes d'écriture : la symbolique ordinaire, l'écriture hiéroglyphique et l'écriture hiérogrammatique, dite aussi sacrée ou hiératique. C'est de cette écriture que Moïse se servit pour rédiger le Pentateuque, les Cinq Premiers Livres de la Bible. (Saint Yves d'Alveydre : "la Synarchie").

de la détenir pour vivre aux crochets des naïfs, est tout aussi compréhensible.

Et c'est ainsi que, pendant des siècles, illuminés et charlatans se sont côtoyés dans la recherche de la pierre philosophale qui devait permettre la transmutation de vils métaux en or pur.

Alors qu'il ne s'agissait que d'une image, d'un symbole, la quête anxieuse de cette "pierre" n'étant que la recherche de la pureté interne permettant l'accès à la sagesse et à l'élévation morale.

Et les siècles passés sont pleins de ces histoires d'alchimistes qui passaient leur vie devant leurs cornues sans jamais désespérer de découvrir le secret de la matière.

La civilisation judéo-chrétienne s'efforcera, pendant près de deux millénaires, de ne pas laisser l'humanité perdre pied en ces temps de violences et de brutalités.

Mais, tout en poursuivant le même but qui est de rechercher le perfectionnement moral de la personnalité humaine, les deux courants de pensée divergeront sur les moyens pour l'atteindre.

L'Eglise chrétienne, triomphante, s'implantera fortement en Europe. Elle essaimera ensuite dans les autres continents.

Mais l'Europe restera fille de la Grèce et de Rome (1) par sa manière de penser.

---

(1) D'après Saint Yves d'Alveydre, opuscule déjà cité, la création de Rome fut le fait d'une véritable association de brigands qui visèrent à asservir les bourgades voisines d'abord, puis toute l'Italie, et enfin le monde connu de l'époque. Elle prit pour blason la louve, symbole martien de la guerre.
Ovide constate, dans ses "Fastes" :
  "La loi de Romulus divisa d'après l'âge
  Ses tenants en deux parts
  L'une fut le Conseil. Et l'autre l'action.
  L'une tramait la guerre. Et l'autre la faisait". (Livre 6, 83).
Il est de fait que la moralité de Rome en politique étrangère fut inférieure à celle de l'Assyrie elle-même. La fourberie et le brigandage armé furent les grands principes de Rome dans ses rapports internationaux.

Chaque développement de ses connaissances se traduira par la recherche des applications pratiques de sa nouvelle découverte. Et la civilisation occidentale renaissante s'orientera vers la recherche, sans fin, du progrès matériel.

La pensée juive, au contraire, fille de Sumer et de Kharan, se tournera vers l'étude de la Loi, la recherche de la sagesse et du progrès moral.

Et l'humanité civilisée poursuivra ainsi sa marche cahotante entre ces deux modes de penser.

De génération en génération, les "initiés" des deux religions se sont transmis les mystères de la Tradition.

Non sans risques souvent ! Le martyre des Templiers que Philippe le Bel envoya au bûcher en l'an 1314 en est un cruel exemple, les victimes de la Croisade contre "l'hérésie cathare" un autre, pour ne pas parler des Juifs éternels persécutés.

Et, pendant tout le Haut Moyen Age, les initiés durent s'enfermer dans leur secret, sans chercher à éclairer leurs contemporains trop prompts à allumer des bûchers purificateurs.

Mais la recherche du progrès matériel est une spirale sans fin. Chaque fois que des besoins sont satisfaits, il s'en crée de nouveaux, que les décennies suivantes avec de nouveaux progrès permettent de satisfaire à leur tour, mais qui créent à nouveau d'autres besoins encore insatisfaits.

Il est patent que dans les pays fortement industrialisés, du moins, le niveau de vie de l'homme de cette fin du vingtième siècle est infiniment plus élevé qu'au siècle précédent.

Mais qui pourrait affirmer, dans ce temps de violences, de prises d'otages, d'assassinats accompagnés des pires cruautés, que le niveau moral moyen de l'humanité se trouve plus haut pour autant.

Et, quelle que soit l'amélioration de ses conditions d'existence, l'homme en est-il plus heureux pour cela ?

D'autant que cette élévation du niveau de vie de l'homme ne s'est pas réalisée sans que soit gravement endommagé le cadre même dans lequel l'homme vit.

Les fleuves d'Europe ne sont plus que de grands égouts à ciel ouvert, les océans se meurent de pollution, nous dégustons déjà du veau aux antibiotiques, du poulet aux hormones, du poisson bourré de mercure.

Nombreux sont les hommes qui commencent à réfléchir à tout cela. Mais il est déjà trop tard. Une fois le train lancé sur ses rails rien désormais ne pourra l'arrêter. Quand pendant des millénaires l'homme n'a recherché que le profit et la satisfaction matérialiste de ses besoins, plus rien ne pourra l'aider désormais à faire marche arrière. La majorité, pour ne pas dire l'unanimité, n'y pense d'ailleurs même pas.

Et les temps s'accompliront comme il est prévu dans la Bible !

Il est vrai que depuis que les "Dieux" se sont envolés, l'humanité en marche n'a plus eu qu'une seule et unique obsession : renouer le contact avec eux.

Et, s'ils s'y dérobent, tant pis !

L'humanité s'est alors efforcée de conquérir, mais sans eux, le secret des Dieux.

CHAPITRE XIV

LES DIX TRIBUS PERDUES D'ISRAEL

OU
LA CLE DE LA PERSECUTION DE JUDA ET DES JUIFS

"Elohim dit à Avram :
— "Et toi, tu observeras mon alliance.
"Toi, et ta. race après toi,
"De génération en génération.
"Que tous vos mâles soient circoncis !
"Et ce sera le signe de l'alliance
"Entre Moi et vous."
(Genèse 17, 9-11)

On se souvient de nos deux royaumes hébreux :

— Celui d'Israël, avec les dix tribus du Nord et Samarie pour capitale,

— celui de Juda, ou royaume du Sud, avec Jérusalem pour capitale, et les deux tribus de Juda et de Benjamin.

Le royaume du Sud, Juda, avait été annexé par la Chaldée et ses habitants avaient été déportés par Nabuchodonosor à Babylone en 589 avant notre ère.

Le royaume du Nord, Israël, avait disparu beaucoup plus tôt de la carte. Les rois d'Assyrie l'avaient peu à peu démantelé puis avaient déporté sa population en 721 avant notre ère (1).

L'histoire ne nous dit pas où !

---

(1) Salmanassar III (858-824 avant notre ère), roi d'Assyrie prit au roi Achab d'Israël, à la bataille de Qarqar, 2 000 chariots et 10 000 hommes.
Les grandes déportations des enfants d'Israël commencèrent sous Tiglet-Pilesser III (dit encore : Théglat-Phalassar) (745-727 avant notre ère).
Son successeur, Salmanassar V (727-722), acheva la ruine du royaume d'Israël.
Pour terminer, Sargon II (721-705) enleva Samarie, la capitale d'Israël, après deux ans de siège et en déporta tous les habitants. Pour remplacer les enfants d'Israël, déportés, les rois d'Assyrie firent venir des païens qu'ils installèrent à leur place.

Mais la Bible indique quelques emplacements : Hala, Aabor, le fleuve de Ozan, la Médie (1), la région de Kharan en Mésopotamie. Par un curieux retour de l'histoire, les déportés d'Israël, descendants d'Avram, revenaient vers la ville natale de leur ancêtre.

Une partie des déportés fut assignée à Ninive, capitale de leurs vainqueurs. Puis les dix tribus s'en allèrent dans le pays d'Arsareth.

Lorsque Cyrus, roi des Perses, après s'être emparé de Babylone, signa en 538 avant notre ère le fameux édit invitant les déportés de Juda à rentrer chez eux, nombreux furent les Juifs à obtempérer.

Dans le nouvel état hébreu qui allait voir le jour ils furent rejoints par une partie des dix tribus perdues d'Israël, qui avaient été déportées en Assyrie cent trente-deux ans avant qu'ils ne le fussent eux-mêmes à Babylone.

En rejoignant ainsi leurs frères du royaume de Juda, les enfants du royaume d'Israël voulurent marquer que la brouille entre les dix tribus du Nord et les deux du Sud était terminée.

Ainsi se trouvait rétablie l'union symbolique des douze tribus.

Par ce geste ils faisaient aussi leur soumission aux Elohim et renouaient avec eux l'alliance de leurs pères.

Mais une partie importante des Dix Tribus Perdues d'Israël resta irréductible, s'obstina à ne pas accepter des Elohim les malheurs qu'ils avaient infligés à Samarie et refusa de rentrer à Jérusalem.

Et, si la Bible, le livre sacré de l'alliance entre les Elohim et leur peuple élu -, ne les mentionne plus, c'est que les malheurs de leur patrie et les épreuves de l'exil les avaient fait entrer en rébellion contre les Elohim.

Ces réfractaires répudièrent "l'Alliance" !

_____

(1) La Médie ! De là les origines Aryennes !

La contre-partie de leur soumission aux Elohim et à leur grand dessein, c'était la portion de "Terre Promise" qui leur avait été attribuée.

Les Elohim la leur avaient reprise !

C'était donc eux qui avaient les premiers rompu l'alliance.

Les dix tribus d'Israël reprenaient alors leur liberté.

Puisque les Elohim avaient stipulé que le signe de l'alliance devait être gravé dans leur chair par la circoncision, ils en abandonnèrent le rite et ne firent plus circoncire leurs enfants mâles au huitième jour de leur naissance.

Ils abandonnèrent aussi le culte de IHVH, le Dieu Unique, que leur avaient enseigné les Elohim et retournèrent au paganisme, à la magie noire et aux saturnales nocturnes.

Ils répudièrent jusqu'à leur nom d'Israël qui leur rappelait trop leur ancêtre Jacob, fils d'Isaac, petit-fils d'Avram, qui avait lutté toute une nuit contre un Elohim et l'avait vaincu.

Leurs chefs, connaissant par "l'initiation" les secrets du grand dessein des Elohim, - qu'ils se transmettront de génération en génération -, firent tout dans les siècles suivants pour le contrecarrer.

On les trouvera toujours, par la suite, à la tête des différentes sectes de "fils des ténèbres", plus ou moins sataniques, qui s'opposeront aux "fils de la lumière" et aux Elohim.

Et, par voie de conséquence, ils deviendront les ennemis acharnés de ceux qui restèrent "fidèles à l'alliance", les enfants de Juda, les Juifs, qu'ils ne cessèrent de persécuter chaque fois qu'ils en eurent la possibilité.

Les historiens retrouvent aujourd'hui, petit à petit, la trace des Dix Tribus Perdues d'Israël.

De Kharan elles se transportèrent vers les défilés du Caucase et gagnèrent le Séreth, affluent du Danube. Arrivées à l'Ister, elles remontèrent la vallée du Danube, où certains historiens voient un dérivé de "Dan", du nom d'une des Dix Tribus Perdues.

D'autres historiens suivent même le chemin de cette migration jusqu'au Danemark, "Dan-Mark". Un Anglais, notamment, Henry-James Forman, dans son livre "Les Prophéties à travers les siècles" (1) mentionne qu'on a trouvé à partir de la Crimée des centaines de tombes portant des inscriptions hébraïques de l'époque de l'exil des enfants d'Israël.

Et il précise :

"Après la prise de Samarie et la déportation des enfants d'Israël par Sargon II d'Assyrie, les Dix Tribus ne revinrent jamais à Samarie. Pendant deux mille cinq cents ans elles disparaissent de l'Histoire. Cependant, elles ne furent pas détruites... Sir Norman Lockyer, qui est une autorité dans les questions touchant les monuments druidiques de Grande-Bretagne, en est arrivé, lui aussi, à la conclusion (2) que ces monuments indiquent des rapports étroits entre la civilisation britannique ancienne et la civilisation sémitique..."

Et l'historien anglais s'interroge :

"— L'Assyrie fut-elle la tombe d'Israël ? -Aucunement !"

D'après lui, les Dix Tribus Perdus d'Israël connurent une extraordinaire odyssée :

"En 113 av. J.-C., les Romains furent surpris par l'attaque soudaine des "Kimbri" qui envahirent le Pays de Galles. Ces "Kimbri", - les Cimbres des Romains -, ne sont autres que les Tribus d'Israël (ou, en hébreu : les "béit-Khumri", la "maison", la famille des Khumri)".

---

(1) Traduit de l'anglais par A. et H. Collin Delavaud, Ed. Payot Paris 1938.
(2) "Nature", 20 mai 1909.

D'après Forman, "... d'autres rejetons de ces Dix Tribus, les Angles, les Saxons, les Jutes, les Danes, les Normands, envahirent, à leur tour, plus tard, la Grande Bretagne, comme des essaims partent d'une ruche commune.. Et c'est ainsi que ce pays a été peuplé par des masses convergentes venues d'Israël..."

Parmi les anciens rois d'Irlande ne compte-t-on pas trois David et trois Salomon, et cela, bien avant la christianisation ?

Il existe en Angleterre et aux Etats-Unis une "British World Federation" qui groupe des centaines de milliers d'adhérents. Pour eux, il ne fait aucun doute que la Grande Bretagne fut jadis peuplée par les membres des Dix Tribus d'Israël.

Les adeptes de cette théorie sont parmi les noms et les personnages les plus considérables de Grande Bretagne : la Reine Victoria, le Roi Edouard VII, des Pairs, des hommes d'état, des généraux, des amiraux, des savants, des évêques, et une foule de particuliers...

Pour eux : — "A qui est destiné le Royaume de Pierre, mentionné dans le Livre de Daniel, qui doit devenir une grande montagne et remplir toute la terre ?"... — 'Aux Anglo-Saxons (Anglais et Américains)... car toutes ces populations sont, en fait, cet Israël, à qui tant est promis dans la Bible !"

Ils vont même jusqu'à identifier la Grande Bretagne à Ephraïm (l'une des Dix Tribus Perdues), et les Etats Unis à Manassé (autre Tribu d'Israël).

Le physicien et historien belge, Charles Lagrange (1) écrit, lui aussi :

---

(1) Charles Lagrange, auteur de : "La Bible, un miracle". (Bruxelles, 1921); "La chronologie de la Bible" (1893); "The Great Pyramid" (Burnel and C° London 1894). Il a publié aussi de nombreux mémoires de physique couronnés par l'Académie Royale de Belgique : "Démonstration élémentaire de la loi suprême de Wronski" (1886); "Développement des fonctions d'un nombre quelconque en variables indépendantes à l'aide d'autres fonctions de ces mêmes variables"; "Etude sur le système des forces du monde physique" (1892); etc...

"Nous possédons maintenant des repères géographiques et chronologiques suffisants de ce mouvement migratoire. Cela permet d'identifier aux Dix Tribus d'Israël l'un des rameaux des invasions Scythiques, celui des Goths, des Anglo-Saxons, comme en témoignent, entre autres, les mesures et les lois anglaises"....

Les Goths, Angles, Danes, Normands et Saxons ne seraient donc autres que les Dix Tribus Perdues d'Israël, devenues des "anti-Elohim".

Il est alors curieux de relever ce qui, dans cette optique, ne peut plus être une simple coïncidence : les Anglais s'attribuent eux-mêmes le nom de "British". Or, ce mot signifie, en hébreu, "l'homme de l'Alliance", "l'enfant d'Israël" (1).

L'opinion de Charles Lagrange est partagée par l'historien britannique Sharon Turner qui a longuement étudié l'origine de ce peuple, dans son ouvrage qui fait autorité : "The origins of Saxons".

Lui aussi les fait remonter "aux migrations des "Sakaï-Souna", ces Israélites disparus aux yeux de l'histoire après leur déportation par les rois d'Assyrie".

..."On peut suivre, dit-il, la remontée de ces tribus tout autour de la Mer Noire, pour déferler ensuite, entraînant dans leur marche vers l'Ouest tous les peuples gothiques dont ils sont l'élément moteur..."

L'auteur anglais Sulley note, lui aussi (2), que "les Saxons sont les descendants directs des Dix Tribus d'Israël".

Il nous faut donc bien admettre que les Dix Tribus Perdues d'Israël, après avoir nomadisé au Nord-Ouest de la Mer Noire, et atteint le Danube vers l'an 230 de notre ère,

---

(1) 'British", de l'hébreu "brit" qui signifie "alliance", et "ish" qui veut dire "homme".
(2) Sulley, "The Temple of Ezechiel's Prophecy" (Simpkin Marshall and C°, London 1921 - 4ᵉ édition 1929).

franchirent le fleuve, probablement sous la poussée des Huns, et envahirent l'Europe du Sud-Est, puis l'Empire Romain, par la Germanie, où ils furent affublés du nom de Goths.

Partagés en deux branches, Wisigoths et Ostrogoths, ils franchirent le Rhin, se répandirent en Gaule, atteignirent l'Italie en 401, mirent à sac Rome en 410.

Un des rameaux, celui des Saxons, était passé, au début du 5e siècle, des bouches de l'Elbe en Angleterre et remonta jusqu'en Irlande.

Les chroniques Irlandaises évoquent la présence près de Dublin d'un sage devin, Olam Folla, venu d'un lointain-pays. Or, "Olam", en hébreu, signifie "le temps", et "folla" en celtique "celui qui révèle". "Celui qui révèle le temps", le devin, le prophète.

Les chefs des Goths et des Saxons portaient le titre de "Juges", comme les chefs des tribus d'Israël avant la royauté.

Ne dit-on pas que la reine d'Angleterre, Elisabeth II, détiendrait un arbre généalogique qui la ferait remonter au roi Salomon ?

Si les Allemands et les Anglais revendiquent leur origine saxonne, il ne faut pas oublier que le clergé français, la noblesse et la royauté ont la même origine.

Hugues Capet, fondateur de la dynastie capétienne qui régna sur la France jusqu'à la Révolution, appartenait à la famille de Saxe.

Il fut élu roi de France, par l'Assemblée de Senlis, en 987, (présidée par l'Archevêque de Reims Adalbéron), par un collège de nobles et de moines dont la plupart étaient Saxons.

Parmi eux se trouvait notamment Gerbert le Saxon qui devait devenir Pape, en 999, sous le nom de Sylvestre II.

Dans tous ces milieux saxons, royauté, noblesse, clergé,

l'aversion envers Juda allait trouver un terrain d'élection particulièrement fertile.

Outre la haine de leurs anciens frères Juifs, les Goths léguèrent à l'Europe Médiévale quelques-unes des institutions les plus caractéristiques de la royauté : le sacre du roi et l'onction. Ces cérémonies viennent en droite ligne des rois hébreux David et Salomon et de leurs successeurs les rois d'Israël et de Juda.

Les Goths ne manquaient jamais d'évoquer leur ascendance asiatique. Mais au lieu de se dire "fils d'Israël" puisqu'ils avaient renié les Elohim, ils se contentaient de se dire "aryens", du nom de toute cette population de la Méditerranée Orientale, dont un rameau s'installa dans la vallée du Pendjab et de l'Indus (1).

Le théoricien français du racisme, Gobineau, dont les thèses sont à la source de tout l'antisémitisme européen du vingtième siècle, admet lui-même que les Aryens étaient d'origine sémitique.

Les Saxons étant les descendants des Dix Tribus Perdues d'Israël, l'historien Lagrange en déduit que les Anglo-Saxons contemporains héritent des prophéties destinées à Israël, alors que celles qui spécifient le nom de Juda visent plus particulièrement les Juifs.

Dans cette optique on comprend mieux, en effet, certaines prédictions, telles que :

"Israël deviendra une multitude de Nations". (Genèse 17, 16).

Cela s'applique fort bien à l'Empire britannique qui, avec le Commonwealth, a groupé longtemps de nombreux pays unis par une commune allégeance à la Couronne.

Cette autre encore :

"Israël aura l'empire des mers." (Psaumes 89, 26)

_____

(1) De là vient le nom d'Iran pour la Perse.

qui paraît s'appliquer, en effet, à l'Angleterre des 18e, 19e et moitié du 20e siècles.

D'une origine identique à celle des Anglais, les Allemands ont voulu revendiquer ces prophéties à leur profit. Le kaiser Guillaume II disait déjà :

"L'avenir de l'Allemagne est sur l'eau".

Le même Guillaume II, qui était apparenté à la famille royale d'Angleterre, se reconnaissait arrière petit-fils du Roi David l'Hébreu "et, - tout comme Hitler -, croyait être l'élu qui allait ouvrir les portes du millenium" (1).

Hitler était très au courant de ce système d'idées. Il s'affilia très tôt à la secte satanique de "Thulé Gesellschaft". Basée sur la légende de Thulé et la tradition nordique d'Hyperborée, cette société secrète attend l'arrivée du "nouveau messie des Aryens" dont chaque adhérent doit tout faire pour faciliter la venue.

Hitler s'identifia aussitôt à ce nouveau messie tant attendu. Pour lui le peuple hébreu a bien été "le peuple élu" qui doit un jour, sous la conduite de son nouveau messie, s'égaler aux dieux.

Mais le peuple hébreu s'est scindé en deux rameaux antagonistes Israël et Juda. Et il ne peut y avoir deux peuples élus. Le seul qui doit compter c'est Israël, l'ancêtre des Goths et des Saxons, les Aryens. Israël qui est entré en rébellion contre les Elohim, les Célestes, les Supraterrestres. Les héritiers d'Israël sont les Saxons qui ont abandonné l'alliance et la circoncision, très décidés à faire échouer le grand dessein des Elohim qu'ils connaissent bien.

Hitler n'aura que mépris pour l'autre branche, celle de Juda, qui s'est inclinée après chaque épreuve que les Elohim lui ont infligée : déportation à Babylone, sévices des Grecs puis des Romains, dispersion à travers le monde.

_____

(1) Jean Groffier, op. cité.

Pour lui, Juda a été trop veule, trop lâche vis-à-vis des Elohim. Au lieu de se révolter, comme l'avaient fait les tribus perdues d'Israël, Juda s'est abâtardi.

Et la religion chrétienne, fille de celle de Juda, ne vaut, à ses yeux, guère mieux.

Par contre, Israël, en rébellion ouverte et impunie contre les Elohim, lui convient parfaitement. Il va en être le parangon et restaurera, en plein vingtième siècle, les cultes païens des Saxons du Moyen Age.

Tout comme les Dix Tribus Perdues d'Israël il entrera, lui aussi, en rébellion contre les Elohim et fera tout pour empêcher la réalisation de leur grand dessein.

Il se veut plus et mieux que l'antéchrist. Il veut être l'ante-Elohim. Et en déclarant ouvertement la guerre aux Célestes, il se veut l'égal des "dieux".

Pour mener avec chance de succès son combat contre les Célestes, il lui faudra d'abord faire disparaître de la surface de la terre les "alliés" des Elohim, les Juifs.

Il s'y emploiera, dès sa prise du pouvoir, méthodiquement, avec une constance, un fanatisme, une férocité froide, que l'on comprend mieux avec cet éclairage.

CHAPITRE XV

"L'AN PROCHAIN
A JERUSALEM"
OU
LA CLE DE L'ESPOIR

— "Si je t'oublie, Jérusalem,
Que ma droite se dessèche".
(Psaume 137, 5)

Après la prise de Massada, en 73 de notre ère, les Romains avaient cru en avoir fini, enfin, avec les Juifs.

Mais on ne peut, même lorsqu'on est Rome, expulser tous les habitants attachés à leur terre dans un pays vaincu.

Soixante ans plus tard, une nouvelle révolte des Juifs éclate en Judée. A sa tête se trouvait Bar Kokhba. Ce fut un échec sanglant. La répression des Romains fut telle que la Judée, cette fois, se vida de presque tous ses habitants qui se dispersèrent dans tout l'Occident (1).

Cet exode entraîna la création de communautés juives un peu partout. Et cette création fut facilitée par le fait que les Juifs étaient citoyens romains, contrairement aux autres peuples conquis.

On sait les privilèges attachés dans l'Empire Romain à cette qualité. C'était là le dernier vestige de l'alliance autrefois passée entre Rome - qui faisait ses premiers pas sur la scène internationale -, et Judas Maccabée.

---

(1) En l'an 135 de notre ère.

Le formalisme juridique des Romains était tel que les violentes et sanglantes révoltes de Jérusalem et de la Judée n'avaient rien changé à cette situation privilégiée des Juifs.

C'est après la christianisation de l'Empire, deux cents ans plus tard, que le sort des Juifs allait petit à petit changer.

C'est à partir de là qu'ils furent accusés d'être responsables de la Passion du Christ. Ils devinrent alors, peu à peu, comme des "gens à part". Ce n'est pas eux qui cherchaient à s'exclure de la communauté nationale. Ce sont les crimes dont le clergé catholique les chargeait d'année en année, qui firent d'eux des parias, des intouchables.

Certes, on les laissait vivre et même pratiquer leur culte puisqu'ils adoraient le même Dieu que les Chrétiens.

Mais, par petites touches successives, longuement étalées dans le temps, leurs libertés furent progressivement rognées jusqu'à les amener à un véritable servage.

Alors qu'ils avaient toujours fait preuve de qualités militaires brillantes, alors que leur dignité de citoyens romains leur permettait d'accéder aux plus hauts grades de l'armée, on commença par interdire aux Juifs toute fonction militaire.

Alors que chacun portait l'épée au baudrier ou le poignard à la ceinture, les Juifs, et eux seuls, furent un beau jour interdits de port d'armes.

Puis les fonctions civiles importantes qui auraient pu placer un Chrétien en position d'infériorité vis-à-vis d'un Juif leur furent fermées.

Ils ne purent plus être juges, médecins, collecteurs d'impôts...

Puis, il leur fut fait défense de paraître en public pendant les Fêtes de Pâques.

Dès l'an 800, la semaine Sainte devint prétexte aux persécutions physiques des Juifs.

Et pas seulement du fait de la populace inconsciente. La noblesse et le clergé, qu'on aurait cru plus avertis, y participaient joyeusement.

Les vieilles chroniques racontent qu'à Toulouse, chaque Vendredi Saint, le Chef de la Communauté Juive, généralement un grand vieillard, était tenu de se présenter devant le Comte pour y recevoir un soufflet magistral qui était censé venger la mort du Christ.

C'était pire encore à Béziers. Dans son sermon, l'évêque lui-même, sans doute par pure charité chrétienne, exhortait ses ouailles à envahir, ce jour-là, le quartier Juif et à en lapider les habitants.

Ce n'est qu'après quatre siècles d'application de ces étranges coutumes que le Comte de Toulouse et l'Evêque de Béziers eurent la bonté de renoncer, au XIIᵉ siècle, à ces usages barbares.

Et, comme l'un et l'autre étaient loin d'être totalement désintéressés, Comte et Evêque exigèrent en contre-partie le versement annuel d'une importante rente par la communauté juive.

C'était en quelque sorte le paiement du sang du Christ. Tout comme Judas !

Et chaque fois que quelque chose allait mal dans le Royaume de France, sécheresse, famine, invasion, disette, le responsable n'était pas loin et le Juif était là pour porter tous les péchés du monde chrétien.

Le Roi de France, Robert II, fils et successeur d'Hugues Capet (1), n'y alla pas par quatre chemins et décida de convertir tous les Juifs de son royaume par la force.

Les récalcitrants, et ils furent nombreux, furent massacrés. D'autres s'enfuirent pour revenir une fois la tempête apaisée.

Vers 1160, commença à se répandre en Europe, contre les Juifs, l'accusation de "crime rituel", alors que les sacrifi-

(1) Robert II, dit "le Pieux", 970-1031.

ces humains n'ont jamais existé dans la religion juive, aussi loin qu'on en remonte le cours deux mille ans avant Jésus-Christ.

Qu'à cela ne tienne ! Ce sera prétexte à de nouveaux massacres.

En 1215, le Concile de Latran fit obligation aux Juifs de porter sur leur vêtement un insigne spécial : la rouelle. Ils seront ainsi désignés aux crachats de la populace dans tous les pays d'Europe où ils vivront.

Puis, leur liberté de mouvement fut limitée et les seigneurs se donnèrent le droit d'échanger ou de vendre leurs Juifs, comme cela se faisait des esclaves dans l'Antiquité.

Chacune des huit Croisades fut prétexte à de nouvelles tueries de Juifs. Avant de partir guerroyer en Terre Sainte, les Croisés de tous les pays de la Chrétienté se faisaient d'abord la main sur leurs Juifs. Il n'y avait guère de risque, c'était un gibier sans défense.

Lors de la première croisade, en 1096, les Chevaliers Teutoniques se rendirent célèbres dans toute la Chrétienté en massacrant les communautés juives de la vallée du Rhin lors de leur traversée du pays.

Pour ne pas être en reste, Richard Cœur de Lion, partant pour la 3ᵉ Croisade à la tête des Anglais, commença par massacrer tous les Juifs de sa bonne ville d'York (1).

Il en avait été de même lors de la Croisade dirigée contre les Musulmans d'Espagne (2). Avant d'affronter les guerriers arabes, les vaillants Croisés trucidèrent tous les Juifs inoffensifs qui se trouvaient sur leur route.

Et la Croisade contre les Albigeois n'épargna pas les Juifs du Sud-Ouest (3).

---

(1) En 1189.
(2) En 1063.
(3) La Croisade contre les Albigeois, ou Cathares, fut lancée par le Pape Innocent III, en 1209. Les Croisés, commandés par une sombre brute, Simon IV, Sire de Montfort, saccagèrent Béziers, Carcassonne. Et tout le Sud-Ouest de la France fut mis à feu et à sang pendant plus de vingt ans, avec le concours actif du Roi de France Louis VIII.

Quand on songe à tous ces massacres, on se demande pourquoi la chrétienté n'a pas tué tous ses Juifs !

Il y eut à cela trois raisons :

— la première fut que le clergé catholique n'était pas mécontent de laisser subsister, à la vue de ses propres fidèles, une minorité de Juifs, que l'on faisait tout pour avilir. Leur déchéance était la marque de ce qui pouvait arriver à ceux qui ne respecteraient pas suffisamment la religion chrétienne !

— La seconde raison était que l'on avait besoin d'eux. En présence d'une masse paysanne illettrée et amorphe, d'une bourgeoisie naissante, encore peu rodée au grand négoce et dénuée d'esprit d'initiative, d'une noblesse pour laquelle se livrer à la moindre activité eût été déchoir, les Juifs - à qui toute autre profession était interdite - se révélèrent des marchands et des banquiers hors de pair. Dès l'an 800, les Juifs apparaissaient, dans cette vie économique qui recommençait à se développer, comme les techniciens indispensables aux échanges, tant nationaux qu'internationaux.

La variété des monnaies, non seulement de pays à pays mais à l'intérieur d'une même nation, compliquait les problèmes de change. Le poids des monnaies, dans une économie qui ne connaissait encore ni le chèque ni le billet de banque, rendait presque insoluble le problème des transports de fonds, avec les risques de brigandage sur des routes peu sûres.

Les communautés juives, répandues dans tout l'Orient et dans toute l'Europe, reliées entre elles par des liens familiaux ou d'amitié, allaient s'affirmer très tôt comme les meilleurs intermédiaires pour le négoce national et international.

Les Juifs avaient de l'esprit d'initiative; ils étaient habitués, par leur constante errance, aux voyages lointains; ils étaient assurés de trouver après une longue étape le gîte et le couvert auprès de coreligionnaires étrangers; ils étaient instruits et parlaient plusieurs langues. Autant d'atouts qui manquaient pour la plupart encore à leurs concurrents.

Et pour éviter de se faire dévaliser en chemin, les Juifs ne s'encombrèrent plus de numéraires et inventèrent la lettre de change et la "compensation bancaire". Entre vendeur et acheteur une confiance parfaite régnait et seul le solde créancier après une période donnée faisait l'objet de transfert de fonds.

— La troisième raison tient probablement aux Elohim. Ils avaient, certes, laissé aux hommes leur libre-arbitre, ils n'intervenaient pas d'une manière constante dans les événements, ils n'empêchaient pas que les Juifs soient persécutés, mais ils tenaient à ce que toujours subsiste "un reste", pour la suite.

Pour les Chrétiens, tant qu'à laisser subsister des Juifs, autant en tirer le plus de profit qu'il était possible. Et les Juifs allaient être pour les rois, pour les seigneurs, pour les évêques, une source importante de revenus.

Le Juif ne pouvait obtenir la moindre reconnaissance de son droit sans être astreint à payer une forte somme d'argent. Et s'il voulait éviter les sévices corporels il lui fallait solliciter la "protection" des Grands, qui ne la lui accordaient que moyennant finance. Un vrai "racket" comme on le voit, qui ne faisait pas peur à ces bons chrétiens.

Pour un marchand ou pour un banquier juif, faire crédit à un chrétien éait une opération pleine de risques. C'est ainsi par exemple que les Rois de France, partant pour la Croisade, encourageaient les vocations hésitantes en faisant proclamer : "Quiconque s'engagera pour délivrer Jérusalem se verra remettre la dette qu'il doit à un Juif".

Chaque fois que les Rois de France eurent de pressants besoins d'argent la persécution contre les Juifs revêtit un caractère d'acuité inégalée.

Il en alla de même en Allemagne, en Hollande, en Angleterre.

Philippe Auguste, en 1181, fit jeter en prison tous les Juifs du royaume. Pour se libérer les prisonniers durent offrir à leur bon roi tout l'or, tout l'argent et toutes les étoffes précieuses qu'ils possédaient.

Le roi décida même d'abroger toute créance d'un Juif sur un Chrétien pourvu que le débiteur verse au Trésor Royal 25% de sa dette.

Comme les Juifs, après cela, ne possédaient plus rien, ils avaient perdu toute utilité économique aux yeux du roi. Il les expulsa donc du royaume et confisqua, à son profit, les maisons qu'ils abandonnaient.

Les Juifs trouvèrent refuge hors du domaine royal, en Champagne, en Bourgogne, dans le Nivernais.

Ces provinces connurent alors une telle prospérité qu'en 1198 Philippe Auguste rappela ses Juifs.

Philippe IV, dit Philippe le Bel, ne retint pas la leçon. Il expulsa les Juifs du royaume en 1306 et confisqua tous leurs biens.

Plus de cent mille Juifs quittèrent alors la France. L'économie s'en ressentit si vivement que son fils Louis X, dit Louis le Hutin, les rappela neuf ans plus tard.

Mais Charles VI, dit Charles le Bien-Aimé, dont la folie était patente dès 1392, signa en 1394 l'édit d'expulsion générale de tous les Juifs du royaume.

Les Rois Très Catholiques d'Espagne suivirent l'exemple des rois de France, dès qu'ils eurent libéré la péninsule de la puissance arabe. Les Juifs d'Espagne, qui constituaient une élite par leur savoir parmi leurs congénères, vinrent s'installer en Afrique du Nord, pour partie.

Devant tous les malheurs qui s'abattaient sur eux, les Juifs reprirent la vieille habitude de leurs ancêtres, lors de leur déportation à Babylone : à leur grande fête annuelle, en guise d'heureux souhaits, on entendit à nouveau la phrase qui devait bercer leur espoir millénaire : "l'An Prochain à Jérusalem !"

Pour réparer les destructions de la Guerre de Cent Ans qui avait anéanti son économie, la ville de Bordeaux invita les Juifs espagnols expulsés, à s'y établir. D'autres villes du Sud-Ouest, notamment Bayonne, firent de même.

Dès la découverte des Amériques les Juifs ajoutèrent à leur traditionnel commerce avec l'Orient pour les épices, le commerce maritime au long cours.

Et la plupart des villes de France furent heureuses de voir de petites communautés juives se réinstaller chez elles. Lyon, Marseille, Paris suivirent l'exemple de Bordeaux.

L'Edit Royal d'expulsion, sans être jamais abrogé, tomba en désuétude.

En 1552, le Duché de Lorraine fut amputé au profit de la France des Trois Evêchés. Pour assurer la nourriture des troupes françaises et la remonte de la cavalerie les militaires firent appel à des commerçants Juifs qu'ils autorisèrent à s'installer à Metz, "le commerce local étant dans l'incapacité d'y pourvoir".

Deux cents ans plus tard, Turgot, Contrôleur Général des Finances, en inspection à Metz leur rendait hommage en ces termes : "Ils savent, mieux qu'aucun marchand, la valeur des différentes monnaies entre elles. Le crédit de leurs banquiers est grand à l'étranger, en Hollande, en Allemagne, ce qui facilite le ravitaillement des troupes. Connaissant mieux les conditions du marché, étant plus mobiles et vendant moins cher que leurs concurrents chrétiens, ils sont d'une grande utilité." (1).

Les Ducs de Lorraine, désireux d'avoir eux aussi leurs banquiers Juifs, facilitèrent l'installation de communautés juives sur leurs terres.

---

(1) Rapport de Turgot, Contrôleur Général des Finances, au Roi, en 1774.

Quelques années plus tard, la jeune Amérique était la première de tous les pays du monde à émanciper ses Juifs (1). Sa constitution reconnaissait comme égaux en droits et en devoirs tous les habitants du pays quelle que fût leur confession.

En France le long travail des encyclopédistes faisait son œuvre. Non pas que les encyclopédistes se soient beaucoup préoccupés des Juifs. Ils s'en étaient, à part Rousseau (2) fort peu souciés. Mais leurs ouvrages ouvrirent l'esprit de leurs contemporains.

Et la France, la première en Europe, reconnut que les Juifs étaient des êtres humains égaux à leurs autres concitoyens.

L'Assemblée Nationale, en septembre 1791, affranchissait les Juifs, leur assurait l'égalité fiscale avec les autres Français et plaçait leurs personnes et leurs biens sous la protection de la loi, les soustrayant ainsi à l'arbitraire des autorités.

Napoléon fit marche arrière en 1800 et les Juifs furent à nouveau l'objet de mesures discriminatoires.

En 1815, Louis XVIII les émancipait définitivement.

En dehors des traditionnelles vexations et humiliations,

---

(1) En 1783.

(2) "Connaissez-vous beaucoup de Chrétiens qui aient pris la peine d'examiner avec soin ce que le Judaïsme allègue contre eux ?... Si quelqu'un osait parmi nous publier des livres où l'on favoriserait ouvertement le Judaïsme, nous punirions l'auteur, l'éditeur, le libraire. Cette police est commode et sûre pour avoir toujours raison. Ceux d'entre nous qui sont à portée de converser avec des Juifs ne sont guère plus avancés. Les malheureux se savent à notre discrétion, la tyrannie qu'on exerce envers eux les rend craintifs. Ils savent combien peu l'injustice et la cruauté coûtent à la charité chrétienne... En Sorbonne, il est clair comme le jour que les prédictions du Messie se rapportent à Jésus-Christ. Chez les Rabbins d'Amsterdam il est aussi clair qu'elles n'y ont pas le moindre rapport. Je ne croirai jamais avoir bien entendu les raisons des Juifs, qu'ils n'aient un Etat libre, des écoles, des universités, où ils puissent parler et disputer sans risque. Alors seulement nous pourrons savoir ce qu'ils ont à dire. A Constantinople les Turcs disent leur raison, mais nous n'osons dire les nôtres; là, c'est notre tour de ramper. Si les Turcs exigent de nous pour Mahomet, auquel nous ne croyons point, le même respect que nous exigeons pour Jésus-Christ des Juifs qui n'y croient pas davantage, les Turcs ont-ils tort ?" (Emile, Livre IV, §§ 1455 à 1490, J.-J. Rousseau).

dues aux réminiscences dans la masse française comme dans les élites de l'enseignement chrétien de leur jeunesse, les Juifs français n'eurent plus, dès lors, à souffrir dans leur personne ni dans leurs biens.

Il n'en était pas de même dans le reste de l'Europe, et notamment en Russie où les Juifs étaient en butte à toutes les exactions et où le pogrom fut une véritable institution d'Etat jusqu'à la chute du tsarisme.

En Allemagne, en Autriche, de nombreux pamphlétaires, dès 1870, proclamaient la supériorité de la race aryenne et définissaient les Juifs, les Nègres, les Jaunes, les Arabes, comme des races inférieures, tout justes bonnes à servir la race des "seigneurs".

Les Nègres, les Jaunes, les Arabes étaient loin, fort heureusement pour eux. Mais les Juifs étaient sur place et toute cette haine, ce mépris, accumulés, les frappaient de plein fouet.

Ces campagnes ne pouvaient manquer d'avoir un écho en France. Une publication d'Edouard Drumont, "La France juive", parut en 1886. Elle connut un certain succès qui encouragea Drumont à poursuivre sa propagande. Il publia, en 1892, un journal, "la libre parole", où les Juifs en vue étaient violemment pris à partie.

Cette propagande imprégna d'un antisémitisme, plus ou moins avoué, plus ou moins virulent, de nombreux milieux, la haute administration, la magistrature, mais surtout la hiérarchie militaire.

Il faut certainement y voir l'origine de "l'affaire Dreyfus" qui éclata en 1894, et qui coupa littéralement la France en deux, sous le regard amusé de l'ennemi héréditaire de l'époque, l'Allemagne du Kaiser.

CHAPITRE XVI

UNE NOUVELLE TENTATIVE D'UNIVERSALISME JUIF

OU
LA CLE DU MYSTERE DES TEMPLIERS

...*"Et David prépara un lieu pour l'arche d'Elohim".*
(I Chroniques 15, 1).

Les Croisés s'étaient emparés, en 1099, de Jérusalem, et un royaume chrétien y avait été créé sous l'autorité de Godefroy de Bouillon (1).

Vingt ans plus tard, deux nobles français vinrent en Terre Sainte, du temps que Beaudoin II était le roi franc de Jérusalem (2).

Les deux chevaliers, en se présentant à lui, informèrent le roi de leur désir de créer une milice de moines-soldats qui se consacrerait à la défense des routes menant à Jérusalem.

Sept autres chevaliers devaient se joindre, peu après, à eux (3) et les fondateurs de l'Ordre s'arrêtèrent ainsi au chiffre de neuf (4).

---

(1) C'est la deuxième vague de la Première Croisade, celle des Chevaliers, qui s'empara de Jérusalem le 15 juillet 1099. La première vague composée de manants fut anéantie par les Turcs et n'arriva jamais en Terre Sainte.
(2) Les deux nobles français, parvenus à Jérusalem en 1118, étaient : Hugues de Payns et Geoffroy de Saint-Omer.
(3) Les sept chevaliers qui se joignirent à eux étaient : André de Montbard, Gondemare, Godefroy, Roral, Payen de Montdésir, Geoffroy Bisol et Archambaud de Saint-Agnan.
(4) Le chiffre 9 est un chiffre kabbalistique.

Beaudoin logea aussitôt les neuf chevaliers dans son palais et leur affecta toute l'aile bâtie sur l'emplacement même du Temple de Salomon.

On les appela donc les Chevaliers du Temple, ou Templiers, et le Concile de Troyes (1) fixa les règles religieuses de l'Ordre.

C'est tout au moins ce que nous dit l'histoire officielle de l'origine des Templiers.

Mais la réalité ne dut pas être aussi simple.

Que le roi Beaudoin ait reçu à Jérusalem les deux chevaliers venant d'Europe n'a rien d'extraordinaire. Mais devant leur désir de défendre les routes entre Jaffa, le port de débarquement des pèlerins, et Jérusalem, la Ville Sainte, la logique aurait voulu qu'il les dirigeât aussitôt sur l'Ordre Hospitalier de Saint Jean de Jérusalem qui existait déjà, et dont c'était précisément la mission.

Or, non seulement le roi n'en fit rien, mais il les hébergea aussitôt sous son propre toit, leur céda toute une aile de son palais. Et, cependant, les pèlerins de haute naissance ne manquaient pas à Jérusalem. S'il avait fallu les héberger tous avec autant de sollicitude !

Mieux encore, l'aile de son palais que le roi cédait à ses étranges visiteurs était, par un bien curieux hasard, celle située sur l'emplacement même du Temple de Salomon.

Tout cela devient enfin plus curieux lorsqu'on sait que peu de temps après le roi Beaudoin emménagea dans la vieille citadelle, abandonnant tout son palais aux seuls chevaliers.

Ceux-ci ne sont toujours que neuf, bien mince troupe pour garder les routes de Jérusalem menacées de tous côtés par les farouches guerriers musulmans et infestées de bandits de grand chemin de toutes nationalités et de toutes croyances.

_____

(1) Le Concile de Troyes est de 1128.

Et durant neuf ans (1) ils ne procédèrent à aucun recrutement.

Il est bien évident que la protection des pélerins sur les routes menant de Jaffa à Jérusalem n'était qu'une façade pour cacher une autre activité.

Qu'étaient donc venus faire à Jérusalem ces neuf chevaliers ?

Qui les avait envoyés ?

Et pour quelle mission ?

Seul le Pape pouvait avoir, à l'époque, dans toute la Chrétienté, assez d'autorité pour envoyer une mission de neuf chevaliers à Jérusalem, la faire recevoir par le roi Franc, faire allouer par le monarque à cette petite troupe toute une aile du palais royal, puis tout le palais, pour lui permettre d'y entreprendre certaines recherches.

Car ces neuf chevaliers ne sont pas restés neuf ans inactifs !

Et lorsque l'on sait que le palais est situé sur l'emplacement du Temple de Salomon, on ne peut s'empêcher de penser qu'ils sont venus pour y entreprendre des fouilles.

Dans quel but ?

N'est-ce pas pour retrouver "l'arche d'alliance" pour laquelle Salomon a bâti le Temple et dont la Bible ne parle plus sitôt que Salomon est mort ? Ne l'a-t-il pas enfouie dans les soubassements du Temple dans la certitude qu'il avait (et qui s'est d'ailleurs réalisée) qu'à sa mort la discorde régnerait entre les Hébreux ?

Et cette "arche d'Alliance" qui, depuis Moïse jusqu'à Salomon, accompagne les Hébreux, n'est plus mentionnée dans l'histoire des deux royaumes qui succèdent au bâtisseur du Temple.

_____

(1) Encore le chiffre "neuf" fatidique.

Elle n'est plus invoquée. Ni à Samarie, ni à Jérusalem. Malgré les malheurs qui accablent l'une, puis l'autre.

Et c'était par l'arche d'alliance que les Hébreux communiquaient avec les Elohim, les Supraterrestres, les "Dieux" (1).

"Elohim dit à Moïse : — "Fais-moi un sanctuaire que je puisse résider parmi eux (les Hébreux). Tu feras une arche en bois d'acacia.... Tu la revêtiras d'or pur... C'est là que je te donnerai rendez-vous... que je te communiquerai tous mes ordres pour les enfants d'Israël..." (Exode 25, 8 à 22).

Et, depuis lors, les communications entre Elohim, les Supraterrestres, et les Hébreux furent constantes de Moïse (— 1230 av. J.-C.) jusqu'à Salomon (— 930), c'est-à-dire pendant très exactement trois siècles.

Quand le peuple hébreu campait, l'arche était abritée sous une tente à elle, à l'entrée du camp. Quand la troupe était en marche, l'arche était portée à bras d'hommes en tête des Hébreux. Jusqu'à ce que Salomon lui ait bâti le Temple pour l'abriter.

Or l'arche d'alliance ne figure pas dans le butin de Nabuchodonosor, le Babylonien, lorsqu'il s'empara de Jérusalem et détruisit le Temple, en — 587, ni dans celui de Titus, le Romain, quand il rasa Jérusalem, mit le feu au Temple, en 70 de notre ère.

Pour moi, retrouver l'arche d'alliance disparue, et, par elle, le moyen de renouer le dialogue avec les Elohim, les Célestes, les "Dieux", semble bien avoir été la mission confiée par le Pape aux Templiers.

Que ce soit le Pape, lui-même, qui ait confié aux Templiers cette mission, fait mieux comprendre l'acharnement mis par le roi de France Philippe le Bel à faire désavouer

_____

(1) Cf. chap. 13 "La Bible et les Extraterrestres".

par un autre Pape, deux cents ans plus tard, l'Ordre des Templiers.

Les neuf chevaliers ont-ils réussi dans leur mission ? Les fouilles auxquelles ils se sont livrés dans les ruines du Temple de Salomon (1) leur ont-elles permis de découvrir l'arche d'alliance et, grâce à elle, de retrouver le secret perdu des contacts avec les Elohim ?

Rien ne l'indique de façon formelle. Et c'est bien naturel. Car une mission de cette nature et ses résultats sont "secrets d'Etat", et les archives du Vatican ne sont pas accessibles aux humbles mortels. Mais toute l'histoire des Templiers, jusqu'à leur fin tragique sans qu'ils aient opposé la moindre résistance, permet d'y répondre par l'affirmative.

N'est-ce pas pour les récompenser de leur réussite et leur permettre de poursuivre leur mission que le Concile de Troyes, dix ans exactement après leur arrivée à Jérusalem, reconnaissait l'Ordre des Templiers, en 1128 ?

Les nobles croisés postulèrent alors par milliers pour se joindre à eux. Pour être admis par les "chevaliers" il suffisait d'être de noble naissance et de faire vœu de pauvreté, on ne réclamait des "sergents" que d'être courageux.

L'Ordre constitua ainsi une sorte de "légion étrangère" où se réfugièrent des excommuniés, des soldats perdus, des serfs en rupture de vasselage, des amoureux de l'aventure.

Un Grand Maître, élu à vie, présidait aux destinées de l'Ordre. Mais le Temple était composé de deux catégories de membres :

— les vaillants guerriers, religieux et pieux, qui obéissaient sans discuter aux ordres reçus. Ils étaient pour la plupart peu instruits,

---

(1) On leur doit, sans aucun doute, le déblaiement et la mise à jour des immenses écuries de Salomon qui firent l'admiration des Croisés et que la destruction du Temple par Titus, fils de Vespasien, en 70, avait totalement obstruées.

— Et, à côté d'eux, des "initiés", formant une élite peu nombreuse, détentrice du "secret", et de très haute valeur intellectuelle. Il est permis de douter qu'ils fussent tous chrétiens (1).

Parallèlement à la hiérarchie connue de tous existait une hiérarchie secrète, régie par des initiations successives et il est certain que les chefs apparents n'étaient pas les véritables maîtres de l'Ordre, cela permit des connivences au sommet entre Chrétiens et Juifs qui ne pouvaient qu'échapper au petit peuple.

Le Temple qui recevait dons et legs de tous les Chrétiens soucieux d'assurer leur entrée au paradis accumula très vite de grandes richesses.

Des Commanderies furent créées dans toute l'Europe. Rien qu'en France il y en eut plus de dix mille. Judicieusement établies, jamais à plus d'une journée de marche l'une de l'autre, elles assuraient la sécurité des routes et "faisaient une véritable police sur les grandes voies du commerce" (2)

Si l'on se souvient que le commerce à l'époque était assuré presque en totalité par les Juifs on saisit mieux la corrélation entre l'activité des Templiers et celle de la "diaspora".

Comme les Commanderies de l'Ordre étaient bien gardées, rois, seigneurs et monastères prirent l'habitude de confier aux Templiers leurs biens les plus précieux.

Et, pour ne pas laisser leurs propres richesses inemployées, les Templiers devinrent industriels, gros propriétaires fonciers. Ils avaient des manufactures, des forges, des mines, des ateliers dans toute l'Europe.

---

(1) "Au grand Maître, on demandait du courage, de la force, et probablement quelques connaissances concernant la stratégie. Certains Grands Maîtres - dont le dernier, Jacques de Molay - ne surent ni lire ni écrire..." (Gérard Serbanesco, "Histoire de l'Ordre des Templiers", Ed. Byblos 1970).

(2) "L'Ordre des Templiers", de John Carpentier.

Ce sont les Juifs, déjà rompus aux pratiques difficiles alors du négoce international en raison des distances considérables qui séparaient vendeur et acheteur, qui enseignèrent aux Templiers l'usage de la lettre de change et la compensation privée qui évite le périlleux envoi de chariots chargés d'or, guettés par les bandits, et soumis aux convoitises des seigneurs pillards de tous les pays traversés par le convoi.

L'historien Prost Biraben estime que le Temple n'accumulait tant de richesses que pour bouleverser la société du Moyen Age et imposer un ordre nouveau dont les "initiés" auraient été les maîtres, tandis qu'une paix perpétuelle aurait régné sur le monde.

En contact avec l'élite spirituelle des Juifs de l'époque, très certainement inspirée par elle, les Templiers "respectueux de la tradition", désiraient pour l'humanité le progrès social et moral.

Ils souhaitaient établir - au besoin par la force -, une confédération de tous les Etats, qu'ils soient Chrétiens, Juifs ou Musulmans. Ils souhaitaient abolir l'hérédité dans les monarchies. Ils avaient inventé et fait accepter par le roi de France le principe des Etats Généraux, principe opposé à la monarchie absolue.

Leur universalisme, fortement imprégné de Judaïsme, ne pouvait que heurter les nationalismes et leurs bénéficiaires : rois, papauté, noblesse, clergé.

Ils aspiraient à représenter, dans ce siècle de brutalité, la Lumière et l'Esprit. Ils furent détruits par les "fils des Ténèbres" et les adorateurs de "la matière".

Le nationalisme naissant, qui faisait son apparition en France, en Espagne, en Angleterre, ne pouvait s'accommoder du pacifisme internationaliste des Templiers.

Ces derniers étaient les pionniers de la Paix Universelle et de la fraternité entre les hommes de toutes confessions.

La féodalité, brutale, arrogante, égoïste, ne pouvait accepter de pareilles thèses sans renier ce qui faisait son fondement même : la force et la violence.

Inspirée par les Juifs, la conception universaliste des Templiers les avait amenés à de fréquents contacts avec les Musulmans. Ils n'avaient plus aucune haine contre eux, mais au contraire de la compréhension et de l'estime.

Ils s'étaient convertis à ce que l'on a appelé le "christianisme johanique", foi inspirée par Saint Jean, en opposition avec la doctrine des successeurs de Saint Pierre. Et ils sont certainement à l'origine des croyances cathares des Albigeois.

Toute la "symbolique" de l'Ordre des Templiers est une "symbolique hébraïque".

Leur nom, d'abord, évoque Salomon et son Temple, Salomon, le fils de David, les deux grands rois initiés d'Israël.

Ensuite, le nombre de neuf auquel s'arrêtèrent les fondateurs de l'Ordre.

Le Temple utilisait, pour ses correspondances confidentielles, certains symboles tirés du sceau de Salomon, et un alphabet secret, les lettres étant réparties autour d'une figure géométrique en triangle évoquant l'étoile de David.

Les idées mêmes dont les Templiers se firent les propagandistes - paix universelle -, réunion des deux religions filles, la chrétienne et la musulmane, dans le giron de la religion-mère la Juive - réunion en une seule nation de tous les états quelle que soit leur confession -, suppression des royautés héréditaires -, tous ces principes sont ceux-là même de l'universalisme Juif.

Par un retour assez cruel de symbolisme, les Elohim mirent fin à la mission qu'ils avaient confiée aux Templiers au moment même où était parvenu à leur tête leur vingt deuxième Grand Maître (1).

L'alphabet hébreu dont les consonnes-lettres sont en même temps des chiffres, comporte vingt-deux lettres, et la vingt-deuxième "tav" a toujours été synonyme "de la fin" (2).

Orgueilleux et riches, les Templiers étaient haïs du petit peuple et jalousés des seigneurs. De surcroît, dans cette société fortement hiérarchisée du Moyen Age, où le serment de vassalité liait toute la pyramide sociale du vassal au suzerain pour remonter ainsi jusqu'au roi, les Templiers étaient les seuls à ne dépendre de personne, que de leur Grand Maître, qui ne dépendait lui-même que du Pape.

Ils n'étaient justiciables ni de la justice des Seigneurs, ni de celle du Roi. Ils ne payaient ni impôt, ni redevance.

L'Ordre du Temple constituait véritablement un Etat dans les Etats et cela devait entraîner sa perte.

Sans doute celle-ci était-elle inscrite au grand livre de l'Histoire, mais un incident la précipita.

Une émeute ayant éclaté à Paris (3), le roi Philippe le Bel ne put échapper aux insurgés qu'en cherchant refuge chez les Templiers. Ceux-ci, généreusement, l'hébergèrent et le protégèrent.

Le roi, loin de leur témoigner quelque reconnaissance, ne leur pardonna pas ce qu'il considéra comme une humiliation pour lui.

---

(1) Les vingt-deux Grands Maîtres furent : Hugues de Payns, Robert le Bourguignon, Evrard des Barres, Bernard de Tromelay, Bertrand de Blanquefort, Philippe de Naplouse, Odon de Saint Amand, Arnaud de Tarage, Terrie (ou Thierry, ou Terrence), Gérard de Riderford, Robert de Sablé, Gérard Horal, Philippe de Plessiez, Armand de Périgord, Guillaume de Tonnac, Renaud de Vichiers, Thomas Béraut, Guichard de Beaujeu, le moine Gaudin et, le dernier, Jacques de Molay.

(2) Dans son livre sur "Les Templiers", René Gilles observe : "Vingt-deux est le nombre sacré, celui des lettres de l'alphabet hébreu et des arcanes majeurs du Tarot initiatique. Si l'on étudie le sens hermétique de 22, il est permis de penser que les Puissances Supérieures abandonnèrent le Temple lorsque la mission qui lui avait été dévolue fut accomplie"

(3) En 1306.

Sur les conseils du rusé et fourbe Guillaume de Nogaret, Philippe le Bel, quelques mois à peine après, décidait de faire arrêter tous les Templiers du royaume, pour s'emparer de leurs biens et mettre un terme à leur activité qui menaçait les fondements de la société féodale de l'époque.

Et, dans la nuit du 12 au 13 octobre 1307, un vaste coup de filet policier - un modèle dans le genre -, permettait l'incarcération de la totalité des membres de l'Ordre (1).

Personne n'a jamais pu expliquer comment ni pourquoi les Chevaliers ne se sont pas défendus et n'ont opposé aucune résistance aux archers du roi.

Ce fut comme s'ils avaient obéi à un ordre de "Puissances Supérieures" qui, s'apercevant de l'impossibilité pour les Templiers d'accomplir la mission qu'Elles leur avaient confiée, avaient brusquement décidé d'y mettre un terme.

Ils étaient plus nombreux cavaliers, mieux armés et aguerris que la troupe du roi et ils ne tentèrent rien pour échapper à leur sort.

Mais il fallait l'accord du Pape pour ouvrir leur procès.

Le vieux pape, Boniface VIII, terrorisé par Philippe le Bel, céda.

Justice immanente sans doute, il en mourut quelques jours plus tard. De même que devait succomber son successeur Benoît XI peu après son avènement, d'une indigestion de figues fraîches.

Philippe le Bel, pour leur succéder, exigea un Pape à sa dévotion. Il fit élire, par un Concile apeuré, un évêque gascon, qui prit le nom de Clément V.

Ce dernier lui devait tout. Pour être sûr de sa totale soumission, Philippe le Bel exigea qu'il s'installât, non plus à Rome, mais en Avignon.

---

(1) La concordance de ces trois dates : émeutes à Paris en 1306, expulsion des Juifs la même année, arrestation des Templiers en 1307, ne peut pas être une simple coïncidence.

Philippe le Bel et ses conseillers orchestrèrent, par toute la France, une campagne de calomnies contre les membres de l'Ordre.

Ils furent accusés de sodomie, de sacrilège, de profonation de la croix, d'hérésie. Ils furent taxés d'idolâtrie pour adorer une figurine barbue, avec des cornes de bouc et des mamelles de femme, que les Inquisiteurs appelaient "Baphomet".

Comme l'écrit Bossuet, "ils avouèrent dans les tortures, mais ils nièrent dans le supplice à l'heure de la mort".

En montant au bûcher, en 1314, le Maître de l'Ordre, Jacques de Molay, "cita le Roi et le Pape à comparaître avec lui devant le tribunal de Dieu".

Le plus curieux est que le Pape et le Roi ne purent se dérober à ce rendez-vous et obéirent, bien involontairement, à cette injonction : Clément V mourut le 20 avril, et Philippe le Bel le 29 novembre de la même année.

Ne faut-il pas y voir le doigt de "Dieu", des Elohim, des Célestes ?

Les Templiers anglais, craignant d'être poursuivis en Angleterre trouvèrent refuge en Ecosse.

Ils sont à l'origine de la franc-maçonnerie écossaise, qui essaima en France à la fin du XVIIᵉ siècle, lors du séjour à Saint Germain en Laye du roi Jacques II Stuart et de ses compagnons d'exil, maçons pour la plupart.

Les francs-maçons modernes de toutes obédiences se réfèrent au "grand secret du Temple" et leurs rites et aspirations ne sont pas sans rappeler ceux des Templiers de jadis.

La légende prétend que Jacques de Molay, peu avant son supplice, initia son neveu le Comte de Beaujeu aux "mystères". Il lui confia que les deux colonnes qui ornaient le chœur du Temple étaient creuses et renfermaient "le grand secret du contact" avec les Elohim.

On comprend mieux ainsi l'acharnement que mettent Arabes et Israéliens à se disputer ce quartier de Jérusalem où se trouvent les ruines du Temple de Salomon, ruines sur lesquelles les Arabes avaient construit la "Qoubbet es Sakhra" (improprement appelée "Mosquée d'Omar" (1) et la "Djami-el-Aqsa", mosquée transformée en résidence privée par le Roi Franc de Jérusalem et affectée aux Templiers.

(1) C'est la "coupole du Rocher".

CHAPITRE XVII

L'AFFAIRE DREYFUS
OU
LA CLE DU SIONISME

*— "Je rassemblerai les restes de mon
"troupeau de toutes les terres où je
"les avais relégués." (Jérémie 23, 3)*

En 1894, le journal antisémite de Paris, "La Libre Parole" d'Edouard Drumont, qui menait depuis sa parution une violente et haineuse campagne contre tous les Juifs français en vue, annonça l'arrestation, pour espionnage au profit de l'Allemagne, d'un officier français, le Capitaine Dreyfus.

Si ce journal avait été choisi, plutôt qu'un autre, pour divulguer cette indiscrétion des enquêteurs militaires, c'est que ce capitaine était de confession israélite, en d'autres termes : il était Juif.

Se serait-il appelé D'Upont ou D'Urand, comme la plupart des officiers de carrière de cette époque, nul doute qu'il n'y aurait pas eu "d'affaire".

L'enquête aurait été menée avec le sérieux qu'exigeait l'intérêt de la Patrie, sans passion, et avec équité. Coupable, il eût été condamné; innocent, il n'eût pas été poursuivi.

Malheureusement, ce qui compliqua tout, c'est qu'il

s'appelait Dreyfus et qu'avec un nom pareil plus rien n'était simple.

L'Allemagne était devenue depuis notre défaite de 1870 notre nouvelle ennemie héréditaire. Le "boche" avait remplacé "la perfide Albion". Les Français ne pensaient qu'à la revanche.

L'antisémitisme, assoupi jusqu'en 1870, redevenait en France assez aigu.

Comme toujours en pareil cas la défaite avait entraîné un renouveau de nationalisme. Et celui-ci s'accompagne le plus souvent d'une forte poussée de fièvre antijuive.

Dès que s'élève le cri de "la France aux Français", il est rare qu'en écho l'on n'entende pas "à bas les Juifs", ou "mort aux juifs", selon le degré d'excitation des chœurs.

Et, cependant, au départ, le capitaine Dreyfus aurait dû bénéficier d'un préjugé favorable : sa famille avait fait la preuve, autrement qu'en paroles, de son réel patriotisme français. En effet, originaire d'Alsace, elle avait opté pour la France en 1871, c'est-à-dire qu'elle avait tout abandonné, situation, fortune, relations, souvenirs, pour rester française.

Y avait-il des preuves de sa félonie pour arrêter le capitaine Dreyfus ? Des charges sérieuses ? Des accusateurs ? Rien de tout cela !

Seulement le fait, et il était assez grave pour justifier tous les soupçons : il était le premier Juif à être entré comme officier à l'Etat-Major.

Une femme de ménage avait trouvé, à l'Ambassade d'Allemagne, dans une corbeille à papiers de l'attaché militaire, une feuille roulée en boule, que son destinataire y avait négligemment jetée.

Cette femme de ménage, qui appartenait aux Services français de renseignements, apporta ce papier à ses supérieurs.

C'était un document manuscrit, mais non signé, qui n'avait pu être rédigé que par un officier d'Etat-Major français très informé des matériels d'artillerie dont étaient équipées nos unités.

Avec une preuve pareille c'était un jeu d'enfants pour les enquêteurs de démasquer le traître. Il suffisait de ramasser autant de documents manuscrits que possible de chacun des officiers de l'Etat-Major, de les apporter à des experts en graphologie, qui les auraient comparés au document.

La collecte de manuscrits était d'autant plus facile qu'il n'y avait encore ni photocopieur, ni machine à écrire. Tout s'écrivait à la main.

Les enquêteurs n'y songèrent même pas. Quel officier français pouvait trahir, sinon un Juif, et il n'y en avait qu'un à l'Etat-Major : Alfred Dreyfus ! On jeta, par acquit de conscience, un regard sur son écriture. On lui trouva "une certaine ressemblance" avec celle du "bordereau" et on arrêta Dreyfus.

Les experts, consultés, furent très partagés. On ne cher-cha pas plus loin. Et Dreyfus, puisqu'on le tenait, fut déféré devant le Conseil de Guerre.

Le dossier était bien mince et, devant l'inanité des char-ges qui pesaient sur lui, il est fort probable que Dreyfus aurait été acquitté.

Et c'est là qu'on ne comprend plus l'acharnement, et en même temps l'aveuglement, des Officiers Supérieurs et Généraux chargés de soutenir l'accusation ou de juger.

Ils vont passer des années, non pas à rechercher le cou-pable de la trahison si Dreyfus est innocent, mais à tout faire pour accabler Dreyfus même s'ils ne sont plus sûrs du tout qu'il soit coupable.

Et le vrai coupable, direz-vous ? Tant pis ! On le laissera

courir ! Mais les secrets de la Défense Nationale livrés à l'ennemi d'hier et de demain ? Tant pis ! Tant pis !

Et puis n'est-on pas persuadé que le coupable c'est Dreyfus ? Il n'y a pas de preuves ! Il clame son innocence avec des accents qui ne trompent pas ! Qu'à cela ne tienne !

Et l'on va fabriquer, de toutes pièces, sinon des preuves puisqu'il n'y en a pas, du moins des documents qui constitueront de solides présomptions.

Et, à l'insu de Dreyfus et de ses défenseurs, on communique aux Juges Militaires une lettre prétendument adressée à l'attaché militaire allemand par son collègue italien et parlant de "cette canaille de D...", ce "D..." ne pouvant bien sûr être autre que le capitaine Dreyfus.

Les juges militaires ne s'inquiètent pas de savoir si la lettre émane bien de l'attaché militaire italien, si elle a bien eu pour destinataire l'attaché militaire allemand, si Dreyfus est bien "cette canaille de D...", s'il pense quelque chose de cette appréciation.

Le document ne lui est même pas montré !

Il en ignore l'existence.

Et Alfred Dreyfus fut condamné pour espionnage à la détention perpétuelle dans l'île du Diable et à la dégradation militaire.

Deux ans plus tard, en 1896, par les mêmes voies que le fameux bordereau, parvenait au Service des Renseignements français, un pneumatique non envoyé adressé par l'attaché militaire allemand au Commandant Esterhazy de l'Etat-Major français.

Cet officier d'origine hongroise, en stage à l'Etat-Major français, menait grand train de vie et était connu pour ses incessants besoins d'argent.

Intrigué par le ton amical de ces quelques lignes et

inquiet que des rencontres puissent avoir lieu entre un officier de l'Etat-Major et l'attaché militaire allemand, le Chef du Service des Renseignements eut la curiosité de comparer l'écriture d'Esterhazy à celle du "bordereau".

Nouvellement promu à ce poste le Commandant Picquart n'avait pas été mêlé à l'instruction de l'affaire Dreyfus.

Il fut atterré de voir la parfaite ressemblance des deux écritures.

Il se rendit aussitôt auprès des Chefs de l'Armée pour les informer de sa découverte. Mais ceux-ci ne voulurent rien entendre. Ils préférèrent s'enferrer dans l'erreur que d'admettre que l'armée avait pu se tromper. Il ne leur vint même pas à l'idée que, ce faisant, ils laissaient courir le véritable espion qui pourrait impunément poursuivre ses méfaits.

Le Commandant Picquart, dont l'insistance indisposait ses supérieurs, y perdit son poste et fut muté dans une lointaine garnison coloniale.

Mais Dreyfus, du fond de son cachot, continuait à clamer son innocence. Sa famille - son frère Mathieu notamment -, se démenait pour obtenir justice.

Esterhazy, accusé formellement par la famille de Dreyfus, d'être le véritable espion, exigea de se justifier devant le Conseil de Guerre.

Celui-ci obtempéra, se réunit, et l'acquitta en janvier 1898.

C'en était trop ! Emile Zola ne put admettre un aveuglement aussi criminel. Il publia, dans l'Aurore, son fameux article intitulé "J'accuse !", où il proclamait la vérité et fustigeait les magistrats militaires taxés de félonie.

La France se coupa littéralement en deux : les "anti-Dreyfusards" étaient groupés dans la ligue "de la Patrie

Française", bien entendu; les Dreyfusards dans celle des Droits de l'homme.

L'enquête fut alors reprise. La lettre de l'attaché militaire italien à son collègue allemand fut reconnue être un faux. Le Commandant Henri, qui l'avait produite au Conseil de Guerre contre le Capitaine Dreyfus, avoua en être l'auteur et se suicida.

Le Commandant Esterhazy, voyant que les choses prenaient mauvaise tournure pour lui, s'enfuit en Angleterre, reconnaissant par là-même sa culpabilité.

Mais les Juges militaires, par on ne sait quelle aberration, s'entêtèrent. Et, à la reprise du procès Dreyfus, pour révision, ils confirmèrent, en 1899, leur condamnation.

Dreyfus fut alors grâcié par le Président de la République.

Il exigea sa réhabilitation. Elle ne lui fut accordée qu'en 1906, par la Cour de Cassation, qui reconnut que "de l'accusation portée contre le Capitaine Dreyfus rien ne reste debout".

Il fut réintégré dans l'armée, promu Commandant, fait Chevalier de la Légion d'Honneur et l'on n'entendit plus parler de lui. Il mourut en 1935 dans une espèce d'indifférence de la presse, alors que son nom avait soulevé des passions violentes mettant en péril l'unité de la nation quarante ans plus tôt.

Mais, pour les Français, les Israélites étaient redevenus des Juifs.

Lorsque la guerre éclatera, en 1914, les Juifs se précipiteront aux bureaux d'engagements pour bien prouver aux autres - et peut-être aussi un peu à eux-mêmes -, qu'ils étaient foncièrement français.

La France comptait alors 150 000 Juifs, hommes, femmes et enfants. Il y eut 40 000 combattants Juifs dont 15 000 volontaires.

Une des conséquences directe, inattendue, de l'affaire Dreyfus, fut le "sionisme".

Ce mot tire son origine du nom d'une colline de Jérusalem, Sion. Le "sionisme" a pour but de ramener en Palestine le plus de Juifs possible pour restaurer un Etat qui soit à eux sur la terre de leurs ancêtres.

Et, pour cela, il a suffi du concours de trois circonstances bien banales en soi, mais dont la conjonction provoqua l'explosion.

Le premier élément fut l'idée que se faisait de la France à la fin du 19e siècle un Juif étranger nommé Théodore Herzl.

Le second élément fut la présence de cet étranger à Paris au jour voulu sur les lieux du supplice.

Le troisième élément, acteur bien involontaire de la pièce, fut le petit capitaine Juif, Alfred Dreyfus, victime d'une persécution qui, au fond, ne sortait pas tellement de l'ordinaire.

En effet, sur la place où eut lieu, en 1894, la dégradation militaire du capitaine Dreyfus qui hurle son innocence, un homme perdu dans la foule, assistait à l'affreux spectacle.

C'est un journaliste juif autrichien correspondant d'un journal de Vienne (1).

Les hurlements de joie hystérique de la foule, les cris haineux de "Mort aux Juifs !", qu'il connaît cependant bien pour les avoir entendus maintes fois dans son pays, le frappent de stupeur.

Qu'un spectacle raciste aussi infâme puisse avoir lieu à

_____

(1) Théodore Herzl, né à Buda-Pest en 1860, mort en 1904.

Paris, la ville de Toutes les Lumières, en France, dans la patrie des Droits de l'Homme, est pour lui inimaginable.

Les Juifs avaient tout supporté sans jamais se révolter depuis qu'ils avaient été dispersés à travers le monde. Les brimades de l'empire romain. Les bûchers du Moyen Age. Dans les autres pays d'Europe ils subissaient encore sans se plaindre les pogroms comme en Russie. C'était là, pour eux, le fait de peuples barbares qui ne savaient pas ce qu'ils faisaient.

Mais pas la France ! La France de 89, la France de la Liberté, la France accueillante aux opprimés, la France de la Justice et du Droit !

Ce Juif étranger "se faisait, lui aussi, une certaine idée de la France", et l'affreux spectacle auquel il assistait ne cadrait plus avec ses illusions.

Si ce qu'il avait jusqu'alors considéré comme le pays de l'intelligence, de la sagesse, de la mesure, pouvait en arriver là, il n'y avait guère d'espoir que les pays germaniques et slaves changent jamais d'attitude vis-à-vis de leurs Juifs.

Et pour les Juifs il n'y avait plus guère d'espoir de trouver un jour la paix, la sécurité, la compréhension, auprès des Nations où les Elohim les avaient dispersés.

Rentré chez lui Herzl commence la rédaction de son livre, "L'Etat Juif", où il préconise le retour de tous les Juifs à Sion, à Jérusalem, pour y recréer leur propre patrie.

C'est la seule solution qu'il voit au problème Juif dans le monde. Et ce fut le commencement du "sionisme".

De tous les pays d'Europe, et surtout de Russie et de Pologne où ils étaient les plus persécutés, des groupes de jeunes gens et de jeunes filles partirent pour la Palestine.

Ils y achetèrent des terres arides qu'ils se mirent à défricher avec acharnement. Des familles entières les y suivirent.

Ainsi se créèrent de petites colonies agricoles, moshav, Kibboutz (1), dans l'indifférence des Arabes indolents.

Au prix d'un labeur acharné auquel ces jeunes, pour la plupart des intellectuels, n'étaient pas accoutumés, ces colonies collectives prospérèrent, suscitant la jalousie puis l'hostilité ouverte des Arabes qui leur avaient vendu ces terres incultes.

Il fallut pousser la charrue avec le fusil en bandoulière pour se défendre des pillards.

Et c'est ainsi que les Juifs retrouvèrent, après deux mille ans d'assoupissement, les qualités d'agriculteurs et de soldats qui avaient été celles de leurs ancêtres sur leur vieux pays d'Israël.

Ils préparaient ainsi la voie à la restauration d'un Etat Juif sur sa Terre Promise ainsi que les Prophètes l'avaient prédit.

Parlant au nom des Elohim Jérémie n'avait-il pas annoncé :

— "Je rassemblerai les restes de mon troupeau de toutes les terres où je les ai relégués."

---

(1) Dans le "moshav", chacun possède et exploite sa propre terre, habite sa propre maison. Toutefois la propriété collective de l'équipement lourd est instituée, ainsi qu'une direction centrale pour les services communs, les achats et les ventes. Dans le "kibboutz", la propriété individuelle est totalement abolie. Personne ne possède rien en propre, tout appartient à la colonie agricole collective, même les vêtements. La vie y est rigoureusement communautaire, les enfants sont confiés à la crèche puis à l'internat collectif. "Kibboutz", pluriel "kibboutzim", signifie : groupe. "Moshav", ou plus exactement "moshav-ovedim", signifie : village coopératif.

CHAPITRE XVIII

L'ANTE-ELOHIM
OU
LA CLE DU SECRET
D'ADOLF HITLER

— "Ce monde est livré aux bêtes
"A des puissances de fer et de sang
"Qui se déchirent entre elles !"
(Daniel, 7)

On ne sait que peu de choses de la jeunesse d'Adolf Hitler.

Son père était un douanier autrichien qui mourut quand Adolf avait treize ans.

Trois ans plus tard sa mère mourait. Et le jeune homme se trouvait à Vienne à seize ans, orphelin, sans un sou, et sans aucun métier.

Il s'inscrivit à l'Académie de peinture de Vienne. Et, pour subsister, se fit manœuvre.

Il revint de la guerre 1914-18 blessé, caporal, décoré de la Croix de Fer, et s'installa à Munich.

En 1919, un petit groupe de fanatiques créait, en Bavière, le Parti Ouvrier Allemand National-Socialiste. Hitler y adhérait aussitôt. Ce parti, dirigé par un ancien officier, le Capitaine Ernst Roehm, prônait un nationalisme poussé à l'outrance et un féroce antisémitisme (1).

---

(1) Le nombre des membres ne dépassait pas la soixantaine. On se contentait, au début de faire du service d'ordre dans les réunions de propagande (car on votait beaucoup dans l'Allemagne des années 20). On organisait aussi des bagarres avec les ouvriers en grève et des chahuts dans les réunions électorales des adversaires politiques.
Dès 1920, le Parti disposait d'un journal, "le Volkisher Béobachter".
Les chefs de la nouvelle armée allemande, la Reichswehr voyaient d'un bon œil ces militants qui n'hésitaient pas à faire le coup de poing contre socialistes et communistes.
Les industriels allemands subventionnèrent largement ce parti qui s'opposait au désordre et le président du patronat, Von Borsig, les y encourageait fortement.

Hitler qui n'était pas dépourvu d'un certain talent oratoire attira très vite l'attention des chefs de toutes les sociétés secrètes qui pullulaient, à cette époque, en Allemagne et qui ne pensaient déjà qu'à la revanche et à la résurrection de la grande patrie germanique.

Et, lorsqu'en 1923, toutes les formations paramilitaires allemandes fusionnèrent (1), c'est tout naturellement qu'Hitler se trouvera placé à la tête de la nouvelle organisation (2) par les chefs de la Reichswehr et le grand patronat.

Le 8 novembre, cette année-là, Hitler tenta un putsch à Munich.

Il échoua, fut arrêté et condamné à cinq ans de détention.

Il ne restera qu'un an en prison, mais cette année devait être déterminante pour la carrière de Hitler et pour le destin de l'humanité.

Il eut, en effet, pour compagnon de cellule, Rudolf Hess.

On dit que Hitler en profita pour lui dicter son livre "Mein kampf" (3) qui devait devenir par la suite la bible de tous les allemands. En fait, ce livre est leur œuvre commune et la part de Rudolf Hess dans sa conception et sa rédaction a certainement été plus grande que celle de Hitler qui n'avait pas encore atteint le stade des idées générales.

Rudolf Hess, qui s'était pris de sympathie pour Adolf Hitler, l'initia à la magie noire dont il était un adepte fervent. Il fut le mauvais génie de cet être primitif et sans cul-

---

(1) La fusion se fait dans le "Kampfbund", Ligue des Associations de combat.
(2) La nouvelle organisation prendra le nom de "Reichswehr Noire".
(3) "Mon Combat". Dans ce livre Hitler et Hess annoncent en détail les plans qu'ils projettent. Ils les réaliseront ensemble, par la suite, à la stupeur des gouvernements occidentaux qui n'avaient pas pris "Mein kampf" au sérieux.

ture et l'on peut dire que Rudolf Hess est directement responsable de tous les événements qui ensanglantèrent par la suite l'histoire de l'humanité.

Allemand d'origine égyptienne, Rudolf Hess (1) était un des Grands Maîtres de la société secrète "Thulé Gesellschaft".

Cette secte, dont le Maître Suprême, l'énigmatique Sébotendorff, avait initié lui-même Rudolf Hess, est basée sur la légende de Thulé et la tradition nordique d'Hyperborée.

Pour elle, l'inégalité des races humaines est un dogme absolu. La primauté revient à la race nordique, fille des Aryens, qui venant d'Asie se sont répandus en Europe en passant par le Septentrion. Cette secte admet l'existence de "puissances extérieures" qui interviennent dans la vie de l'humanité. Ce ne sont pas des "dieux" mais des "surhommes". Ils ne méritent d'ailleurs ce superlatif que parce que la civilisation sur leur planète a vu le jour quelques millénaires plus tôt que sur notre globe.

Lorsqu'on sait maintenant par les historiens que ces Aryens, ces Saxons, sont nos "Dix Tribus Perdues d'Israël", on est amené à se demander si ces "Puissances Extérieures" ne sont pas précisément nos Elohim, nos "Célestes" de la Bible.

Et l'on voit mieux alors le cheminement de la pensée des dirigeants de la secte :

Les Elohim ayant atterri pour la première fois près du Golfe Persique, il était naturel qu'ils établissent le Jardin d'Eden - qui devait leur servir de laboratoire pour l'étude et l'éducation des hominiens -, entre le Tigre et l'Euphrate.

Mais la civilisation qui allait s'y épanouir - et se répandre de là en Egypte, puis en Crète, en Grèce et à Rome -, serait

---

(1) Né à Alexandrie (Egypte) en 1894.

toujours marquée de ce stigmate asiatique, synonyme de mollesse, de nonchalance, d'indolence et de jouissance.

Elle ne se virilisera qu'au grand vent froid du Nord lorsque les Dix Tribus Perdues d'Israël, entrées en rébellion contre les Elohim, auront remonté l'Europe du Danube jusqu'en Scandinavie, après avoir anéanti sur leur passage les légions de l'empire romain.

Il appartient aux descendants de ces hommes du Nord, de ces Saxons, de créer maintenant une race de "surhommes" qui entrera en lutte contre les Elohim et portera la guerre sur leur planète d'origine pour ne plus avoir à craindre de nouvelles intrusions de leur part sur la nôtre.

Le rôle des membres de la secte de Thulé est de travailler à faciliter l'arrivée du "nouveau messie des Aryens" qui prendra la tête des "surhommes" pour engager victorieusement la lutte contre les "dieux".

Le rôle des "Grands Maîtres" est de veiller à la conservation du "secret du grand dessein des Elohim", et à la transmission des plans établis pour le contrecarrer.

Par la qualité de celui qui fut son parrain d'initiation, -le Maître Suprême de la Secte lui-même, Sébotendorff -, il est très probable que Rudolf Hess était au courant des secrets les plus cachés concernant les Elohim, leur planète d'origine, et leurs plans.

On comprend mieux ainsi son équipée en Ecosse, en 1941, seul à bord de son avion, pour contacter le Gouvernement anglais et, par ses révélations, mettre aussitôt fin à la guerre. Il espérait rallier au plan de lutte de Hitler contre les Elohim au moins tous les Anglo-Saxons.

Comment aurait-il pu survoler toute l'Allemagne en guerre sans être pris en chasse par la Luftwaffe ou abattu par la DCA allemande si cette mission ne lui avait pas été confiée par Hitler lui-même ?

Après l'échec de sa mission les Allemands comme les

Anglais se contentèrent de dire "qu'il était fou", et les historiens, depuis lors, n'ont pas fouillé plus avant.

Mais, s'il était "fou", aurait-il été condamné au procès de Nuremberg par les plus éminents juristes des pays alliés ?

Serait-il encore en prison trente-cinq ans après ?

Seul de tous les dirigeants nazis il ne fut pas condamné à mort et exécuté, sans doute parce qu'il détenait le secret des Elohim. Et c'est sans doute pour la même raison qu'on le tient en prison pour qu'il ne fasse pas de divulgation qui pourrait semer la panique dans le monde civilisé.

Combien sont-ils, les hommes d'état, à partager ce secret avec Rudolf Hess ?

Bien peu nombreux !

Le Pape, sans doute, depuis les Templiers; le Président des Etats-Unis d'Amérique, aussi, depuis Franklin D. Roosevelt; peut-être Brejnev; mais certainement Ménakhem Bégin.

Il est certain que Rudolf Hess confia son secret à Adolf Hitler pendant leur année de détention commune. On imagine sans peine ces deux hommes enfermés de longs mois dans la même cellule : — Hess, le grand initié, exposant ses idées et ses plans à Hitler, le primaire, avide de s'instruire -, et Hitler l'autodidacte sans aucune culture écoutant sans se lasser ces récits qui s'emboîtaient si bien avec ce qu'il pressentait inconsciemment lui-même !

Doué d'une étonnante mémoire, Hitler assimilait tout avec facilité. Enthousiasmé par ces révélations, Hitler se lança à corps perdu dans ces théories et n'eut de cesse de les appliquer dans leurs conséquences qui ont pu paraître délirantes à nombre d'observateurs.

Il sortit de prison convaincu que la civilisation judéo-chrétienne touchait à son terme, que "les intelligences du dehors", les "dieux", "les Elohim", avaient perdu la partie, qu'une nouvelle civilisation allait naître grâce à lui, dont les préceptes seraient à l'opposé de la conception de Moïse il y a quatre mille ans et de Jésus il y a deux millénaires.

De cette civilisation nouvelle il se voulait le Grand Prêtre, le Messie, et, pourquoi pas ? le nouveau Dieu.

Hitler, dont la jeunesse avait été difficile, et à qui l'âge adulte n'avait jusqu'à présent apporté que des déceptions, haïssait instinctivement l'amour, la douceur, la pitié.

Les femmes qui auraient pu lui apprendre ces sentiments étaient absentes de sa vie.

Il était farouchement célibataire et ses rapports avec d'hypothétiques maîtresses étaient rares.

Certains historiens l'ont taxé d'impuissance, d'autres de tendances certaines à l'homosexualité.

Pour se venger de ses faiblesses il avait pris en horreur les sentiments de douceur et de pitié. Il les considérait comme étant l'apanage des faibles et des esclaves.

A ses yeux, les maîtres de la religion nouvelle devaient être forts, violents et cruels.

— "La conscience, dit-il dans Mein Kampf, est une invention des Juifs. C'est, comme la circoncision, une mutilation de l'homme."

Dès sa sortie de prison Hitler s'affilia à la secte de Thulé.

Rudolf Hess était son parrain.

Hitler se persuada qu'il était investi de la mission de "contrecarrer le grand dessein des Elohim", et de celle aussi de "porter la guerre chez les Elohim eux-mêmes pour en finir avec eux". Tous les dirigeants de l'armée, de l'industrie, qui appartenaient à la secte - et ils étaient nombreux -, ne lui marchandèrent pas leur concours, sans être totalement au courant, bien sûr !

Pour accomplir sa mission il fallait à Hitler :

— créer une race de surhommes : ce seront les SS;

— être à la tête d'un état puissant, discipliné, courageux, et s'en servir comme d'un outil pour la réalisation de
ses desseins : ce sera l'Allemagne;

— assurer ses arrières, pour ne pas être attaqué sur cette
terre alors qu'il lui fallait atteindre le ciel : et ce sera la
nécessaire conquête de l'Europe et, avec ses alliés japonais,
celle du monde;

— anéantir, sur cette terre, les "alliés" des Elohim, les
Juifs, par tous les moyens : et ce seront "la solution finale",
les chambres à gaz et les fours crématoires;

— conquérir le "ciel" avec des engins interplanétaires
pour aller chez les Elohim et désintégrer leur planète : et ce
seront les fusées de Von Braun (à qui l'on ouvre des crédits
illimités en hommes et en matériel) et les recherches sur la
bombe atomique, qui étaient sur le point d'aboutir quand
les Elohim, par l'intermédiaire de savants Juifs, en livrèrent le secret aux Américains très probablement !

Et Hitler va mener de front la poursuite de tous ces
objectifs, poussant ses pions avec une frénésie que ses contemporains ne comprenaient pas car ils ignoraient son but
suprême : l'anéantissement des Elohim.

Quand il eut pris le pouvoir en 1933, remilitarisé la Rhé-
nanie en 1935, annexé l'Autriche en 1936, la Tchécoslovaquie en 1938, Français et Anglais crurent l'ogre suffisamment repu.

Ils ne comprirent pas pourquoi il fallait à Hitler prendre
encore la Pologne en 1939, la France, la Belgique, la Hollande, le Danemark en 1940, s'attaquer à la Russie en 1941
en dévorant au passage la Grèce, la Yougoslavie, la Roumanie, et s'en prendre aux Etats-Unis d'Amérique en
1942.

C'est qu'ils n'avaient rien compris à Hitler, ni au nazisme.

Adolf Hitler avait déjà 44 ans quand il arriva au pouvoir.

Il lui fallait faire vite !

Il se donna quinze ans pour atteindre tous ses objectifs, et de quelle audace : conquérir le monde et détruire les Elohim !

C'est dans ses confidences à Rauschning que transperce le caractère démoniaque de ses projets :

— "Celui qui ne voit dans le national-socialisme qu'un mouvement politique n'en sait pas grand chose. Le national-socialisme est plus qu'une religion. C'est la volonté de créer le surhomme !" (1)

— "Pour tous les déshérités des pays allemands le national-socialisme est une conjuration mystique. Hitler est le Grand Prêtre ou le Pape de la nouvelle religion... La guerre que j'impose au monde est une guerre manichéenne, ou, comme dit l'Ecriture, une lutte des Dieux". (1).

— "Il y aura un bouleversement de la planète que vous autres non-initiés ne pouvez comprendre... La période solaire de l'homme touche à son terme..." (1).

Nietzsche déjà avait vilipendé "ce monde usé dont le rajeunissement ne pourrait se faire que par le triomphe des bêtes blondes germaniques, les nouveaux Barbares". (2).

Mais les théoriciens du nazisme, mis partiellement sur la piste, comprirent très bien ce que l'on attendait d'eux.

_____

(1) Rauschning, "Hitler m'a dit !"
(2) Friedrich Nietzsche (1844-1900), "Ainsi parlait Zaratnoustra", la morale de ce philosophe allemand est fondée sur le culte de la force et la volonté de puissance "qui élève l'homme jusqu'au surhomme".

L'un d'entre eux, Alfred Rosenberg (1), écrivait :

— "Le christianisme a été enjuivé par Saint Paul et Saint Matthieu, qui ont substitué au principe sain de la force comme morale suprême, l'humanitarisme, le libéralisme, la charité, qui n'engendrent que la servilité".

Un autre, Oswald Spengler (2), estimait que :

"L'homme est une bête de proie, la puissance appartiendra aux nouveaux barbares, la guerre est la forme de toute vie supérieure et tous les états ne sont constitués que pour cela".

Pour anéantir les principes de douceur et d'humanité il fallait abolir la religion qui les propageait : le christianisme.

Et Hitler, une fois arrivé au pouvoir, fera enlever les crucifix des écoles. Ils seront remplacés par les portraits du Fuhrer. Et dans la prière du matin les enfants allemands devaient réciter :

— "Adolf Hitler, notre Fuhrer, donne-nous aujourd'hui notre pain quotidien. Que ton nom soit sanctifié, que ta volonté soit faite".

Et la "croix gammée", emblème de la société de Thulé (3), deviendra le symbole du nouveau régime.

C'est le 30 janvier 1933 qu'Adolf Hitler prit le pouvoir le plus légalement du monde.

Il ne le perdra qu'en se suicidant en 1945, douze ans plus tard, après avoir plongé l'humanité dans un bain de sang et d'horreurs sans nom.

---

(1) Alfred Rosenberg, "Le Mythe du Vingtième Siècle", 1931.

(2) Oswald Spengler, "Le déclin de l'Occident", 1932.

(3) "La croix gammée", c'est une mauvaise traduction du mot allemand "hakenkreuz", qui signifie, en réalité, "la croix à crocs" ou "à griffes".
Ce sont "les griffes de l'aigle qui emporte sa proie". On a dit de "la croix gammée" que c'était l'antique "svastika" des Aryens. C'est en partie vrai ! Mais la "svastika" tourne ses "bras" dans le même sens que la lumière, de l'Orient vers l'Occident. Dans la "croix gammée" la "svastika" a été volontairement inversée : la roue tourne "dans le sens des ténèbres", de l'Occident à l'Orient.

Mais dans la guerre qu'il va entreprendre contre les Elohim, Hitler avait décidé de n'avoir aucun scrupule avec les "terriens", qu'ils soient ses compatriotes ou les gouvernements étrangers.

Les engagements que l'on prend, la parole que l'on donne n'ont pas à être respectés par les "surhommes". Cette attitude est bonne pour les faibles, les chrétiens abâtardis, les démocrates, les Juifs.

Lorsqu'on est en position de faiblesse il est normal de négocier, lorsqu'on est en position de force on impose ensuite sa volonté.

C'est cela la morale des peuples forts !

Et c'est ainsi qu'Adolf Hitler, en quelques mois, multipliera les déclarations rassurantes aussitôt démenties par ses actes et réussira à asseoir la dictature la plus sanglante et la plus autoritaire qui soit, en prenant toujours de vitesse ses adversaires et ses alliés de la veille.

Dès son arrivée au pouvoir Hitler centralisait l'Allemagne comme elle ne l'avait jamais été sous Bismarck, ni Guillaume II.

A la tête de chaque Etat, qui avait alors son Assemblée et son autonomie relative, il nommait un gouverneur qui ne dépendait que de lui.

Tous les corps de police étaient fondus en un organe unique, la "Gestapo" (1).

Et, dès avril 1933, soixante jours à peine après son accession au pouvoir, la chasse aux Juifs commençait.

La rapide ascension d'Adolf Hitler avait suscité contre lui de violentes inimitiés.

Des nazis de la première heure n'acceptaient pas de gaieté de cœur que ce parvenu, sans diplôme, sans grade dans l'armée, sans position sociale, prenne aussi vite le pas sur eux.

---

(1) "Gestapo", pour "Geheime Staatpolizeiamt", (Police Secrète d'Etat).

Grégor Strasser était de ceux-là !

C'était, de plus, une tête politique qui avait conservé une grande influence dans le parti et qui ne pardonnait pas à Hitler "son entourage d'aventuriers".

Le Capitaine Roehm, chef des SA, voulait continuer "la révolution permanente", malgré les déclarations véhémentes de Hitler que "la révolution était terminée".

Von Papen, qui avait hissé Hitler à la Chancellerie, se rendait compte que ce dernier s'était joué de lui.

Le Général Von Schleicher, le chef le plus écouté de l'armée, méprisait Hitler, exécrait son entourage, et considérait comme "de fumeuses théories" le peu qu'il en savait.

Mais ces différents opposants, qui unis auraient pu balayer Hitler, n'avaient aucun lien entre eux, ne songeaint pas à se concerter, et se détestaient cordialement.

Hitler avait vraiment la partie belle. Et, comme les scrupules ne l'étouffaient pas, il allait se débarrasser de tous ses opposants à la fois dans un bain de sang. Ce fut, le 30 juin 1934, la "nuit des longs couteaux" (1).

Le Maréchal Hindenbourg ne fit pas la fine bouche et envoya le lendemain à Hitler un télégramme de félicitations. Il poussa même la bonne grâce jusqu'à mourir un mois plus tard (2), permettant ainsi au dictateur de cumuler les fonctions de Président du Reich avec celles de Chancelier qu'il occupait déjà.

---

(1) Sous le prétexte que Roehm préparait un putsch avec ses SA, Hitler partit en avion pour la Bavière, l'arrêta lui-même et le fit exécuter avec tous ses adjoints par l'équipe de tueurs SS qui l'accompagnait.

A Berlin, d'autres SS assassinaient le Général Von Schleicher et sa femme. Un autre groupe exécutait Strasser dans la prison où il avait été jeté malgré ses protestations. Les deux plus proches collaborateurs de Von Papen étaient arrêtés et exécutés, à titre d'avertissement pour ce dernier. Von Papen, lâchement s'inclina, démissionna de ses fonctions de vice-Chancelier et accepta le poste d'ambassadeur à Vienne pour prouver sa soumission.

Avec le menu fretin habituel dans ces sortes d'opérations il y eut en tout plus de trois cents morts.

(2) Le 2 Août 1934 (vingt ans, jour pour jour, après la déclaration de la Première Guerre Mondiale).

Un plébiscite, organisé le 19 août sous la surveillance des SS ratifia ce cumul.

Il n'y avait plus alors aucun contrepoids à la folie sanguinaire de Hitler.

Que Hitler et sa bande de forcenés se soient crus assez forts pour entrer en lutte ouverte contre les Elohim dépasse déjà l'entendement. Cette entreprise suicidaire ne pouvait aboutir qu'à leur anéantissement.

Mais qu'un grand peuple européen, civilisé, chrétien, comptant parmi ses fils de grands mathématiciens, des philosophes de renommée mondiale, des musiciens de génie, que le peuple de Beethoven et de Goethe ait pu se laisser subjuguer par un Hitler et l'ait suivi dans sa folle entreprise, est absolument incompréhensible.

Certes, il n'avait pas exposé aux foules, dans le détail, son plan satanique. Mais les moyens mis en œuvre pour y parvenir, la dictature, les assassinats, la duplicité, étaient apparents aux yeux de tous.

Alors comment expliquer l'ascension d'Adolf Hitler, cet être famélique, sans culture, sans formation politique, véritable chef de bande ?

Et comment comprendre qu'il ait pu être suivi sans broncher - et même dans l'enthousiasme -, par tout le peuple germanique ?

Certes, il avait su porter trois idées, auxquelles nombre d'Allemands n'étaient pas insensibles, à une application totale, faite pour séduire la grande masse et entraîner les élites :

— le pangermanisme,
— le racisme,
— le culte de la force au mépris du droit.

Mais, de ces trois idées, il n'était même pas l'inventeur :

— le pangermanisme, il fut imaginé par Fichte (1), du temps de l'occupation de l'Allemagne par les troupes de Napoléon en 1807,

— le racisme, c'est Gobineau qui en jeta les bases (2) au dix-neuvième siècle, et c'est un Anglais H.S. Chamberlain qui en développa les thèses (3),

— la doctrine de la violence, elle se trouvait déjà chez le penseur français Georges Sorel (4).

Vieilles de plus d'un siècle, ces idées avaient trouvé un terrain de prédilection dans l'Allemagne écartelée en une infinité d'états indépendants, complexée vis-à-vis des autres pays européens qui avaient depuis des siècles fait leur unification.

La défaite de 1918, avec les humiliations qu'elle entraîna, ajouta encore au poids de ces thèses dans l'âme allemande.

Mais elles ne peuvent tout expliquer !

Il y eut, en réalité, comme une résurgence, en plein vingtième siècle, de l'esprit de rébellion contre les "dieux", qui s'était emparé il y a deux millénaires et demi des Dix Tribus Perdues d'Israël.

Elles avaient alors pu détruire l'empire romain que ses contemporains croyaient invincible. Pourquoi leurs des-

---

(1) Fichte (1762-1814), d'abord disciple de Kant, il devint en 1807 l'apôtre du pangermanisme en voyant les exactions des troupes françaises qui occupaient l'Allemagne.
(2) Arthur-Joseph, comte de Gobineau (1816-1882). Diplomate de carrière il écrivit un essai sur "l'inégalité des races humaines". Ses écrits fumeux n'eurent que peu d'influence en France, mais eurent en Allemagne un profond retentissement par l'adhésion que leur apporta Wagner.
(3) Houston-Stewart Chamberlain, fils d'un amiral anglais, il s'installa en Allemagne et épousa la fille de Wagner. Il est en rapport avec Hitler dès 1923.
Il fit siennes les thèses de Gobineau sous l'influence de son beau-père. Il publia en 1899 : "les assises du dix-neuvième siècle". D'après sa thèse ce sont les Saxons qui, en envahissant l'empire romain, l'ont sauvé du chaos et de la décadence; la race germanique, héritière des Saxons, doit dominer le monde; le catholicisme est aussi néfaste que le judaïsme, car les Evangiles écrits par des Juifs ont été falsifiés par la pensée juive.
(4) Georges Sorel (1847-1922) sociologue français, auteur de : "Réflexions sur la violence".

cendants, les Saxons, les Germains, ne pourraient-ils pas annexer l'Europe émasculée par la démocratie, le communisme et la juiverie ?

Une fois maîtresse du monde, la "race des Seigneurs" ne devait pas hésiter à affronter les Elohim eux-mêmes et venger les siècles d'humiliations et d'avanies de toutes sortes qu'ils avaient infligées à l'humanité.

Par une sélection rigoureuse il devait être possible de créer une race de "surhommes" capables de combattre les "dieux" et de sortir victorieux de cette bataille.

Et l'Ordre Noir des SS fut créé dans ce but. Véritable Ordre Monastique, il comportait des initiations successives, et des degrés hiérarchiques, que l'on gravissait lentement, après avoir fait ses preuves.

L'Ordre Noir était totalement indépendant du Parti. Il avait ses propres tribunaux et son échelle particulière des valeurs morales.

Et ses membres étaient pratiquement retranchés du monde.

Au fur et à mesure des "initiations" une partie du "but secret" était révélée. Mais seule une infime minorité, au sommet de la hiérarchie, était détentrice de "l'objectif final".

De cette religion nouvelle Hitler se voulait le Messie, et ses proches disciples les apôtres.

Parvenus à ce stade de pensée, les adeptes ne peuvent plus avoir les mêmes principes de morale que le commun des mortels. La mort de sous-hommes des races inférieures n'a plus grande signification. L'assassinat n'est même plus un meurtre mais à peine l'élément d'une statistique.

Et du haut en bas de la hiérarchie sociale chaque allemand participera, plus ou moins activement, aux actions de la nouvelle secte mystique.

Chaque allemand sera ainsi, peu à peu, lié aux responsabilités assumées par l'Ordre Noir des SS, soit qu'il ait participé directement à ses crimes, soit qu'il ait accepté sans protester qu'ils soient commis en son nom.

Et tous les Allemands, du sommet de cette immense pyramide jusqu'à sa base, devinrent les complices d'une conspiration contre l'humanité, dont il n'a pas dépendu d'eux qu'elle ne triomphât point.

Car, pour entreprendre cette lutte luciférienne contre les Elohim avec quelque chance de succès, encore fallait-il d'abord mettre hors de combat les "alliés des Elohim sur cette terre", les Juifs.

La vieille haine des Dix Tribus Perdues d'Israël contre Juda allait enfin pouvoir s'assouvir sans pitié.

Et c'est ainsi qu'Hitler et ses acolytes, qui se voulaient être les descendants des anciens conquérants saxons, fils des Dix Tribus Perdues, mirent scientifiquement au point ce qu'ils appelèrent "la solution finale" et décidèrent froidement l'extermination totale des Juifs.

Les camps de concentration existaient déjà, mais on n'y mourait pas assez vite !

On inventa donc les chambres à gaz où l'on pourrait exécuter les Juifs par grandes fournées et à peu de frais.

Après avoir récupéré sur les cadavres tout ce qui pouvait être encore utile on envoyait les dépouilles aux fours crématoires.

Il mourut ainsi près de six millions d'hommes, de femmes, et d'enfants Juifs.

Mais Hitler ne se doutait pas qu'il signait ainsi la fin de sa propre aventure et scellait son destin d'une manière tragique. Il réalisait, en effet, mot pour mot, la prophétie de Zacharie, qui avait annoncé deux mille cinq cents ans plus tôt, au nom des Elohim, en parlant des Juifs :

— "Et il arrivera que, dans tout le pays,

"Deux tiers seront retranchés et périront,

"Et qu'un tiers seulement y restera en vie.

"ET CE TIERS JE LE FERAI PASSER AU FEU,

"Et je l'affinerai comme on affine l'argent.

"Je l'éprouverai comme on éprouve l'or.

"Il invoquera mon nom !

"Et, moi, je l'exaucerai !

"Je dirai : — "C'est là mon peuple".

"Et lui criera : — "IHVH, ELOHIM" !"

(Zacharie 13, 8-9)

Et, en effet, les Juifs allaient aux chambres à gaz sachant, pour la plupart, ce qui les attendait, en priant leur Seigneur, IHVH, et en invoquant leurs alliés, les Elohim.

Comme le prophète l'avait promis, leurs prières furent exaucées.

Quand le terrible holocauste prit fin plus du tiers de la population juive de cette terre avait disparu.

Mais un nouvel état Juif, avec les survivants se reconstituait sur la vieille terre de Canaan que les Elohim leur avait promise il y a quatre mille ans.

N'était-il pas écrit, en effet :

— "Voici que je sauve mon peuple !

"Des pays d'Orient et des pays d'Occident

"Je les ramènerai pour qu'ils habitent

"Au milieu de Jérusalem !

"Ils seront mon peuple,

"Et moi je serai pour eux

"Leur Elohim !"   (Zacharie 8, 7-8) (1)

---

(1) En hébreu :

— "Inéni moshia aet ami !

"Me-éretz Midzérakh ou-me-éretz mevo Ashamesh.

"Ve-evti otam ve-shavnou

"Bethokhé Iéroushalaïm !

"Ve ayou li léam,

"Vaani éhéyié lahem

"Ie-Elohim !"

Quant au destin d'Hitler il s'achevait, misérablement, même pas trois ans plus tard.

Le déclin commença avec la bataille de Stalingrad, qui eut lieu quelques mois à peine après l'ouverture des premières chambres à gaz.

Le reflux ne devait plus s'arrêter !

CHAPITRE XIX

LES TEMPS MESSIANIQUES SONT ARRIVES
OU
LA CLE DE LA RESTAURATION DE L'ETAT D'ISRAEL EN 1948

— "Et, ce jour-là, Elohim étendra la main
"Pour reprendre possession du reste de son peuple...
"Alors cessera la rivalité d'Ephraïm et de Juda".

(Isaïe 11, 11-13)

Après cinq ans d'une horrible guerre où l'Ante-Elohim avait cru toucher au but, le plan de la Secte Noire avait échoué.

L'aventure de Hitler, qui avait voulu s'égaler aux "dieux" et contrecarrer le "grand dessein des Elohim", s'achevait dans la boue et dans le sang.

Le dictateur fou, abandonné par ses alliés les uns après les autres, était seul dans son "bunker" (1) de Berlin, à soixante mètres sous terre.

Jusqu'aux derniers instants Hitler avait continué à diriger la bataille, depuis son abri, donnant encore des ordres

---

(1) "Bunker" : abri.
Construit un an avant la fin de la guerre, le bunker de la Chancellerie était à l'épreuve des plus grosses bombes. Pratiquement inexpugnable, il abritait pendant les dernières semaines de la guerre Hitler, qui ne le quittait pas, Eva Braun sa "fiancée", Goebbels et sa famille, quelques serviteurs, des SS de l'Ordre Noir, dévoués jusqu'à la mort, deux secrétaires.
Les ministres et les généraux venaient les premiers jours y prendre les ordres et faire leur cour.
Mais, peu à peu, "les fidèles des fidèles" avaient abandonné le bunker sous les prétextes les plus divers et s'étaient enfuis de Berlin.

à des armées allemandes qui n'existaient plus que sur le papier !

La ville qui faisait la gloire de l'Allemagne et qui avait déjà subi plus de cent bombardements était en ruines. Les rues, les larges avenues avaient pris un aspect lunaire.

Les habitants, ceux qui n'étaient pas morts ou qui n'avaient pas fui cet enfer, se terraient, affamés et terrorisés. Des soldats fanatiques continuaient à tirer. Beaucoup d'entre eux n'avaient pas seize ans.

Des incendies rougeoyaient dont les flammes léchaient le ciel et dégageaient une fumée âcre qui se rabattait sur la ville.

Les "dieux" provoqués, comme s'ils avaient craint un instant le triomphe de "l'ange noir" sur la terre, se vengeaient sans pitié (1).

La moitié de l'Allemagne était aux mains des Russes qui encerclaient Berlin. Et, à l'Ouest rien ne pouvait plus arrêter les alliés occidentaux.

C'est l'agonie du IIIᵉ Reich et aussi celle de son "fuhrer".

Le 30 avril 1945, au petit matin, Hitler se suicidait (2).

Le IIIᵉ Reich ne survécut qu'une semaine à son fondateur, créé pour un millénaire - avait proclamé Hitler -, il s'effondrait lamentablement douze ans après (3).

---

(1) Le dictateur qui venait tout juste de fêter son cinquante-sixième anniversaire n'était plus qu'une loque. Son visage bouffi et maladif, ses mains qui tremblaient, sa jambe qui traînait, tout dénotait un total délabrement interne. Le fuhrer des derniers jours paraissait un vieillard, probablement atteint de paralysie progressive.
Comme on le voit, les Elohim ne faisaient pas les choses à moitié.

(2) Avant de se tirer une balle de revolver dans la bouche, Hitler avait fait piquer son chien-loup Blondi.
Eva Braun, qu'il avait épousée la veille dans le bunker, s'empoisonna.
Les deux corps furent montés hors de l'abri. Le chauffeur personnel de Hitler, Erich Kemka, les arrosa d'essence et y mit le feu.
Le lendemain 1ᵉʳ Mai, Goebbels faisait faire une piqûre mortelle à ses six enfants. Puis, sa femme et lui, montés dans le jardin de la chancellerie, ordonnaient à un SS de leur tirer une balle dans la nuque.

(3) Le 4 mai 1945 les forces allemandes de Hollande, du Danemark et du Nord-Ouest capitulaient entre les mains du Maréchal Montgomery.
Le 5 mai, les armées des Alpes du Maréchal Kesselring faisaient de même.
Et le 7 mai, le Général Jodl signait la capitulation sans condition du IIIᵉ Reich.

Hitler, l'ante-Elohim, qui avait voulu conquérir le monde, s'égaler aux "dieux", exterminer les Elohim, sombrait avec son empire sous les coups d'une coalition de "terriens", peu désireux de le suivre dans son rêve suicidaire de s'attaquer aux "supraterrestres".

Mais il avait provoqué la mort de quarante millions d'hommes dans ce combat voué d'avance à l'échec.

Dans cette hécatombe six millions de Juifs furent assassinés par ceux qui se prétendaient les descendants de leurs frères, les Dix Tribus Perdues d'Israël.

Mais le prophète n'avait-il pas annoncé :

— "Je vis Elohim et lui dis :
— "Jusques à quand, Seigneur ?"
Il me répondit :
— "Jusqu'à ce que dans les villes désolées
"Il n'y ait plus d'habitants,
"Dans les maisons plus un être humain,
"Et que le pays dévasté soit devenu une solitude.
"A peine un dixième y survivra
"Qui à son tour sera dévasté.
"Mais tout comme le térébinthe et le chêne,
"Lorsqu'on les abat, conservent leur souche,
"La race sainte verra subsister une souche"...
(Isaïe 6, 11-13).

Et, en effet, dans les territoires que put atteindre l'Ordre Noir des SS pour y exercer sa loi, à peine un dixième de Juifs avait survécu. Une partie de ce reste devait encore se faire laminer avant d'atteindre la Terre Promise.

Mais, je crois, les Elohim avaient compris !

Et tout se passe alors comme s'il leur fallait de nouveau un allié solide sur cette terre pour tenter encore de poursuivre leur œuvre et réaliser leur grand dessein... Et surtout ne plus risquer de trouver sur leur route un nouvel Hitler !

De toutes façons la mission des Juifs parmi les Nations

avait échoué. Le plan des Elohim avait été constamment contrarié, pendant deux mille ans, par la perversité des hommes.

La "diaspora" des Juifs n'avait plus de raison d'être !

Autant les ramener chez eux, sur la Terre Promise à perpétuité par les Elohim à leurs ancêtres. Ils y seront désormais plus utiles.

Les Elohim n'attendent plus rien de la race humaine, portée davantage au mal et à la violence qu'à l'enrichissement spirituel.

Cette idée de restaurer un état Juif sur cette terre avait dû déjà effleurer les Elohim. C'était en 1917 !

La première guerre mondiale ensanglantait l'humanité tout entière, la bestialité était à son comble depuis trois années déjà. Et rien ne laissait prévoir la fin de cette horreur où se plongeait l'humanité.

On vit alors les Alliés souscrire à la déclaration de Lord Balfour envisageant la création en Palestine d'un foyer national Juif.

Puis la race humaine semblait s'être apaisée ! Un nouvel espoir était apparu pour les Elohim avec la création de la Société des Nations et la mise hors la loi de la guerre en 1925 par toutes les nations civilisées.

Mais ce ne devait être que de courte durée. Vingt ans ne s'étaient pas écoulés depuis la fin de la première guerre mondiale que la seconde éclatait avec toutes ses atrocités.

Elle s'achevait avec l'explosion des premières bombes atomiques.

Les vols interplanétaires allaient être pour bientôt !

L'homme sait décomposer la matière. Il sait voler dans les vides interplanétaires. Toutes les planètes sont désormais à sa portée, même les plus lointaines. Ce n'est plus qu'une question de vitesse !

Il n'y a rien là, je le crains, qui ait pu réjouir les Elohim. Car si l'homme a fait des progrès considérables sur le plan des connaissances, son niveau moral est toujours aussi bas.

Tout laisse penser que les Elohim sont donc intervenus et ont fait entrer l'humanité dans l'ère messianique.

On appelle "ère messianique", ou "temps messianiques", la période de temps prévue par les prophètes, parlant au nom des Elohim, il y a plus de deux mille cinq cents ans. Nous y sommes !

Cette "ère messianique" a été décrite avec un luxe de détails tel qu'il est absolument impossible de s'y tromper.

Les prophètes se sont suivis de siècle en siècle, et toutes leurs prophéties sont concordantes. Et elles se rapportent toutes aux événements qui se déroulent sous nos yeux concernant le "peuple élu" dans ses rapports avec les "nations" (c'est-à-dire les "goïm", toutes les nations autres que le peuple élu).

Jugez plutôt :

Trois ans après l'explosion de la première bombe atomique, l'Organisation des Nations-Unies (ONU pour les Français et UNO pour les Anglo-Saxons) décidait la création en Palestine d'un état hébreu indépendant.

Le prophète n'avait-il pas dit ;
— "Et ce jour-là, Elohim étendra la main
"Pour reprendre possession du **reste** de son peuple.
"Il lèvera l'étendard vers les **Nations**
"Pour recueillir **les exilés d'Israël**
"**Et les débris épars de Juda**
"**Des quatre coins de la Terre.**
"Alors cessera la rivalité d'Ephraïm (1) et de Juda (2)".
(Isaïe 11, 11-13).

---

(1) Ephraïm, c'est le Royaume du Nord, ou Israël. C'est celui des "Dix Tribus Perdues" !
(2) Juda, c'est le Royaume du Sud, celui dont la population est toujours restée fidèle aux Elohim.

Vous avez bien noté que le prophète a précisé : "le reste de son peuple", ce qui en reste après l'holocauste.

Il dit aussi "les Nations", des "quatre coins de la Terre", c'est donc bien ce qui reste du peuple élu après la "diaspora".

Vous aurez aussi remarqué que le prophète fait bien la distinction entre "les exilés d'Israël", les Dix Tribus Perdues, et les "débris épars de Juda" qui, eux, ont souffert toutes les persécutions. Et le prophète prédit aussi que cessera la rivalité entre Israël et Juda.

Quel nom va prendre le nouvel Etat Hébreu ?

Israël !

C'est tout un symbole ! Les créateurs du nouvel état Hébreu ont voulu, en prenant le nom des Dix Tribus Perdues, marquer que le schisme entre Israël et Juda était terminé et que ceux qui revendiqueraient, à l'avenir, une descendance d'Israël pour persécuter Juda seraient des imposteurs.

Mais le prophète n'avait-il pas dit :
— "Oui ! Elohim aura pitié de Jacob (les Hébreux en général)
"Il choisira de nouveau Israël
"Et le réinstallera dans sa patrie". (Isaïe 14, 1)

Et le prophète avait ajouté :

— "Les peuples viendront les prendre
"Pour les ramener en leur pays...
"Et quelle réponse sera faite aux Députés des Nations ?
"C'est qu'Elohim a fondé Sion
"Pour que les humbles de son peuple
"y trouvent un abri !" (Isaïe 14, 2-32)

Ces députés des Nations qui prennent les Hébreux pour les ramener en leur pays ne ressemblent-ils pas étrangement aux "délégués des Nations Unies" qui créent le nouvel état en 1948 ?

Les kabbalistes ne manquent pas de relever d'ailleurs que le total de 1948 donne 22, ou encore "tav", la dernière lettre de l'alphabet hébreu, synonyme de "fin", et ils y voient très légitimement la "fin de la diaspora".

Les esprits forts prétendent que l'on peut faire dire aux prophéties ce que l'on veut et que celle d'Isaïe peut aussi bien viser - non pas la période actuelle -, mais la déportation de Juda par Nabuchodonosor en 587 av. J.-C. et qui fut, en effet, suivie par le retour des Juifs chez eux après l'édit de Cyrus en 538 av. J.-C.

C'est insoutenable !

La déportation de 587 av. J.-C. eut lieu en un seul point très précis : Babylone. Les Juifs y restèrent groupés. Et leur seul persécuteur fut le peuple chaldéen.

Tandis que le prophète parle "des Nations parmi lesquelles Juda est exilé", "épars aux quatre coins de la Terre" (1).

C'est donc bien de la "diaspora" qu'il est question, cette dispersion des Juifs par Titus à travers tout l'Empire Romain en 70 de notre ère et qui ne devait prendre fin qu'en 1948.

Pour qu'il n'y ait aucune confusion le prophète précise encore :

— "De l'Orient je ramènerai tes enfants,
"Et de l'Occident je te rassemblerai.
"Je dirai au Nord : — "Donne !"
"Et au Midi : — "Ne les retiens pas !"
"Ramenez des pays lointains mes fils !
"Et des confins de la Terre mes filles". (Isaïe 43, 5-6)

_____

(1) Isaïe, né en 765 av. J.-C. commença à prophétiser en 740 av. J.-C. Il avait donc prévu plus de huit cents ans à l'avance la "diaspora", et plus de deux mille sept cents ans à l'avance le "retour à Sion" de 1948.

L'orient, l'occident, le nord, le midi, ce sont les quatre points cardinaux. Et, pour ne pas être trop court, il ajoute les pays lointains et les confins de la terre.

Peut-on être plus explicite ?

Isaïe ne fut pas le seul !

Ezéchiel est tout aussi précis (1) :

— "Je retirerai mes brebis
"De tous les lieux où elles furent dispersées.
"Je les ferai quitter les peuples où elles sont.
"Je les rassemblerai des pays étrangers.
"Et je les ramènerai sur leur sol.
"Et elles ne seront plus en butte
"Aux insultes des Nations (2)" (Ezéchiel 34, 12-14-29).

Ezéchiel indique aussi le nom que prendra le nouvel état !

Il aurait pu dire : Canaan, Juda, Palestine, Terre Promise. Non ! Il est très net :

— "Ainsi parle Elohim :
"Je vous rassemblerai d'entre les Nations
"Et je vous recueillerai des pays où vous avez été dispersés.
"Et je vous donnerai "le pays d'Israël" (3).

(Ezéchiel 11, 17)

Deux cents ans plus tôt, déjà, le prophète Amos (4) n'avait-il pas dit :

— "Seul un reste d'Israël sera épargné,
"En ce jour-là je relèverai la hutte branlante de David.
"J'en réparerai les brèches, j'en relèverai les ruines.
"Je les planterai sur leur terre.
"Et jamais plus ils ne seront arrachés
"De la terre que je leur ai donnée". (Amos 9, 11-15)

---

(1) Ezéchiel prophétisa de 593 à 571 avant notre ère.
(2) En hébreu : "Kélimath ha-Goïm"
(3) En hébreu : "Ve-natati lakhem aet ademat Israël"
(4) Amos, 783-743 avant notre ère.

Ainsi, par ce vote des Nations Unies en 1948, se trouvaient réalisées les prédictions de tous les prophètes.

Cette décision de l'ONU en faveur du nouvel état Hébreu fut d'autant plus "miraculeuse" que, quelques années plus tard, il ne se serait certainement jamais trouvé une majorité à l'ONU pour prendre une telle décision.

Autre fait troublant : c'est l'ennemi le plus acharné d'Israël, le pays des pogroms tsaristes et des refus soviétiques d'autorisation de sortir pour les Juifs, qui fut, à l'époque le plus chaleureux avocat d'Israël.

Mais les Nations Unies, soucieuses de tenir compte de l'existence de deux communautés, Juifs et Arabes, sur le sol de la Terre Promise, découpèrent d'une manière très empirique le vieux pays de Canaan.

Les Arabes refusèrent d'admettre l'existence d'un état juif au Moyen-Orient, si petit fût-il.

Ils oubliaient que, partis eux-mêmes du désert d'Arabie, qu'on appelle aujourd'hui l'Arabie Saoudite (1), c'est par la violence et la conquête qu'ils s'étaient répandus sur tout le Moyen-Orient, l'Afrique du Nord, l'Europe Sud-Orientale, l'Espagne et le Midi de la France.

Et que c'est par l'épée que Charles Martel les arrêta à Poitiers et qu'Isabelle d'Espagne, la Catholique, les refoula en Afrique.

Tous les pays arabes qui encerclaient le petit état juif, indéfendable, se jetèrent sur lui dès l'annonce de sa création (2).

Aussi paradoxal que cela aurait pu paraître, s'il n'y avait eu les Elohim pour l'aider, ce fut le petit état hébreu qui remporta la victoire (3).

---

(1) Du nom de son fondateur Ibn Saoud.

(2) Personne ne manquait à l'appel pour rejeter à la mer les rescapés des camps de concentration : armées égyptiennes du gros roi Farouk, "légion arabe" du petit roi Hussein de Jordanie longtemps commandée par l'Anglais Glubb Pacha, divisions blindées syriennes et irakiennes.

(3) Les soldats juifs, sans uniformes, dotés d'armes légères que l'on disputait aux morts tant il y en avait peu, se battaient à un contre cent. Ils triomphaient des armées arabes lorsque l'ONU imposa aux belligérants un cessez-le-feu.

Les frontières s'établirent alors sur les lignes où se trouvait chaque armée au moment du cessez-le-feu imposé par les grandes puissances.

Une seconde guerre éclata en 1956 (1), une troisième en 1967 (2), une quatrième en 1973 (3), sans grands changements parmi les protagonistes.

Chaque fois les armées du petit état hébreu défirent celles de ses puissants voisins.

Mais chaque fois aussi Israël fut frustré de sa victoire complète et les grandes puissances lui imposèrent de cesser le feu et parfois même de revenir sur ses lignes de départ.

Chaque fois, la rage au cœur, les Israéliens s'inclinèrent.

Mais les états arabes, quatre fois battus à plate couture, refusèrent toujours de signer avec Israël un traité de paix.

Mieux même, ils se sont toujours refusés à reconnaître l'existence du nouvel état hébreu.

Tous les experts militaires se sont demandés comment la

---

(1) Nasser venait de nationaliser le canal de Suez. Français et Anglais montèrent une opération militaire contre l'Egypte à laquelle ils demandèrent à Israël de s'associer. L'expédition franco-anglaise tourna court à la suite d'un veto des USA qui menacèrent de faire intervenir la 6ᵉ flotte et d'un ultimatum de l'URSS qui alla jusqu'à parler d'envoyer des bombes sur Londres et Paris. L'armée du petit état juif avait déjà cassé celle de l'Egypte, avait envahi le Sinaï, que les Nations-Unies l'obligèrent à évacuer.
(2) En juin 1967 l'hystérie arabe était à son comble. Nasser bloquait la mer Rouge grâce à sa base de Sharm-el-Sheikh. C'était l'asphyxie pour Israël. Les discours publics de Nasser reprenaient les thèmes chers à Hitler. Le dictateur égyptien congédiait "les casques bleus" que l'ONU avait placés entre les deux belligérants après la guerre de 1956. Jordaniens et Syriens joignaient leurs clameurs à celles de Nasser. Israël prit les devants. En six jours l'armée israélienne était maîtresse du Sinaï, de la poche de Gaza et de la Cisjordanie. Elle avait cassé les armées de ces trois pays arabes, dix fois plus nombreuses qu'elle.
(3) Le 6 octobre 1973, les troupes égyptiennes et syriennes, à 14 heures, sans préavis, ouvraient les hostilités contre Israël. Elles avaient choisi un jour de fête, de jeûne et de prières, sainte entre toutes dans la religion juive, le "yom kippour". Les Egyptiens dotés du matériel russe le plus perfectionné, conseillés sur place par des officiers russes, franchissaient le canal de Suez et bousculaient les premières lignes israéliennes pendant que les Syriens attaquaient au nord et que les Jordaniens, sans préciser leurs intentions, immobilisaient sur leur frontière du Jourdain des troupes israéliennes dont la présence eût été précieuse sur les autres fronts. Après deux semaines de combat les Israéliens reprenaient le canal de Suez, le traversaient, menaçant/le Caire. Sur le front nord ils s'emparaient des hauteurs du Golan et fonçaient sur Damas dont ils n'étaient plus qu'à quelques kilomètres quand les Russes menacèrent de débarquer des troupes si l'ONU n'imposait pas un nouveau cessez-le-feu.

petite armée israélienne avait pu, à quatre reprises et dans des temps records, mettre hors de combat des armées dix fois plus nombreuses qu'elle-même, disposant d'un armement bien supérieur, et de conditions de combat bien plus avantageuses.

Israël supportait au départ tous les handicaps possibles : territoire étroit, à peine quinze kilomètres de large, superficie réduite ne permettant pratiquement aucun recul, population (3 millions d'habitants) insignifiante comparativement à ses voisins (l'Egypte à elle seule compte 45 millions d'habitants), obligation de combattre sur trois fronts, etc.

Le courage des combattants arabes n'est nullement en cause !

Mais les experts militaires et les Etats-Major des pays étrangers qui ont observé ces combats n'ont pas tenu suffisamment compte de phénomènes étranges dont la répétition au cours des quatre guerres aurait dû éveiller leur attention.

De nombreux prisonniers égyptiens et syriens, lors de leur interrogatoire par les officiers israéliens, ont souvent affirmé que la résistance de leur régiment s'était effondrée lorsqu'ils virent foncer vers eux des centaines de chars d'une taille telle qu'ils n'en avaient jamais vue. Or, après enquête, les officiers israéliens eurent la conviction qu'aucune unité de chars n'avait opéré dans le secteur en question.

Egyptiens et Syriens ne furent-ils pas victimes ce jour-là du même phénomène que les Philistins trois mille ans plus tôt ?

Il est écrit en effet :

— Mais Elohim, ce jour-là, tonna à grand fracas sur les Philistins, LES FRAPPA DE PANIQUE, et ils furent battus devant Israël". (1 Samuel, 7, 10).

Des aviateurs arabes atterrirent dans les lignes israéliennes où ils furent faits prisonniers. Interrogés, ils affirmèrent en avoir reçu l'ordre par radio.

Les instructions des états-majors arabes, à l'intention de leurs unités avancées, ne parvenaient pas à leurs destinataires.

Un officier Israélien, à la tête de son unité de chars atteignit le canal de Suez après avoir traversé tout le Sinaï dans un temps record.

Comme on s'étonnait auprès de lui que ses chars n'aient pas sauté sur les champs de mines posés en abondance par les Egyptiens, il raconta qu'un curieux vent tournant s'était levé et avait précédé sa colonne blindée pendant tout le temps de sa percée. En tourbillonnant le vent soulevait le sable et découvrait aux yeux des conducteurs de chars israéliens les champs de mines égyptiens, à travers desquels ils pouvaient ainsi passer sans encombre (1).

Devant ces témoignages non équivoques, étonnants par leur nombre et leur précision, les combattants des deux bords, eux, ne s'y sont pas trompés, en imputant tous ces phénomènes surnaturels à l'intervention de "Dieu" disaient les uns, des "supraterrestres" disent les autres (2).

Le prophète n'avait-il pas annoncé :

— "Ils fondront de concert sur les Philistins, au couchant, (c'est la poche de Gaza). Et sur Edom et Moab ils étendront leur puissance", (c'est la prise de la Cisjordanie). (Isaïe 11, 14).

Nous sommes entrés dans l'ère messianique en 1948 avec

---

(1) Cité par le "Jérusalem Post".
(2) Ne dit-on pas aussi qu'après la guerre de 1973 les Américains auraient vivement reproché aux Israéliens de leur avoir caché l'importante découverte qu'ils venaient de faite. En effet, lors du franchissement du canal de Suez par les armées israéliennes les satellites espions des Russes et des Américains avaient cessé d'envoyer des images en passant au-dessus de cette région, et cela pendant plusieurs heures. Les Israéliens eurent beaucoup de peine à faire admettre aux Américains qu'ils n'y étaient sincèrement pour rien...

la restauration de l'Etat d'Israël, nous y étions encore en 1967 avec la conquête de la Cisjordanie par l'armée hébreue ainsi que les prophéties l'avaient annoncée.

Nous sommes encore dans les Temps Messianiques (1) car toutes les prophéties concernant cette époque ne sont pas encore réalisées.

Combien de temps durera cette ère ?

Nous ne le savons pas !

Il dépend de l'humanité qu'elle soit plus ou moins brève.

Mais il n'y a guère lieu de se réjouir car après les Temps Messianiques ce sera l'Apocalypse ! (2).

---

(1) En hébreu : "iémot ha-mashikha".
(2) Du Grec "apocalupsis", "révélation divine".

CHAPITRE XX

LES PROPHETIES PEUVENT-ELLES SE TROMPER ?

OU LA CLE DES FRONTIERES DU NOUVEL ETAT D'ISRAEL

> — *"A cette époque, la maison de Juda*
> *"Ira se joindre à la maison d'Israël.*
> *"Et ensemble elles reviendront*
> *"Du pays du Nord, au pays que j'ai donné*
> *"Comme héritage à leurs ancêtres."*
>
> *(Jérémie 3, 18)*

L'Apocalypse sera la fin du monde !

Au moins de celui que l'humanité a bâti depuis que les Elohim lui ont apporté la connaissance.

Quand se produira l'Apocalypse ?

A la fin des Temps Messianiques dans lesquels l'humanité est entrée en 1948. Les prophètes ont unanimement prédit l'Apocalypse mais aucune date précise ne nous a été donnée.

C'est l'humanité qui la déclenchera. Et, du train dont les choses sont parties, les temps en sont proches. Car tous les événements de ces dernières années ne laissent pas présager que l'humanité soit disposée à modifier ses voies.

Comment se produira l'Apocalypse ? Il semble, à regarder les événements internationaux, que l'humanité n'ait que l'embarras du choix : conflits du Sud-Est Asiatique, rivalité russo-chinoise, Cuba, Afrique, Moyen-Orient, rivalité USA-URSS.

On peut, sans risque d'erreur, écarter l'Europe,

l'Extrême-Orient, l'Afrique, l'Océanie, les Amériques. Des guerres larvées ou ouvertes y éclatent et y éclateront encore, mais ces conflits n'entraîneront pas l'Apocalypse. Car l'esprit messianique ne souffle pas sur ces régions.

Tout viendra du Proche-Orient et l'étincelle qui déchaînera l'explosion se produira là : entre les Arabes et leur pétrole, Israël et le problème de ses frontières, les Palestiniens et leurs revendications.

C'est sur ces questions qu'il nous faut nous pencher !

Toute la question des frontières d'Israël et des revendications palestiniennes soutenues par les Etats pétroliers Arabes porte sur la dévolution du territoire de Juda.

Juda, c'est cette partie du Sud-Est de Canaan qui va jusqu'au Jourdain. Elle forme avec une partie de la Samarie ce que les Arabes appellent aujourd'hui la Cisjordanie.

En l'occupant en 1967 l'armée israélienne a réalisé la réunification de la Terre Promise. La jonction des territoires de Juda et d'Israël avait été prévue par les Prophètes. Elle s'est réalisée. Preuve supplémentaire que nous sommes bien dans les Temps Messianiques.

Voyons ce que disent les prophéties en ce qui concerne les limites du nouvel état hébreu.

Les pays d'Israël et de Juda ne doivent faire qu'un. Le prophète n'a-t-il pas dit :

"Ainsi parle Elohim : — "Voici que je vais prendre les enfants d'Israël parmi les Nations où ils sont allés. Je vais les rassembler de tous côtés et les ramener sur leur sol. Et j'en ferai une seule nation. Un seul roi sera leur roi. Ils ne formeront plus deux nations et ne seront plus divisés en deux royaumes". (Ezéchiel 37, 21-22).

Le prophète Jérémie s'exprime de la même façon. Mais la traduction de sa prophétie par la Sainte Bible de Jérusalem est assez savoureuse.

Nous savons que cette prise de possession de l'ancien territoire de Juda par le nouvel Etat Hébreu n'est pas du goût de tout le monde. Elle n'est surtout pas appréciée par les Arabes et par la politique Vaticane.

Le prophète ayant prévu le retour des Hébreux sur la totalité de leur Terre Promise, la Sainte Bible de Jérusalem, qui n'aurait pas pu paraître sans l'autorisation du Vatican, va réduire la prophétie au seul territoire des frontières d'avant 1967.

C'est assez difficile comme exercice littéraire mais c'est très réussi pour le lecteur qui ne se reportera pas (et pour cause) au texte original.

Et voici ce que cela donne !

Alors que le texte hébreu de la Bible ne porte aucun sous-titre, la Sainte Bible va intituler le Chapitre 30 contenant cette prophétie :
"Restauration promise à l'Israël du Nord" (1).

Nous avons bien lu. Restauration d'Israël, le royaume du Nord et pas de Juda, le royaume du Sud, actuelle Cisjordanie. Et pour qu'il n'y ait pas de méprise possible on a même précisé : "Israël du Nord".

Mais comme le Prophète parle toujours de la restauration "d'Israël et de Juda", qu'à cela ne tienne ! On ne peut supprimer le mot "Juda" qui figure plusieurs fois dans la prophétie à côté de celui "d'Israël" ! Ce serait trop gros !
Alors on le met "entre parenthèses".

Et cela donne, dans la Sainte Bible :

"Restauration promise à l'Israël du Nord".
"Voici venir les jours où je changerai le sort de mon peuple Israël (et Juda)... Je les ferai revenir au pays que j'ai donné à leurs pères pour qu'ils en prennent possession. Voici les paroles qu'a prononcées Yaveh à l'adresse

---

(1) La Sainte Bible, traduite en français sous la direction de l'Ecole Biblique de Jérusalem. (Editions du Cerf, Paris), page 988.

d'Israël (et de Juda)... Je briserai le joug qui pèse sur leur nuque et je romprai leurs chaînes"... (Jérémie XXX).

Ainsi la restauration des Hébreux, sur leur Terre Promise, n'aura l'air d'avoir été prédite par le prophète que sur "l'Israël du Nord" et pas sur Juda et Jérusalem que les Chancelleries appellent la "Cisjordanie".

Et, comme le texte hébreu, après avoir parlé d'Israël et de Juda, réserve quelques versets à l'un puis à l'autre, la Sainte Bible prend les versets 23 et 24 du Chapitre suivant, et l'intitule : "Rétablissement promis à Juda".

Ces versets anodins parlent de "laboureurs avec leurs troupeaux". Le lecteur, distrait et induit en erreur par le titre, aura tout loisir d'associer cela à l'idée d'un second état, annoncé par les prophéties, avec les Palestiniens, par exemple.

Bien entendu, si l'on se reporte au texte hébreu, on voit parfaitement que le prophète n'a fait aucune distinction subtile de ce genre entre l'Israël du Nord et Juda, la Cisjordanie.

Il est, au contraire, toujours question d'Israël et de Juda comme d'un seul peuple et d'un seul territoire, et de la restauration de Jacob (le peuple hébreu) sur la totalité de sa Terre Promise.

"En vérité un temps arrivera, ainsi s'exprime Elohim, où je ferai revenir mon peuple captif, Israël et Juda, où je les ramènerai dans le pays que j'ai donné à leurs ancêtres, et ils en prendront possession." (Jérémie 30, 3).

"Voici les paroles prononcées par Elohim touchant Israël et Juda : C'est un temps d'angoisse pour Jacob (le peuple hébreu), mais il en sortira triomphant. Je briserai son joug... Ne crains donc rien... Mon secours te fera sortir des régions lointaines et tes descendants de leur pays d'exil... Jacob reviendra et il jouira d'une paix et d'une sécurité que personne ne troublera plus... Je vais

restaurer les ruines des tentes de Jacob... Ses fils rede-
viendront ce qu'ils étaient jadis... L'ardente colère
d'Elohim ne sera apaisée que lorsqu'il aura exécuté les
desseins de son cœur. Dans un avenir lointain, vous vous
en rendrez compte". (Jérémie 30, 4-24).

"Dans un avenir lointain", il a fallu, en effet deux mille
cinq cents ans pour que cette prophétie se réalise.

Bien entendu, la Bible du Rabbinat français respecte
dans sa traduction le texte original et se garde de toute distinction dans cette prophétie entre Israël et Juda (1).

L'Organisation des Nations Unies, elle, a réagi vivement
lors de la conquête par l'Etat Hébreu, en 1967, de son
autre soi-même, Juda, la rive occidentale du Jourdain.

Prise d'une vertueuse indignation, elle a refusé, pour
une fois, d'entériner une annexion territoriale, feignant
d'oublier que chacun des Etats qui la composent n'est que
la résultante de guerres séculaires et d'annexions encore
moins justifiées que l'était celle-là.

L'innocente Russie a, la toute première, fustigé cette
politique de conquête, n'ayant gardé qu'un souvenir très
flou de ses propres agrandissements territoriaux en Lithua-
nie, en Lettonie, en Esthonie, en Pologne, en Roumanie,
en Bulgarie, au détriment des petits pays européens, aux
îles Kouriles au détriment du Japon, pour ne parler que
des exactions postérieures à 1940.

Si l'on remonte plus loin dans le temps, en matière de
conquêtes, que fait la Russie en Asie, en Mandchourie, à
Vladivostok, en Sibérie ? Pour ne pas parler de l'Ukraine !

Ce n'est qu'en 1499 qu'Yvan III a étendu son empire
jusqu'à l'Oural. Ce n'est qu'en 1580 qu'Ivan IV annexa les
terres de la Volga et de la Mer d'Azov. Ce n'est qu'en 1709
que Pierre le Grand annexa l'Ukraine, et en 1900 Nicolas
II la Mandchourie.

---

(1) Il en est de même des "Saintes Ecritures", protestantes, qui ne dépendant pas du
Vatican traduisent correctement ces passages.

Les trois honteux partages de la Pologne remontent à deux siècles à peine, sans compter le quatrième partage en 1939 avec Hitler.

Quel rapport y a-t-il entre la blanche Russie, Européenne et autrefois Très Chrétienne, avec les peuples qu'elle opprime d'Arménie, d'Azerbaïdjan, de Géorgie, de Turkménistan, d'Ouzbékistan, de Tadjikistan, de Kazakhstan, de Kirghizistan, qui font plus de la moitié de la population de l'URSS ? (1).

Les Ousbeks, les Tartares, les Kazakhs sont-ils des Russes ?

Le monde civilisé a oublié les odieux transferts de population, analogues à ceux de Nabuchodonosor et de Sargon II dans l'Antiquité, auxquels se livra l'URSS en 1945, embarquant sans ménagement les Allemands de Prusse Orientale vers l'Ouest pour donner leurs terres aux Polonais à qui on enlevait dans les mêmes conditions la Silésie pour l'annexer.

Que font actuellement les armées soviétiques en Pologne, en Allemagne de l'Est, en Hongrie, en Tchécoslovaquie, en Roumanie, en Bulgarie ?

Ces peuples ont-ils jamais souhaité cette tutelle ?

Qu'a fait l'Organisation des Nations Unies au moment des soulèvements de Berlin, de Prague, de Buda-Pest, aussitôt noyés dans le sang ?

Les vertueux Etats-Unis d'Amérique ont oublié le génocide de leurs Peaux-Rouges - leur guerre de Sécession où ils obligèrent par la force les Etats du Sud qui voulaient quitter l'Union à y rester -, leur conquête sanglante du Texas, du Nouveau Mexique et de la Californie en 1848 sur le petit Mexique, leur annexion de Porto Rico, des Philippi-

---

(1) L'ancienne Russie des Tsars et les conquêtes ultérieures se partagent en républiques socialistes soviétiques dont chacune occupe un siège à l'ONU mais elles n'ont aucune indépendance, tout continue comme par le passé à se décider à Moscou. Sur 245 millions d'habitants il y a à peine 127 millions de Russes pour l'ensemble de l'URSS.

nes, de l'île de Guam et des îles Hawaï au détriment de l'Espagne en 1898.

Que fait l'Angleterre en Irlande, et même en Ecosse ? Que faisait-elle aux Indes et dans son vaste empire colonial ?

Et pour ne pas parler de la France, que firent d'autre "ces Quarante Rois qui en mille ans firent la France" , à en croire le dicton royaliste ? Sinon des guerres et des annexions, et encore et toujours des guerres et des annexions, pour "agrandir le pré carré" !

Et les Arabes, eux-mêmes, que font-ils hors de l'Arabie, qualifiée aujourd'hui de "saoudite" (1).

Que font-ils en Afrique du Nord ? Que font-ils au Moyen Orient ? Sinon vivre sur des territoires qu'ils avaient conquis par la force !

Que faisaient-ils en Espagne ? Et en France avant la bataille de Poitiers ? Et en Europe jusqu'aux portes de Vienne ?

Evidemment si chacun aujourd'hui devait rentrer chez soi cela ferait un trop grand remue-ménage. C'est ce qu'a dû se dire l'Organisation des Nations-Unies. Elle a préféré ne pas en faire une règle générale, qu'elle eût été bien en peine de faire respecter par les grandes puissances.

Elle a donc décidé d'appliquer cette règle de haute moralité au seul petit état hébreu, qui s'était permis de gagner par les armes la rive occidentale du Jourdain, avec comme justification essentielle la Bible et les Prophètes, en qui les huit dizièmes des Nations Unies croient cependant "dur comme fer".

Je ne sais ce qu'il adviendra de cette fameuse motion des

---

(1) Du nom du roi Ibn Saoud Abd Al Aziz III, né à Ryad en 1887, mort en 1953, émir du Nadjd, puis roi du Hedjaz, qui se proclama, en 1932, roi de l'**Arabie Saoudite**.

Nations-Unies (1) qui prévoit l'évacuation "des" territoires occupés, disent les Arabes, les Russes et quelques autres, l'évacuation "de" territoires occupés, disent les Israéliens (2).

Pour les premiers, ce sont tous les territoires occupés. Pour les seconds, une partie seulement.

Mais ceux qui se donnent la peine d'aller sur place voient avec une stupeur admirative ce que les Israéliens, à force de ténacité et de labeur, ont fait de leur petit territoire : un îlot de prospérité, une oasis de verdure, au milieu d'états arabes arides et désertiques où le choléra sévit encore.

Les villes sont pimpantes, plantées d'arbres et de fleurs, avec de vertes pelouses, qu'il faut arroser nuit et jour sous ce soleil tropical. Dès l'aube, autobus, taxis, camions et camionnettes, voitures particulières, déversent une population gaie et volubile qui se rend à son travail. On dirait une ruche bourdonnante.

Hommes et femmes sont égaux, même à l'Armée. Mais un grand respect mutuel entoure les relations entre garçons et filles.

On ne trouve en Israël nulle trace de cette soi-disant supériorité du mâle, qui s'affiche bêtement en Orient, dans les pays méditerranéens, et ailleurs aussi.

Dans la Bible déjà on voit l'amour de l'homme et de la femme, l'un pour l'autre, s'exprimer il y a quatre mille ans en des termes d'une infinie douceur. Cela n'a pas changé dans l'Israël actuel.

---

(1) C'est la motion 242.
(2) Le texte anglais, qui a été adopté, dit : "évacuation from territories occupied". C'est-à-dire : "évacuation de territoires occupés".
S'il s'était agi de "tous les territoires occupés", il y aurait eu, soit "evacuation from all territories occupied", soit "evacuation from the territories occupied".
L'interprétation des Israéliens est donc correcte. L'auteur de la fameuse motion, un Anglais, confirme entièrement cette traduction. Quand on lui signale qu'en français son texte prête à équivoque, il répond avec humour "qu'il ignore le français et qu'il n'est pas responsable de l'imprécision de cette langue".

La tendresse des parents envers leurs enfants qui transparaît dans la Bible se retrouve intacte dans le nouveau pays. Tout y est conçu, et réalisé, en faveur de la prochaine génération et de son bonheur.

Dans la Bible, la famille juive respirait la joie de vivre. Aujourd'hui, en Israël, bien que les conditions d'existence soient très dures, "le peuple d'Elohim" n'est pas un peuple triste, bien au contraire.

Les campagnes sont riantes et prospères. Les Israéliens ont reboisé ce pays que dix siècles d'impéritie et de nonchalence arabes avaient rendu désertique.

Le Néguev lui-même, ce désert de la Bible, a été maîtrisé. Des villes s'y sont bâties en pleines dunes de sable. Des oasis ont été plantées, des puits forés.

Un système complexe de réseau d'adduction et de stations de pompage a été construit qui permet d'amener du Nord du pays, où elle est abondante, l'eau jusqu'au Sud plus aride.

Le prophète n'avait-il point dit :

— "De l'eau jaillira dans le désert, des rivières dans la plaine aride. Le mirage deviendra une nappe d'eau et le pays de la soif aura ses fontaines". (Isaïe 35, 6-7).

Et encore :

— "Je ferai sourdre des rivières sur les hauteurs dénudées, des fontaines dans les vallons. Du désert je ferai un lac, de la terre aride des sources d'eau jaillissantes. Dans le désert je ferai croître le cèdre, l'acacia, le myrte et l'olivier. Dans la campagne stérile je planterai avec le cyprès, l'orme et le buis". (Isaïe 41, 18-19).

Depuis la résurrection de l'Etat d'Israël, l'Alliance est rétablie entre Elohim et son peuple. De nouveau la protection des Célestes s'étend sur ses "élus", si l'on en croit le prophète :

— "Vous habiterez le pays que j'ai donné à vos pères. Vous serez mon peuple et moi je serai votre Elohim" (1).
(Ezéchiel 36, 28).

Y a-t-il le moindre espoir pour les Arabes d'expulser les Hébreux de leur Terre Promise et de les rejeter à la mer ? Aucun ! Si l'on en croit le prophète, et il semble qu'ils s'en rendent bien compte eux-mêmes après trente ans de guerre :

— "Et jamais plus ils ne seront arrachés
De la terre que je leur ai donnée." (Amos 9, 15).

Bien au contraire ! Il semble qu'une ère de paix et de prospérité soit promise pour Israël pour les prochaines · années :

— "Aux temps futurs (nous y sommes), Jacob étendra ses racines et Israël donnera des bourgeons et des fleurs et ils couvriront de fruits la surface du globe".
(Isaïe 27, 6).

— "Je serai comme la rosée pour Israël,
Il croîtra comme un lys.
Il poussera ses racines comme le peuplier,
Ses rejetons s'étendront au loin.
Il aura la magnificence de l'olivier,
Le parfum du Liban.
Ils reviendront s'asseoir à mon ombre.
Ils feront prospérer le froment, ils cultiveront des vignes.
Que le sage comprenne ces paroles". (Osée 14, 6 à 10) (2).

Quelles sont les limites exactes que les prophéties assignent au nouvel Etat Hébreu ?

Nous avons, à cet égard, une première prophétie, elle nous vient d'Isaïe. Mais le prophète nous indique, lui-

---

(1) En hébreu : "ve anokhi éhéyié lakhem le-Elohim".
(2) Osée fait partie des douze "petits prophètes", ainsi appelés non pour la qualité de leurs prophéties mais tout simplement pour le peu de place que le texte de leurs prophéties occupe dans la Bible.

même, que sa prédiction sera volontairement obscurcie. Il faudra donc la déchiffrer.

Ce ne sera pas chose aisée. La meilleure preuve en est que nos deux traductions traditionnelles de la Bible, celle de l'Ecole Catholique de Jérusalem, et celle du Rabbinat français n'y ont pas réussi.

La prophétie commence par la phrase suivante :

"Il faut tenir secrète la leçon, mettre un sceau sur cette révélation parmi mes disciples... Elohim voile présentement sa face à la maison de Jacob... Toutefois l'accablement ne persistera pas là où est maintenant la détresse". (Isaïe 8, 16-17-23).

Jusque là, pas de difficulté, et les deux traductions, celle de la Sainte Bible de Jérusalem et celle du Rabbinnat s'en tirent parfaitement bien.

Elles vont perdre pied l'une et l'autre malencontreusement dans la traduction de la fin du verset 23.

La Bible catholique dit :

"Mais dans l'avenir, Il glorifiera la route de la mer au-delà du Jourdain, le district des Nations". (1).

Il est bien évident que cela ne veut strictement rien dire !

La traduction des "Saintes Ecritures par Watchtower Bible", op. déjà cité, est encore pire : — "Enveloppe l'attestation, mets un sceau autour de la loi parmi mes disciples. Et je resterai dans l'attente de Jéhovah qui cache sa face à la maison de Jacob. Toutefois, l'obscurité ne sera pas comme lorsque le pays était dans l'angoisse, et quand au temps postérieur on faisait honorer le chemin près de la mer, dans la région du Jourdain, Galilée des Nations".

Si le lecteur, ahuri, ne referme pas la Bible après cela pour ne l'ouvrir plus jamais, ce sera un vrai prodige !

---

(1) Sainte Bible de Jérusalem, opuscule déjà cité, page 912.

Le Rabbinat français n'est guère plus heureux dans sa traduction :

"Mais, finalement, l'honneur sera rendu au pays qui s'étend vers la mer, ou au-delà du Jourdain, au district des gentils" (1)

La première partie de la phrase serait bonne si par un fâcheux renvoi, en fin de page, le traducteur n'avait ajouté, pour "mer" : le "lac Tibériade" alors qu'il s'agit de la Mer Méditerranée. Mais, de toutes façons, la fin de la phrase est inintelligible (2).

La traduction correcte est la suivante :

"Mais, finalement, l'honneur sera rendu au pays qui s'étend vers la Mer (Méditerranée), jusqu'à la Transjordanie (3), où se mélangent les non-Juifs" (4).

C'est de la Méditerranée jusqu'au Jourdain que s'étendra le nouvel Etat Hébreu, "à qui l'honneur sera finalement rendu".

C'est très exactement "le pays de la promesse" !

Nous avons une seconde prophétie concernant les frontières qu'Elohim a assignées au nouvel Etat. Elle émane d'Ezéchiel. Non seulement Ezéchiel ne se croit pas obligé d'observer, comme l'a fait Isaïe, un style ésotérique pour "tenir secrète la leçon", mais il donne sur les nouvelles frontières des indications, d'une précision méticuleuse.

A un point tel, qu'en le suivant mot à mot, on peut dresser la carte exacte du nouvel Etat.

---

(1) Bible, traduite du texte original par les Membres du Rabbinat français, sous la direction du Grand Rabbin Zadoc Kahn, publié par "Sinaï", Tel-Aviv, Allenby Road 72, 1974, page 9 de la seconde partie.
(2) Le texte hébreu à traduire est :
"ve-ha-akharon ivbiid derekhe ayam ever hayarden gélil ha-goïm".

(3) Les mots hébreux : "ever haïarden" signifient "la Transjordanie". Voir dictionnaire Larousse, Hébreu-Français, par Marc M. Cohn, Achiasal Publishing House, Tel-Aviv 1975, page 493, 1ʳᵉ colonne.
(4) Les mots hébreux "Gelil ha-Goïm" signifient :
"le pays où se mélangent", (Gelil)
"les non-Juifs" (ha-Goïm).

"Voici les limites du Pays...

Au Nord, depuis la Grande Mer (Méditerranée) jusqu'à l'entrée de Hamat,...

A l'Est, le Jourdain servira de limite jusqu'à la Mer Orientale,...

Au Sud, jusqu'au torrent (d'Egypte), Cadès, vers la Grande Mer,

A l'Ouest, la Grande Mer servira de limite jusqu'à la hauteur de Hamat". (Ezéchiel 47, 15-20).

Ce qui est très curieux dans cette prophétie, c'est qu'elle n'attribue pas au nouvel Etat les limites qui étaient celles de la Conquête de la Terre Promise, par Josué. Non plus que les limites des Royaumes Hébreux sous David et Salomon.

Les unes et les autres laissaient, sur le littoral méditerranéen, deux larges enclaves, l'une au Nord pour les Phéniciens, l'autre au Sud pour les Philistins.

Ces deux peuples ont disparu depuis que la prophétie a été faite, il y a deux mille cinq cents ans.

Par contre, les conquêtes de Josué tout comme les royaumes de David et de Salomon englobaient la rive orientale du Jourdain, que l'on appelle aujourd'hui la Jordanie.

Il en allait de même de la Syrie actuelle qui faisait partie des royaumes de David et de Salomon.

Comment le prophète, s'il n'avait été "inspiré", aurait-il pu savoir que les Phéniciens et Philistins, qui tenaient des enclaves sur le littoral méditerranéen, disparaîtraient sans laisser de trace, et que l'attribution de leurs territoires au nouvel Etat Hébreu ne poserait aucun problème ?

Que la Syrie et la Jordanie (ou plutôt Transjordanie) se formeraient en Etats Arabes et seraient rebelles à toute absorption par Israël alors qu'ils faisaient partie des royaumes de David et de Salomon, et pour la Jordanie au moins de la conquête de Moïse et du royaume des Maccabées ?

Que la guerre de 1967 amènerait l'Etat d'Israël jusqu'au Jourdain, et pas au-delà ?

Seule question que nous pose cette prophétie : le Sud Liban paraît englobé dans les limites du nouvel Israël. Est-ce ainsi que se terminera la lutte actuelle entre les milices chrétiennes et les Palestiniens implantés dans cette région ?

Ezéchiel semble avoir prévu le problème palestinien ou plus exactement le "problème des Arabes d'Eretz-Israël". Et voici comment il le règle :

"Vous partagerez ce pays entre vous, les Tribus d'Israël. Vous le partagez, en héritage, pour vous et pour les étrangers qui séjournent au milieu de vous et qui ont engendré des enfants parmi vous. Car vous les traiterez comme l'habitant d'Israël". (Ezéchiel 47, 21-22).

Est-ce l'annonce d'une large autonomie administrative interne pour les Arabes de Samarie et de Juda, ou Cisjordanie ?

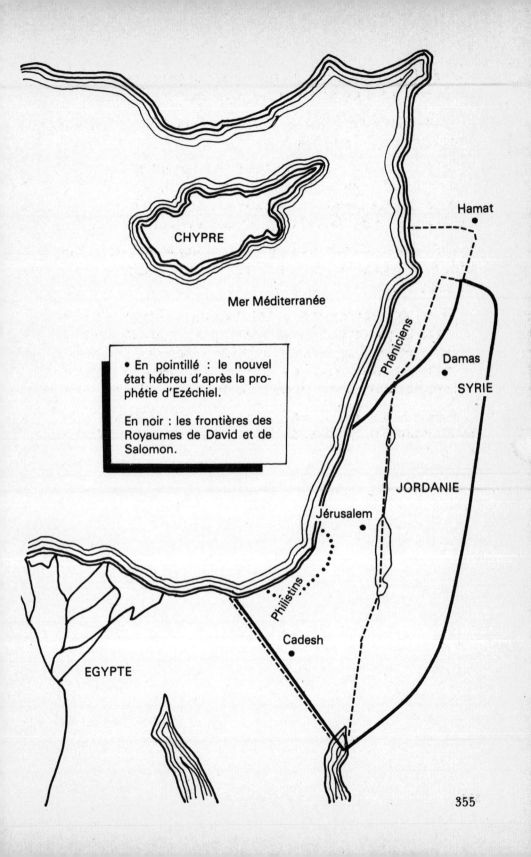

CHYPRE

Mer Méditerranée

Hamat

Phéniciens

Damas

SYRIE

• En pointillé : le nouvel état hébreu d'après la prophétie d'Ezéchiel.

En noir : les frontières des Royaumes de David et de Salomon.

JORDANIE

Jérusalem

Philistins

Cadesh

EGYPTE

CHAPITRE XXI

LA PAIX AU PROCHE ORIENT EST-ELLE POUR BIENTOT ?

OU
LA CLE DE L'AVENIR PAR LES PROPHETIES

> — *"Bénis soient : mon peuple d'Egypte,*
> *l'Assyrie œuvre de mes mains, et*
> *Israël mon héritage". (Isaïe 19, 25)*

Que sont devenus les grands empires, qui, depuis la création du monde, défrayèrent la chronique ?

Qu'en est-il de Sumer ? Et de sa puissante civilisation, la première en date, sur les rivages du Golfe Persique ?

Qu'est devenue l'Egypte des pyramides et des Pharaons ?

Et Ninive, l'Assyrienne, et ses rois conquérants qui faisaient trembler leurs contemporains : Tiglat-Piléser, Assurbanipal, Salmanassar, Sargon, Sennachérib ?

Et Babylone la perverse, qui détrôna Ninive, et la surpassa en puissance et en cruauté ?

Qu'est-il advenu de la Grèce, d'Athènes et de Sparte et des conquêtes d'Alexandre ?

Et qu'en est-il de la Rome antique et de ses invincibles légions ?

Il ne reste rien de ces grands empires que des noms dans des manuels d'histoire et quelques monuments en ruines. Les uns et les autres témoignent d'une puissance temporelle qui était, à l'époque, considérable, et s'est depuis évanouie, mais leur héritage spirituel était de si peu de consistance qu'il a disparu avec eux.

Le Sage n'a-t-il pas dit :

— "Un âge va, un âge vient, et la terre tient toujours. Le soleil se lève et le soleil s'en va... Tous les fleuves marchent vers la mer, et la mer ne se remplit pas, et les fleuves continuent à marcher vers la mer... Vanité des vanités, tout est vanité et poursuite de vent !... Ce qui est, déjà fut, et ce qui sera, est déjà". (Qohélet 1, 4-7-14; 3, 15).

Que reste-t-il de l'Empire d'Espagne ? Et de celui du Portugal ?

Qu'est devenue la puissante Angleterre qui régnait sur tous les continents et dominait toutes les mers du monde ?

Et l'Autriche, dont les empereurs pouvaient dire : — "Le soleil ne se couche jamais sur mes terres", tant elles étaient vastes, et dont l'arrogante devise était : "AEIOU", "Austriae est imperare orbi universo", "il appartient à l'Autriche de commander à tout l'univers" ? (1)

Et l'Allemagne de Bismarck, de Guillaume II et de Hitler ?

Que seront demain ou dans dix ans les Etats-Unis d'Amérique, l'URSS ou la Chine ?

Au bout de ce tunnel que traverse l'humanité c'est toujours l'image d'Israël, le peuple élu par les Elohim, qui apparaît, en l'an 2000 bientôt de notre ère, comme elle était apparue en l'an 2000 avant notre ère.

Seul Israël subsiste à travers les siècles et les millénaires, en dépit des haines farouches qu'il déchaîne et des hécatombes qui laminent son peuple.

_____

(1) Cette devise a été traduite aussi en allemand avec des mots commençant par les mêmes lettres : "Alles Erdreich ist Oesterreich untherthan".

Après chaque épreuve sanglante, le "reste de Jacob" en sort purifié, ainsi que l'ont voulu les Ecritures. Toujours tendu vers le but qu'il semble lui-même ne pas toujours discerner, Israël, sans se lasser, tend vers l'humanité le message dont il est porteur.

Elohim n'a-t-il pas dit :

— "C'est trop peu que tu sois mon serviteur pour relever les Tribus de Jacob et ramener ceux d'Israël qui ont été préservés. Je veux faire de toi la lumière des Nations, mon instrument de salut jusqu'aux confins de la Terre". (Isaïe 49, 6).

— "Voici, j'ai fait de toi un témoin pour les peuples". (Isaïe 55, 4).

— "Voici mon Elu... sur lui j'ai répandu mon esprit pour qu'il révèle aux Nations ce qui est juste". (Isaïe 42, 1).

Mais l'humanité a d'autres préoccupations. Chaque peuple a ses propres soucis.

L'Allemagne n'arrive pas à se sortir, depuis des années, des ennuis que lui cause "sa bande à Baader"; l'Angleterre est aux prises avec son insoluble problème irlandais; les USA ont leurs drogués et expient avec leurs Panthères Noires, l'esclavage qu'ils ont imposé aux nègres d'Afrique; l'URSS a ses contestataires.

Le monde industrialisé ne surmonte pas les difficultés contradictoires que lui causent sa société de consommation, ses crises cycliques, son chômage dégradant, la violence gratuite de ses jeunes, et moins jeunes.

Le monde, qu'on appelait "sous-développé", et qu'on dit aujourd'hui "en voie de développement", voit s'accroître sans cesse l'écart qui le sépare des peuples nantis et repus.

La famine refait son apparition, ici et là, sur la Terre.

Et chacun, devant cet affreux spectacle que lui dispense la télévision, apaise sa conscience et ses remords en versant son obole à une collecte, ce qui n'a pas plus d'effet sur le cataclysme qu'un cautère sur une jambe de bois.

Les océans deviennent les uns après les autres des mers mortes. Sur la terre ferme, en Afrique, en Asie, en Amérique, en Océanie, et même en Europe (cela commence déjà en Espagne), le désert avance inexorablement, gagne sur la forêt que l'homme a trop exploitée. Les terres cultivées sont vaincues par l'érosion.

Et l'étreinte se resserre d'année en année, malgré les cris d'alarme des savants et des ingénieurs ruraux.

Combien de temps faudra-t-il encore pour transformer des continents entiers en paysages lunaires ? Dix ans, cinquante ans, cent ans ? Ce ne sont que des secondes pour la vie de l'humanité.

Et celle-ci, devant tous les cataclysmes que son mauvais génie a déchaînés, tâtonne, titube comme une femme ivre, ne sait plus quelle solution adopter, et semble insouciante de son avenir.

Et, cependant, cet avenir s'inscrit en lettres flamboyantes dans les prophéties. Tout y est clairement indiqué.

Pour s'en assurer il suffit de lire, par exemple, ce que disent les prophéties d'un passé récent.

Au sujet du Proche Orient et des quatre dernières guerres entre l'Egypte et Israël :

"Voici qu'Elohim, monté sur un nuage rapide, vient en Egypte. Les Egyptiens sentent leur cœur défaillir". (Isaïe 19, 1).

"Le territoire de Juda deviendra la terreur de l'Egypte". (Isaïe 19, 17).

En vingt-cinq ans, de 1948 à 1973, l'Egypte n'a-t-elle pas subi quatre défaites et, trois fois de suite, les armées d'Israël ne sont-elles pas arrivées jusqu'au canal de Suez, qu'elles ont même traversé, lors de la guerre de Kippour en 1973, pour ne s'arrêter qu'après un ultimatum russe, alors qu'elles étaient à moins de cent kilomètres du Caire ?

Et cette autre prophétie ne vise-t-elle pas Nasser ?

"L'Egypte perdra la tête et son habileté sera abolie. Les Egyptiens seront livrés entre les mains d'un maître dur. Un roi cruel les dominera." (Isaïe 19, 3-4).

Que disent les prophéties au sujet des pourparlers actuels de paix ?

"Mais si Elohim a durement frappé les Egyptiens, il les guérira. Ce jour-là, il y aura une route allant d'Egypte vers l'Assyrie". (Isaïe 19, 23). C'est la Jordanie, la Syrie et l'Irak actuels.

Et nous savons que cette route passe par Israël, comme les routes de l'Antiquité entre la Mésopotamie et l'Egypte passaient par Canaan !

C'est donc l'annonce de la paix au proche Orient !

Les prophéties suivantes le confirment :

"En ce jour-là, Israël uni, lui troisième, à l'Egypte et à l'Assyrie, sera un sujet de bénédictions dans l'étendue de ces pays. Car, Elohim lui aura conféré sa bénédiction en ces termes : — "Bénis soient : mon peuple d'Egypte, l'Assyrie œuvre de mes mains, et Israël mon héritage !" (Isaïe 19, 24-25).

Toutefois, Israël devra être prudent en présence de certaines démarches spectaculaires. La bonne foi, la sincérité d'Anouar El Sadate, le Raïs égyptien actuel (1), ne sont nullement en cause. Mais nous ignorons ce que pourrait être l'attitude de ses successeurs éventuels. Le prophète n'a-t-il pas dit :

_____

(1) "Raïs", mot arabe analogue au "Duce" italien et au mot allemand "fuhrer". C'est le titre de chef de l'Etat égyptien que s'est donné Nasser et qu'Anouar El Sadate, qui lui a succédé, a repris.

— "Ah oui ! Tu espères prendre pour soutien ce roseau brisé, l'Egypte qui, lorsque quelqu'un s'y appuie, pénètre dans la main et la transperce !" (Isaïe 36, 6).

Sur quelles bases se fera la paix entre Israël et les Etats Arabes ?

Nous avons vu ce que disent les prophéties de Jérémie, d'Isaïe et d'Ezéchiel sur les frontières du nouvel état d'Israël. Elles sont unanimes à préciser qu'elles doivent aller de la Méditerranée au Jourdain, et du torrent d'Egypte à Hamat.

Ce sont, à peu de choses près, les frontières actuelles de l'Etat Hébreu après la guerre de 1967, moins le Sinaï égyptien et les hauteurs du Golan syrien, occupés par l'armée israélienne actuellement.

A en juger par les déclarations des dirigeants hébreux : Israël serait tout à fait disposé à rendre à l'Egypte le Sinaï, et, à la Syrie, les hauteurs du Golan, en échange d'un traité de paix reconnaissant son existence et normalisant ses relations avec ses voisins.

Les Etats Arabes, à l'instigation de l'OLP (1), exigent, en plus, l'évacuation par les Israéliens, de la Judée et de la Samarie, appelées aussi "Cisjordanie", conquises par l'armée israélienne en 1967.

Là, d'après eux, serait créé un nouvel état arabe, qui serait appelé "Palestine" (2) et serait attribué à l'OLP.

Pour comprendre le refus des Israéliens de souscrire à cette exigence, il suffit de regarder une carte et de relire la Charte de l'OLP.

---

(1) "Organisation de la Libération de la Palestine".
(2) Le mot "Palestine" n'existe pas dans la Bible. Le territoire compris entre la Méditerranée et le Jourdain s'est appelé dans l'Antiquité Canaan, ou "la terre promise", puis, à la mort de Salomon, il y eut deux royaumes : au Nord, Israël; au Sud, Juda. Ce terme de "Palestine" vient probablement de l'Hébreu "Flistin", qui désignait les Philistins, peuple venu de Crète, par la mer, et qui s'implanta sur le littoral Sud de Canaan, à peu près à la hauteur de la poche de Gaza.

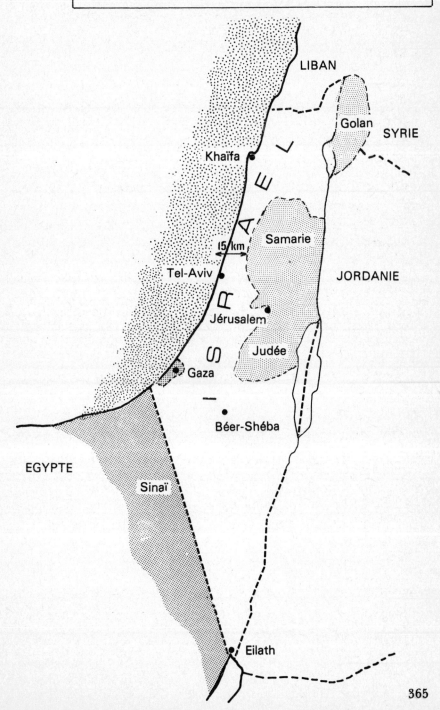

Ce que serait l'Etat d'Israël s'il était amputé de la Cisjordanie (en grisé). Ce ne serait plus qu'un étroit boyau entre la Méditerranée et le nouvel état arabe. Il n'aurait que 15 à 20 km de large sur presque toute sa longueur.

Commençons par la Charte de l'OLP.

L'article 19 de ce document déclare la formation de l'Etat d'Israël nulle et non advenue. Pour cette organisation Israël n'existe pas. Les Hébreux doivent non seulement évacuer la Cisjordanie mais tout le reste du territoire aussi, et se rembarquer sur les plages.

Pour quelle destination ? L'OLP ne le dit pas. S'il n'avait tenu qu'aux Arabes d'ailleurs le génocide des trois millions d'Israéliens était bel et bien envisagé en 1967.

L'OLP est, comme tout mouvement politique, partagé entre diverses tendances. Même les dirigeants les plus modérés n'ont jamais renié cet article 19.

On voit donc bien que l'attribution de la Cisjordanie à l'OLP et son érection en état souverain ne serait que le premier pas vers l'anéantissement total d'Israël.

L'URSS qui soutient, finance, arme et instruit l'OLP aurait, avec la création de ce nouvel état arabe, un magnifique tremplin pour contrôler tout le proche Orient et tiendrait à sa merci tout le pétrole arabe.

Est-ce cela que souhaite l'Europe ?

Quant à la destruction totale d'Israël, ce résultat serait d'autant plus facilement atteint qu'un état palestinien - s'il était créé -, tiendrait à sa merci tous les centres vitaux de l'Etat Hébreu.

La capitale, Jérusalem, serait sur la frontière. Même pas à portée de canon, mais à portée d'arbalète. Tel-Aviv, la ville la plus peuplée en serait à une vingtaine de kilomètres, Béer-Shéva à quinze et Khaïffa à trente.

Regardez plutôt la carte :

A moins d'avoir des prédispositions suicidaires certaines, on voit mal les Israéliens se rallier de gaieté de cœur à ce désir.

La question qui se pose est de savoir s'ils pourront maintenir cette position, qui, seule, assure leur survie.

S'agissant de tout autre peuple, la question serait certainement négative.

Les Arabes disposent, en effet, pour arriver à leur fin, de l'arme du pétrole, et de l'appui de l'URSS pour faire triompher leur thèse. L'Europe décadente n'est plus en état d'opposer au chantage arabe sur le pétrole la moindre résistance, et elle s'est rangée aux côtés des Arabes.

Le Vatican, qui sent l'Eglise catholique en perte de vitesse certaine devant l'Islam, a pris parti contre Israël, dans l'espoir de sauver quelques positions déjà bien chancelantes, en Afrique et au Moyen Orient.

Les Etats Africains, passés pour la plupart du fétichisme ancestral au culte de Mahomet, ont déjà rompu les relations diplomatiques avec Israël.

Les Etats-Unis d'Amérique hésitent à heurter de front les états arabes, et ces derniers attendent du puissant Oncle Sam qu'il fasse pression sur Israël pour l'obliger à s'incliner.

Mais tout cela n'est que le côté apparent des choses !

En réalité, Israël le voudrait-il qu'il ne pourrait pas abandonner "la Judée - Samarie" à l'OLP, même pour faire plaisir au reste du monde.

Le raisonnement par analogie n'a pas de prise ici. Sans doute les Français ont-ils évacué leurs positions d'Afrique du Nord, sans doute l'Algérie "qui était la France" a-t-elle été abandonnée, sans doute les Belges sont-ils partis de leur Congo et les Américains du Vietnam !

Mais les Israéliens ne peuvent abandonner la frontière du Jourdain sans renoncer à Israël. Et ils ne peuvent renoncer à Israël pour mille raisons, toutes meilleures les unes que les autres, mais dont la plus simple est qu'ils n'ont nulle part, eux, "où aller ailleurs". Et ils sont trois millions !

L'égoïsme des nations peut très bien les sacrifier sur l'autel de l'entente entre l'Occident et les Arabes.

Mais, eux, ne l'entendent pas de cette oreille !

Et leur propre opinion aura plus de poids, sur les événements qui les concernent, que n'en a celle de tel ou tel pays à mille lieux du champ de bataille, et, qui, soucieux de conserver ses week-end motorisés, prend facilement son parti des malheurs qui peuvent arriver à ces Juifs redevenus si encombrants.

Croit-on que les USA, dans cette guerre feutrée que mène contre eux l'URSS, depuis 1947, aient intérêt à laisser disparaître Israël ?

Sans doute, comme les autres Occidentaux, ont-ils le souci d'entretenir avec les pétroliers arabes les meilleures relations possibles.

Mais Israël, à la charnière de l'Afrique et de l'Asie, est redevenu, dans les temps modernes, la position stratégique essentielle que constituait déjà Canaan, il y a quatre mille ans, entre les deux seuls empires d'alors, l'Egypte et la Mésopotamie.

Aux yeux des Américains, l'URSS a déjà marqué suffisamment de points en Afrique : l'Algérie, la Lybie, l'Ethiopie, le Mali, la Guinée, le Ghana, le Nigéria, l'Angola, la Tanzanie. Et, au Moyen Orient, avec la Syrie et l'Irak, et récemment encore avec l'Iran et l'Afghanistan.

Ils ne doivent guère tenir à lui offrir, encore, un état palestinien, qui devrait tout à l'URSS, et qui serait la plateforme idéale pour une infiltration russe dans toute cette partie du monde.

Pense-t-on que les Américains se priveraient ainsi d'un point d'appui aussi précieux que l'est Israël et d'un allié dont l'armée, qui a fait ses preuves, est la quatrième du monde, après celle des USA, de l'URSS et de la Chine ?

Car c'est un point que les Occidentaux n'ont pas suffisamment présent à l'esprit : l'armée israélienne surclasse, et de très loin, l'armée française, allemande, anglaise ou italienne.

Et les Etats Arabes le savent bien, en ayant fait eux-mêmes l'expérience, par quatre fois.

A un chantage arabe menaçant de faire la grève des livraisons de pétrole, les Israéliens pourraient fort bien répondre en allant occuper les puits en Arabie Saoudite et en Irak.

Il ne faut pas oublier non plus que les champs pétrolifères sont à la portée de l'aviation israélienne. Et l'Europe devrait avoir cette idée bien présente à l'esprit avant de conseiller à Israël, avec condescendance, ce qu'il doit faire avec l'OLP.

Reste évidemment le risque d'un nouveau Munich - de la part des Américains cette fois -, les USA abandonnant Israël sous la menace d'un ultimatum russe.

Mais Israël n'est pas la Tchécoslovaquie de 1938 qui, abandonnée par la France et l'Angleterre malgré les traités d'assistance, s'inclina devant les fantaisies annexionnistes de Hitler.

Croit-on vraiment qu'Israël se comporterait de la même façon ?

Pense-t-on sérieusement que les savants juifs qui ont permis à l'Occident et aux Russes de découvrir la bombe atomique, auraient oublié d'en doter l'Etat Hébreu ?

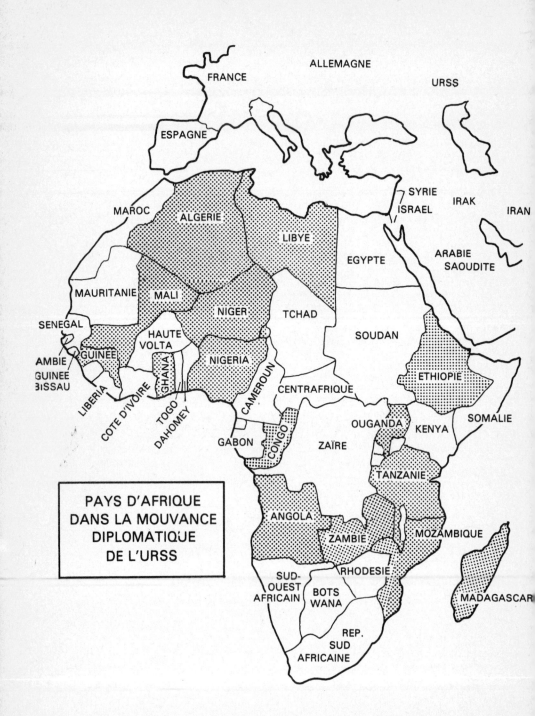

FRANCE
ALLEMAGNE
URSS
ESPAGNE
MAROC
ALGERIE
LIBYE
SYRIE
IRAK
ISRAEL
IRAN
EGYPTE
ARABIE
SAOUDITE
MAURITANIE
MALI
NIGER
TCHAD
SOUDAN
SENEGAL
HAUTE
VOLTA
AMBIE
GUINEE
NIGERIA
ETHIOPIE
GUINEE
BISSAU
GHANA
LIBERIA
CAMEROUN
CENTRAFRIQUE
COTE D'IVOIRE
TOGO
DAHOMEY
OUGANDA
KENYA
SOMALIE
GABON
CONGO
ZAÏRE
TANZANIE
ANGOLA
MOZAMBIQUE
ZAMBIE
SUD-
OUEST
AFRICAIN
BOTS
WANA
RHODESIE
MADAGASCAR
REP.
SUD
AFRICAINE

PAYS D'AFRIQUE
DANS LA MOUVANCE
DIPLOMATIQUE
DE L'URSS

CHAPITRE XXII

L'APOCALYPSE EST-ELLE POUR DEMAIN ?

OU LA CLE DE LA GUERRE DE GOG ET MAGOG

— "Elohim m'a dit : — "Voici que je vais créer de
"nouveaux Cieux et une nouvelle Terre. Si bien qu'on ne
"se rappellera plus ce qui aura précédé. On n'en
gardera pas le moindre souvenir..."
(Isaïe 65, 17)

Que se passera-t-il alors entre la Russie et Israël, en cas de Munich américain ?

Israël ne cèdera pas et ce sera la guerre, nous disent les prophéties. La guerre de Gog et de Magog !

— "Fils de l'homme ! Tourne-toi vers Gog et le pays de Magog. tu lui diras : "Après des années tu marcheras vers le pays dont les habitants ont échappé à l'épée, ont été rassemblés parmi une multitude de peuples, sur les montagnes d'Israël qui furent longtemps un désert. Depuis qu'ils ont été séparés des autres peuples ils vivent en sécurité. Tu monteras, tu avanceras comme une tempête, tu seras comme un nuage qui couvrira le pays, toi et toute ton armée et les peuples nombreux qui sont avec toi... Quand mon peuple d'Israël habitera en sécurité, tu te mettras en route". (Ezéchiel 38, 2-8-9-14).

Le pays qui va être envahi, c'est Israël. Il est nommément cité.

A quelle période de l'histoire s'applique cette prophétie

qui date de 2 500 ans puisqu'Israël a été maintes fois envahi au cours de sa longue existence : par les Assyriens, par les Chaldéens, par les Egyptiens, par les Grecs et par les Romains ?

Cette prophétie vise les temps actuels. Elle parle, en effet, "du pays dont les habitants ont échappé à l'épée", c'est Israël après l'hécatombe de la dernière guerre mondiale et des camps d'extermination; "dont les habitants ont été rassemblés parmi une multitude de peuples", c'est Israël de retour à Sion après la Diaspora.

Cette interprétation est d'ailleurs confirmée par les phrases qui terminent la prophétie : "Depuis qu'ils ont été séparés des autres peuples ils vivent en sécurité", c'est bien le nouvel état hébreu à qui son armée donne enfin la sécurité; "quand mon peuple habitera en sécurité tu te mettras en route", c'est donc bien : après le retour de la "diaspora".

Quel va être cet agresseur qui se mettra en route contre Israël ? Quel est ce pays de Gog et de Magog ?

Ezéchiel nous le précise :

— "Tu quitteras ta résidence à l'extrême Nord, tu monteras contre Israël mon peuple telle la nuée en couvrant la terre." (Ezéchiel 38, 15-16).

Au nord d'Israël, il y a le Liban, puis la Turquie, bien inoffensifs. Puis à l'extrême Nord, c'est la Russie.

Gog et Magog, c'est donc l'URSS ! (1)

"Ceci se passera dans des temps reculés", ajoutait le prophète il y a 2 500 ans, pour bien marquer que la prédiction ne vise pas les peuples conquérants de l'Antiquité.

— "Je te ferai venir contre mon pays afin que les Nations

(1) L'URSS est, en effet, composée d'un conglomérat de peuples nombreux. Le prophète avait bien précisé : — "Toi, et toute ton armée, ET LES PEUPLES NOMBREUX QUI SONT AVEC TOI". Sans doute, à cette armée s'ajoutera-t-il des contingents des "satellites" Allemands de l'Est, Tchécoslovaques, Cubains, etc.

374

apprennent à me connaître quand je me sanctifierai par toi à leurs yeux, ô Gog ! Ainsi parle Elohim". (Ezéchiel 38, 16).

— "N'est-ce pas toi dont j'ai parlé aux jours antiques par la voix de mes serviteurs, les prophètes d'Israël, qui l'ont prédit en ces temps-là, durant des années, que je t'amènerai contre eux ?" (Ezéchiel 38, 17).

Le prophète a fait un bond dans le temps et nous a rejoints. Il parle de sa prophétie, prononcée "aux jours antiques", comme s'il était aujourd'hui à nos côtés.

Il faut donc s'attendre, dans les prochaines années, à une attaque d'Israël par la Russie. Elle l'en a menacé déjà à trois reprises : en 1956, en 1967 et en 1973 (1).

Il est remarquable que cette prédiction d'Ezéchiel est confirmée par tous les autres prophètes :

— "Lamentez-vous, vous tous ! C'est que mon pays a été envahi par un peuple puissant et sans nombre, dont les dents sont des dents de lion et les crocs des crocs de lionne. Les champs sont dévastés, la terre est éplorée, toute joie est éteinte parmi les fils de l'homme. Un feu a dévoré les pâturages du désert, une flamme a consumé les arbres des champs". (Joël, 1, 6-19).

"Aujourd'hui arrive du Nord leur épreuve.
"C'est l'instant de leur confusion.
"Et moi dans Jéhova je mets mon attente,
"Et mon espoir dans l'Eloha qui me sauvera.
"Il m'entendra mon Eloha". (Michée, 7, 4-7).

Regardons bien la carte ! L'épreuve n'est pas celle qui est déjà venue de Babylone, ni d'Assur, situés à l'Est d'Israël, ni de l'Egypte située au Sud, ni de la Grèce ou de Rome placées à l'Ouest d'Israël. Non ! Elle viendra du Nord !

(1) Les temps n'étaient pas encore venus, car l'addition des chiffres de ces dates ne donne jamais 22, le chiffre 22 correspond à la dernière lettre de l'alphabet hébreu, tav, dont tous les "kabbalistes" savent qu'il est le signe de la fin. 1956 donne 21, 1967 donne 23, 1973 donne 20 : 20, 21, 23, c'est ce que les artilleurs pourraient appeler "l'encadrement de la cible".

On aura aussi noté que, pour une fois, la Bible a employé le mot Elohim au singulier. Elle a dit "Eloha", le Céleste, le Supraterrestre (1).

Dans cette épreuve qui l'attend avec la Russie, Israël sera seul ! Abandonné de tous !

— "Et les Nations seront jugées selon l'attitude qu'elles auront adoptée vis-à-vis d'Israël à cette heure critique." (Joël 4, 1-21).

— "En ce jour-là je ferai de Jérusalem une pierre à soulever pour tous les peuples. Tous ceux qui voudront la soulever se blesseront grièvement. Et toutes les Nations de la Terre se rassembleront contre elle."
(Zacharie 12, 3).

Mais les prophéties annoncent, toutes, que les Elohim viendront alors au secours d'Israël.

— "En ce jour-là j'entreprendrai de détruire toutes les Nations qui viendront contre Jérusalem".
(Zacharie 12, 9).

— "Quand toutes les Nations s'assembleront contre Jérusalem, alors Elohim entrera en campagne. Ses pieds se poseront sur la montagne des oliviers... Et le mont des oliviers se fendra par le milieu.. Au temps du soir il fera clair". (Zacharie 14, 4-6).

— "Elohim s'avance pour faire justice. Il est debout pour juger les peuples". (2) (Isaïe 3, 13).

— "Sois sans crainte, Sion !
"Ne laisse pas défaillir tes mains !

---

(1) En hébreu :
"Vaani be-Iova atsapé" (Et moi, dans Jéhova, je mets mon attente)
"Okhila lélohéï ishéï" (Mon espoir dans l'Eloha qui me sauvera)
"Ishémaéni Elohaï" (Il m'entendra mon Eloha).

(2) La Bible catholique, op. déjà cité, dit : "Il est debout pour juger "son" peuple. C'est une erreur de traduction ! Il ne vient pas pour juger Israël, mais les autres Nations. Le mot hébreu est "amyim", pluriel de "am", "peuple". "Amyim" c'est "les peuples". Si c'était "son peuple", c'eut été "amo".

"Ton Elohim est au milieu de toi,
"Guerrier Vainqueur !" (Sophonie 3, 16-17).

— "Eloha (le Céleste, le Supraterrestre, au singulier, une fois encore) vient de Téman. Sa majesté voile les cieux, des rayons jaillissent de ses mains. Il se dresse et fait trembler la terre. Les monts éternels se disloquent, les collines antiques s'effondrent... De torrents tu crevasses le sol... Le soleil et la lune s'arrêtent dans leur orbite... tu marches au secours de ton peuple... Puis-je rester calme devant ce jour de malheur qui va se lever sur un peuple pour le décimer". (Habaquq 3, 3-16).

— "Je mettrai sens dessus-dessous les trônes des royaumes. Je détruirai la puissance des empires des nations. Je renverserai les chars de guerre et les équipages, les chevaux et leurs cavaliers, frappés les uns par le glaive des autres". (Aggée 2, 22).

— "Et je ferai apparaître des prodiges au ciel et sur la terre : du sang, du feu et des colonnes de fumée. Le soleil se changera en ténèbres et la lune en sang..." (Joël 3, 3-4).

— "Les violents exercent leurs violences... Epouvante, fosse et pièges vous menacent, habitants de la terre... Les écluses s'ouvrent dans les hauteurs célestes et les fondements de la terre sont ébranlés. La terre éclate en se brisant. La terre tombe en pièces. La terre vacille étrangement... Et la lune sera couverte de honte et le soleil de confusion". (Isaïe 24, 16-20).

— "Il arrivera, en ce jour, le jour où Gog pénètrera sur le sol d'Israël, dit le Seigneur Elohim, que ma colère me montera à la tête. Ce jour-là, il y aura une commotion violente sur le sol d'Israël. Sous mes coups trembleront les poissons de la mer, et les oiseaux du ciel, et tous les animaux des champs, et tous les êtres qui rampent sur le sol, et tous les hommes qui vivent à la surface de la terre. Les montagnes seront renversées, les côteaux étagés s'affaisseront et toute muraille tombera à terre. Contre Gog, je ferai appel sur toutes mes montagnes au glaive. Je ferai justice de lui par la peste et par le sang. Je lancerai des pluies torrentielles, des grelons et du soufre, sur lui et sur ses légions". (Ezéchiel 38, 18-22).

C'est vraiment l'Apocalypse !

Comme on le voit par cette description, les Elohim utiliseront contre Gog tous les moyens :

"Une commotion violente sur le sol d'Israël", "des montagnes renversées", "toutes les murailles tombant à terre", "la peste", "le sang", "les pluies torrentielles", "les grelons", "le soufre",
ce sont les termes habituels qu'utilise la Bible pour parler des armes terrifiantes des Elohim.

Et quelle sera l'issue de cette guerre ?

La présence des Elohim aux côtés d'Israël ne laisse aucun doute à ce sujet. L'URSS sera écrasée !

— "ainsi parle le Seigneur Elohim : — "Me voici contre toi, Gog ! Sur les montagnes d'Israël tu tomberas toi et tes légions... Et j'enverrai un feu dans Magog..." (Ezéchiel 39, 1-6).

Cette fois-ci, les armes terrifiantes des Elohim ne sont plus utilisées seulement sur la Montagne d'Israël pour arrêter l'avance des envahisseurs, mais aussi sur la Russie elle-même ! (1)

— "Et alors, ce jour-là, je donnerai à Gog un lieu de sépulture... On y enterrera Gog et toute sa cohue... La Maison d'Israël les ensevelira". (Ezéchiel 39, 11-12).

Le prophète Joël décrit, lui aussi, l'armée des Elohim venant au secours d'Israël :

---

(1) Je suppose qu'avant même que les engins terrifiants des Elohim aient pu toucher le sol de la Russie, ils auront été détectés par ses radars. Les Russes, persuadés qu'une attaque aussi puissante ne peut venir que des USA, lâcheront à leur tour leur arsenal atomique sur l'Amérique, l'Europe, le Japon, la Chine, l'Australie... Tous azimuts ! Les Américains riposteront et tout l'espace aérien du globe sera sillonné par ce carrousel hallucinant et ce sera l'embrasement général !!!...

— "Car il arrive le jour des Elohim ! Il est proche ! C'est un jour de ténèbres et d'obscurité, un jour de nuage et de brume épaisse pareille au crépuscule qui s'étend sur les montagnes. C'est un peuple nombreux et puissant, tel qu'il n'y en eut jamais et qu'il n'y en aura plus jusqu'aux âges les plus reculés. Devant lui, un feu qui dévore ! Derrière lui, une flamme brûlante ! Avant qu'il ne passe, la terre était pareille au Jardin d'Eden. Quand il a passé, c'est un désert désolé. A le voir on dirait des chevaux, avec le fracas des chars roulant sur le sommet des montagnes. — "Et ce fléau, venu du Nord, je l'éloignerai de vous ! Je le refoulerai dans une contrée aride et déserte, son avant-garde vers la Mer Orientale, son arrière-garde vers la Méditerranée..." (Joël 2, 1-20).

"A l'avant un feu qui dévore", "à l'arrière une flamme puissante", laissant après son passage "la terre comme un désert désolé", "on croirait des chevaux et des chars sur le sommet des montagnes", à quoi tout cela fait-il penser ? Un bombardement classique ? Une bombe atomique ? Ou tous autres engins de mort que les Elohim ont pu inventer. Cette vision de Joël rappelle par plus d'un point celle d'Ezéchiel, mais ce dernier est encore plus précis, plus prodigue de détails.

Se trouvant au bord d'un fleuve, le Kébar (1), Ezéchiel a vu ce qu'il a appelé "le char de Yahvé". Il semble bien qu'il se soit trouvé en présence d'un engin spatial des Supraterrestres avec quatre Elohim, à son bord.

Et il décrit ce qu'il a vu comme un être simple et primitif d'il y a 2 500 ans peut évoquer une chose aussi inhabituelle, aussi surnaturelle pour lui.

Imaginons la manière dont un de nos contemporains, encore primitif, et qui n'aurait jamais vu une automobile en marche ou un avion atterrir, s'y prendrait pour nous

_____

(1) Le fleuve "Kébar" du prophète Ezéchiel (Ez. 1, 3), doit être identifié avec le "naru Kabaru" des textes sumériens qui désignait une dérivation de l'Euphrate (d'après André Parrot, "Babylone et l'Ancien Testament", Ed. Delachaux et Niestlé, Neufchatel, 1956).

donner ses impressions sur ce spectacle auquel il assisterait pour la première fois.

Nous comprenons mieux alors les emprunts que fait Ezéchiel aux objets qui lui sont usuels et aux animaux qui lui sont familiers. Cela donne un récit extraordinaire, à la fois naïf et étrange, qui est la preuve certaine de l'authenticité de la vision et de la sincérité du narrateur.

— "Je vis soudain un vent de tempête venant du Nord, un grand nuage et un feu tourbillonnant, avec un rayonnement tout autour et, au centre du feu, quelque chose comme du vermeil. Et au milieu je discernai quelque chose comme quatre animaux qui avaient figure humaine." (Ezéchiel 1, 4-5).

Ce "vent de tempête", "ce grand nuage", ce "feu tourbillonnant", ce "rayonnement", c'est l'engin des Elohim qui vient d'atterrir ! Nous allons avoir maintenant la description des quatre Elohim, avec ce que je crois être leurs scaphandres.

— "Ils avaient chacun quatre faces", (probablement les hublots du scaphandre). "Leurs pieds étaient des pieds droits, la plante de leurs pieds était arrondie et ils étincelaient comme du bronze poli". (Ezéchiel 1, 6-7).

— "Je regardai les animaux (!). Il y avait une roue à terre à côté d'eux. L'aspect des roues et leur structure ressemblaient à la chrysolithe (1) et toutes quatre avaient la même forme. Mais c'était comme si chacune des roues était encastrée dans l'autre. Leur circonférence paraissait de grande taille et pleine d'yeux tout autour." (Ezéchiel 1, 15-18).

Ces "roues de grande taille encastrées l'une dans l'autre", cela laisse penser que l'engin des Elohim a la forme d'un gyroscope...

---

(1) Chrysolithe, du grec "krusos", l'or et "lithos", la pierre. Pierre qui ressemble à de l'or. Le Petit Larousse illustré nous dit que "cette pierre fine est une variété de péridot vert clair". (Le péridot, comme chacun sait, étant un silicate de magnésium et de fer des roches éruptives, formant une pierre fine appelée aussi "olivine").

"Avec plein d'yeux tout autour"..., cela ressemble assez à des hublots éclairés...

— "Et, lorsque les animaux (!) avançaient, les roues avançaient aussi avec eux. Et quand ils s'élevaient de terre, les roues s'élevaient aussi, car l'esprit des animaux était dans les roues". (Ezéchiel 1, 19-21).

C'est une façon comme une autre pour nous dire que l'engin, ou peut-être chacun des engins individuels, était guidé par les Elohim.

Et le prophète achève la description de sa vision par :

— "Alors les chérubins déployèrent leurs ailes, et les roues se mirent en mouvement avec eux, tandis que la gloire du Dieu d'Israël était sur eux. Et la gloire de Yahvé s'éleva pour sortir de la ville et s'arrêta sur la montagne qui se trouve à l'orient de la ville".
(Ezéchiel 11, 22-23).

Le prophète a certainement assisté au décollage de l'engin, qui, après s'être élevé au-dessus de la ville, disparut cap à l'Est.

Evidemment, toutes ces histoires de Supraterrestres et d'engins spatiaux ne sont pas du goût des gens qui se croient "rationalistes". Et, cependant, des savants très sérieux sont persuadés que les fameux "ovni" (1) sont une des manifestations de créatures, plus avancées dans leur technologie que nous ne le sommes nous-mêmes, et qui viendraient d'une lointaine galaxie.

Robert Barry, Directeur du Bureau des Ovni de Pennsylvanie, USA, est même persuadé que l'Etat d'Israël a été protégé, au cours de ses récentes guerres contre les Etats Arabes par des "ovni", envoyés par "Dieu", dit-il, et pilotés "par des anges" (2).

---

(1) Ovni, initiales des mots français : "objet volant non identifié". On disait autrefois "soucoupes volantes". Les Anglais et les Américains disent "Ufo", "Unidentified flying objects", ce qui a le même sens.
(2) Cette information a paru dans le très sérieux "Figaro" du 11 août 1977. Elle a été reprise, en anglais, par le "Jérusalem Post" du 15 août 1977.

Remplacez "Dieu" et "anges" par "Elohim", les "Célestes" de la Bible, les Supraterrestres qui ont conclu, nous dit le Livre Sacré, un pacte d'alliance avec les enfants d'Avram, il y a quatre mille ans, et tout s'éclaire.

Robert Barry affirme que des rapports secrets israéliens et américains établissent que des parachutistes hébreux ont été sauvés, au cours de la guerre de 1967, par des "miracles", alors que la présence d'ovni était signalée au-dessus du champ de bataille.

Il indique, lui aussi, que des milliers de soldats égyptiens se rendirent à une poignée de soldats israéliens après que les Arabes aient eu la "vision" de milliers d'Israéliens accompagnés de centaines de tanks (1).

Dans d'autres cas, un soudain vent tournant, dans le désert du Sinaï, découvrait aux Israéliens les champs de mines égyptiens (1).

A quelle date se produira cette attaque de l'URSS contre Israël ?

Il est impossible de le dire d'une manière absolument précise, on ne peut fixer qu'une fourchette.

Et encore faut-il s'aider de calculs, à base kabbalistique, auxquels nos contemporains rationalistes accordent un crédit plutôt limité.

Le chiffre "22" est le chiffre kabbalistique par excellence. Il a une signification très précise. Nous savons maintenant que l'alphabet hébreu comporte vingt-deux lettres et que la dernière, "tav" est, pour les kabbalistes, synonyme de "la fin", "l'achèvement".

Nous savons aussi que le Temple a été détruit en 598 avant notre ère, marquant ainsi la fin du dernier des deux royaumes hébreux et que l'Etat d'Israël a ressuscité en 1948 marquant ainsi la fin de la "diaspora".

---

(1) Jérusalem Post, déjà cité.

Le total des chiffres qui composent 598 et 1948 donne "22".

Nous avons vu que les Russes ont par trois fois menacé Israël d'intervenir par les armes pour les obliger à un cessez-le-feu avec les Arabes, frustrant par trois fois Israël de sa victoire. Mais qu'en fin de compte la guerre de Gog et Magog n'a pas eu lieu !

Ni en 1956, ni en 1967, ni en 1973 !

Or le total des chiffres de chacune de ces trois dates donne : 21, 23, 20 ! Mais jamais encore "22", ce qui prouve bien que les temps n'étaient pas venus.

Les prochaines années qui formeront le chiffre 22 sont : 1984 et 1993. C'est donc dans cette fourchette que devrait se passer l'agression russe, si l'on tient compte du calendrier du monde occidental.

Mais, peut-être, les Elohim n'en ont-ils que faire et ne connaissent-ils que le calendrier juif ?

Si nous prenons les millésimes du calendrier juif, nous sommes non plus en 1979, mais en 5740, de la "création du monde" disent les Juifs. Il faut, à mon avis, entendre plutôt par là : de la création du Jardin d'Eden, nous l'avons vu.

La prochaine année juive dont le total fera 22 est 5746, ce qui correspondra à l'année grégorienne octobre 1985 à septembre 86.

La fourchette se resserre ainsi de 1984 à 1986 pour cette guerre de **fin d'un monde**.

Car la guerre de Gog et Magog n'entraînera pas la **fin du monde**.

.·.

Qu'arrivera-t-il une fois Gog et Magog écrasés par les Elohim et la Terre livrée à l'Apocalypse ? Les Prophètes nous le disent.

IL Y AURA DES SURVIVANTS !

Les "sages" et les "initiés", poussés par une prémonition ou par un "signe du ciel", s'écarteront des lieux d'Apocalypse avant la catastrophe...

"Des nations nombreuses diront alors :
— "Venez ! Montons à la montagne d'Elohim !
"Au Temple de l'Elohim de Jacob,
"Pour qu'il nous enseigne ses voies,
"Et que nous suivions ses sentiers.
"Car de Sion viendra la Loi,
"Et de Jérusalem la parole d'Elohim".
"Les Nations ne lèveront plus l'épée
"L'une contre l'autre,
"Et l'on ne s'exercera plus à la guerre.
"Mais chacun restera sous sa vigne
"Et sous son figuier, sans personne pour l'inquiéter !"

(Michée 4, 2-4)

C'est la paix perpétuelle !

"Il arrivera, à la fin des temps, que la montagne de la maison du Seigneur sera affermie sur la cîme des montagnes et se dressera au-dessus des collines, et toutes les Nations y afflueront. Et nombre de peuples iront en disant : — "Or ça ! gravissons la montagne de l'Elohim pour gagner la maison du Dieu de Jacob, afin qu'il nous enseigne ses voies et que nous puissions suivre ses sentiers. Car c'est de Sion que sort la doctrine et de Jérusalem la parole du Seigneur". Il sera un arbitre entre les Nations et le précepteur de peuples nombreux. Ceux-ci, alors, de leur glaives, forgeront des socs de charrue, et de leurs lances des faucilles. Un peuple ne tirera plus l'épée contre un autre peuple, et l'on n'apprendra plus l'art des combats." (Isaïe 2, 2-4).

"Le loup habitera avec la brebis et le tigre reposera avec le chevreau. Veau, lionceau et bélier vivront ensemble et un jeune enfant les conduira. Génisse et ourse paîtront côte à côte, ensemble s'ébattront leurs petits. Et le lion, comme le bœuf, se nourrira de paille... Car la terre sera pleine de la connaissance de Dieu." (Isaïe 11, 6-9).

"Le loup et l'agnelet paîtront ensemble, le serpent se nourrira de poussière. On ne fera plus de mal sur toute ma Sainte montagne, dit Elohim". (Isaïe 65, 25).

"Et par toi seront heureuses toutes les races de la terre". (Genèse 12, 3).

.˙.

Ainsi s'achève cette étude de la Bible...

Les conclusions s'en rapprochent, d'une manière étonnante, de celles que laissent apparaître les textes orientaux comme le Ramayana, le Zhouli, le Zhou Jing, le Rig Veda, le Maàbàràtà, et bien d'autres d'origine hindoue, tibéthaine ou bouddhiste.

.˙.

Sans doute, cette notion apocalyptique est-elle une constance de l'inquiétude humaine sous toutes les latitudes. Mais les dates de sa venue sont parfaitement conciliables.

Jugez plutôt :

Pour les Hindous, la dixième et la dernière réincarnation de Vishnou - le dixième "avatara" -, est Kalkin, "le sauveur à venir", "le Messie à tête de cheval" (à rapprocher des Quatre Chevaux de l'Apocalypse).

L'Hindouisme repose sur la théorie des "kalpas", ou "ères cosmiques". Chacun des "kalpas" est conçu comme embrassant la durée d'un monde, depuis la "création" jusqu'à la "dissolution". Il équivaut à une journée de la vie de Brahman... Puis tout recommence !

Chaque "grand âge" contient quatre "âges" ou "yugas" :
— l'âge parfait,

— le troisième âge,

— le second âge,

— et, enfin, l'âge mauvais ou "kaliuga", c'est celui où nous sommes. Il se caractérise par des guerres, des fléaux, des vices, des morts précoces, de la violence...

D'après Louis Renou (1), nous sommes entrés dans le dernier âge ou "âge mauvais", depuis une date qui correspond à 3102 avant Jésus-Christ.

Si l'on tient compte de ce que chaque âge, chaque "yuga" dure cinq millénaires environ, nous serions assez proches de la fin...

Puis tout recommencera !

3102 avant Jésus-Christ, la civilisation sumérienne, fille du Jardin d'Eden des Elohim, remontait lentement des bords du Golfe Persique vers le Nord, le long de la vallée de l'Euphrate, vers Kharan, la ville natale d'Avram, l'Araméen !

.·.

Et c'est ainsi que tout avait commencé...

Et que tout va, de nouveau, recommencer...

Car, les Elohim vont encore donner une chance à l'humanité. Il faut souhaiter qu'elle la saisira et qu'elle fera preuve, cette fois, de plus de sagesse !

Le Prophète n'a-t-il pas annoncé :

..."Elohim m'a dit : — "Voici que je vais créer de nouveaux Cieux et une nouvelle terre. Si bien qu'on ne se rappellera plus ce qui aura précédé. On n'en gardera pas le moindre souvenir". (Isaïe 75, 17).

Et Pierre n'a-t-il pas repris :

..."Mais selon sa promesse, nous attendons de nouveaux Cieux et une nouvelle terre, dans lesquels la Justice doit habiter." (II Pierre 3, 13).

---

(1) Louis Renou, Membre de l'Institut, Professeur à la Sorbonne, "l'Hindouisme", Presses Universitaires de France, 1951.

Tableau de concordance des dates
pour les événements cités dans ce livre

date indéterminée	Arrivée sur terre des Elohim. L'hominien vit en groupes à l'état demi-sauvage dans un monde hostile, plein de ténèbres et d'humidité. Les Elohim se livrent aux grands travaux énumérés dans la Genèse pour rendre la terre plus habitable.
3760 av. J.-C. (?)	Création par les Elohim du Jardin d'Eden entre le Tigre et l'Euphrate pour y éduquer le premier couple sélectionné. (Cette date n'est pas choisie arbitrairement : pour les Juifs nous serions actuellement en l'an 5740 de "la création du monde". Convertie en millésime de notre ère cela donne 5640-1979 = 3761 av. J.-C. Pas plus au moment de la création du monde qu'à celui de l'arrivée sur terre des Elohim, l'hominien ne savait compter. Il n'avait alors pas la moindre notion du temps. Cette date de 3761 correspond donc à un moment où l'homme a commencé à prendre conscience de ces phénomènes. Choisir pour cela la Création du Jardin ne paraît pas a priori trop arbitraire.

3 700 à 3 500 av.	Début de la civilisation Sumérienne, fille du Jardin d'Eden. Cités-Etats de Our, Kish, Lagash, Ourouk... La civilisation de Sumer remonte la vallée de l'Euphrate vers le Nord, depuis le Golfe Persique jusqu'à Kharan. Puis redescend vers le Nil le long du littoral de la Méditerranée orientale.
3 000 av. J.-C.	Début de la civilisation égyptienne. Invention de l'écriture par les Sumériens dont la civilisation atteint alors son apogée.
2 000 av. J.-C.	Les navigateurs de Mésopotamie apportent la civilisation à l'Inde et à la Chine par le Golfe Persique et l'Océan Indien.
1 950 av. J.-C.	D'Egypte la civilisation déborde sur la Crète toute proche, c'est le début de la civilisation Minoenne.
1 900 av. J.-C.	Les Elamites, tribu sauvage venue d'Asie Centrale, s'emparent d'Our en Sumer.
1 850 av. J.-C.	Pour préserver la civilisation sumérienne et faire barrage à toute remontée vers le Nord des Elamites, les Tribus Hébreues d'Amorites, qui nomadisaient autour de Babylone, s'emparent de la ville, puis repoussent les Elamites et s'établissent à Our en Sumer.
1 730 av. J.-C.	Amourabi l'Amorite règne sur Our et Babylone. Il ne peut s'accommoder de l'occupation de Canaan par les Egyptiens, car, lui aussi, a besoin des cèdres du Liban pour ses maisons, ses palais, sa flotte. Les Elohim envoient Avram l'Hébreu en mission de conciliation auprès d'Amourabi à Our, en Sumer, et auprès de Pharaon, en Egypte. Echec d'Avram auprès de Pharaon. Il se fixe en Canaan.
1 720 av. J.-C.	Les Hébreux s'emparent de l'Egypte et y installent une dynastie Hyksos.
1 600 av. J.-C.	La civilisation passe de Crète en Grèce. C'est la civilisation dite Mycénienne.

	Les tribus sauvages kassites renversent les Amorites et s'emparent de Babylone.
1 580 av. J.-C.	Les Egyptiens chassent les Hyksos. Ceux des Hébreux qui n'ont pu s'enfuir sont réduits en esclavage.
1 230 av. J.-C.	Les Elohim envoient Moïse pour faire sortir les Hébreux d'Egypte. Conquête de la Jordanie par les Hébreux, menés par Moïse.
1 220 av. J.-C.	Conquête de Canaan par les Hébreux, menés par Josué.
1 050 av. J.-C.	Les Philistins, venus de la mer, écrasent les Hébreux à Aphèq et s'emparent de l'Arche d'Alliance. Pour éviter un effondrement, les Elohim envoient les Araméens (la tribu d'Avram) reprendre Babylone, à l'Est.
1 030 av. J.-C.	Les Hébreux se ressaisissent. Saül est proclamé roi.
1 010 av. J.-C.	Le Roi David règne sur les Hébreux à l'apogée de leur gloire.
1 000 av. J.-C.	Les navigateurs, Phéniciens et Crétois, apportent la civilisation aux Amériques (du Sud, d'abord, de là, elle remontera à l'Amérique du Nord). Avec la civilisation, comme toujours, les navigateurs par leurs récits épiques évoquent les hommes "volants", les "voyageurs de l'espace", les Elohim qui ont créé le Jardin d'Eden et ont apporté à l'homme des premiers âges leur propre civilisation. C'est ce qui explique que l'on retrouve chez tous les peuples les mêmes récits sur les premiers temps de l'humanité. Mais les Elohim n'ont pas atterri aux quatre coins de la Terre.
970 av. J.-C.	Salomon le Sage, fils de David, monte sur le trône des Hébreux.
931 av. J.-C.	A la mort de Salomon les Hébreux se partagent en deux royaumes rivaux : au Nord, Israël, capitale Samarie, au Sud, Juda, capitale Jérusalem.

Les Elohim, par la bouche de leurs prophètes, multiplient les avertissements aux Israélites comme aux Juifs. En vain !

721 av. J.-C.	L'Assyrie (capitale Ninive) détruit le royaume du Nord et déporte ses habitants. L'histoire va longtemps en perdre la trace : ce sont les Dix Tribus Perdues d'Israël.
612 av. J.-C.	La Chaldée (capitale Babylone), aidée par les Mèdes, s'empare de Ninive et détruit l'Assyrie. Son roi, Nabuchodonosor, exige de Juda le tribut.
600 av. J.-C.	En Grèce, c'est l'épanouissement d'Athènes.
598 av. J.-C.	Les Juifs se révoltent. Nabuchodonosor s'empare de Jérusalem et déporte une partie des Juifs à Babylone.
589 av. J.-C.	Nouvelle révolte des Juifs. Nabuchodonosor rase le Temple et déporte à Babylone ce qui restait de Juifs.
550 av. J.-C.	Naissance en Italie d'une petite bourgade, Rome, par la réunion sur ses collines de quelques villages Latins et Sabins.
549 av. J.-C.	Les Elohim envoient un des leurs pour délivrer les Juifs. Il s'empare d'Ectabane la capitale des Mèdes, se proclame roi des Perses sous le nom de Cyrus II, et marche sur la Chaldée.
539 av. J.-C.	Cyrus s'empare de Babylone.
538 av. J.-C.	Il enjoint aux Juifs de rentrer chez eux à Jérusalem.
537 av. J.-C.	Il ordonne la reconstruction du Temple à ses frais.
529 av. J.-C.	Cyrus, qui règne sur tout le monde civilisé, depuis l'Indus jusqu'à la Méditerranée, disparaît curieusement aux yeux de l'histoire.
495 av. J.-C.	Périclès.
490 av. J.-C.	Victoire des Grecs à Marathon sur les Perses.

480 av. J.-C.	Victoire des Grecs à Salamine.
428 av. J.-C.	Platon.
384 av. J.-C.	Aristote.
336-323 av. J.-C.	Alexandre le Grand devient roi de Macédoine et conduit les Grecs jusqu'à l'Indus.
332 av. J.-C.	La Judée passe sous la domination grecque.
167 av. J.-C.	Les Grecs voulant helléniser les Juifs leur interdisent la pratique de leur culte.
166 av. J.-C.	Les Juifs se révoltent. C'est la guerre des Maccabées.
142 av. J.-C.	Les Grecs, vaincus, accordent à la Judée son indépendance.
63 av. J.-C.	Pompée, le Romain, s'empare de Jérusalem malgré les traités d'alliance entre les Juifs et Rome.
1 de notre ère	Naissance de Jésus-Christ, en réalité Elohim envoyé en l'an 30 pour convertir le monde romain au culte du Dieu-Un.
33 de notre ère	Les Romains crucifient Jésus.
66 ap. J.-C.	Révolte des Juifs contre les Romains.
70	Les Romains s'emparent de Jérusalem, rasent le Temple, interdisent aux Juifs l'accès de leur ville, et les dispersent à travers l'Empire. C'est la "diaspora".
133	Révolte de Bar Kokhba. Il est vaincu et exécuté.
230	Les Dix Tribus Perdues d'Israël qui nomadisaient de la Crimée au Danube, franchissent le fleuve et, sous le nom de Goths, occupent le Sud-Est de l'Empire Romain.
312	La victoire de Constantin le Grand contre l'empereur Maxence, sous les murs de Rome, décide du triomphe du christianisme.
313	Constantin établit, en effet, la liberté du culte catholique par l'Edit de Milan.

379-395	Théodose 1er, dit le Grand impose la religion catholique comme religion d'Etat.
350	L'évêque Ulfila, ou Wulfila (311-383), convertit les Goths à l'arianisme.
375	Partagés en Wisigoths et Ostrogoths ils envahissent l'empire romain et le disloquent.
400	Les Goths atteignent l'Italie, la Gaule, l'Espagne, tandis que la branche saxonne s'installe en Germanie et en Bretagne (l'île).
800	La Semaine sainte devient en Europe prétexte à la persécution des Juifs.
1119	Fondation de l'Ordre des Chevaliers du Temple ou Templiers.
1181	Philippe Auguste fait jeter en prison tous les Juifs du royaume, puis les expulse après avoir confisqué tous leurs biens. Il les rappelle en 1198 pour ranimer l'économie moribonde de ses états.
1215	Le Concile de Latran fait obligation aux Juifs de porter sur leur vêtement un insigne spécial : la rouelle, ancêtre de l'étoile jaune de Hitler et de Vichy.
1306	Philippe le Bel expulse les Juifs du royaume et confisque leurs biens.
1307	Il fait arrêter tous les Templiers.
1314	Le dernier Maître de l'Ordre est brûlé vif.
1450	La plupart des villes de France rappellent les Juifs pour réparer leur économie détruite par la guerre de Cent Ans.
1783	La jeune Amérique reconnaît aux Juifs les mêmes droits et devoirs qu'aux autres habitants.
1789	La France fait de même.
1894	L'affaire Dreyfus. Théodore Herzl fonde alors le Sionisme qui prône le retour des Juifs à Sion.

1914	Première guerre mondiale. Déclaration de Lord Balfour à laquelle sous-crivent tous les Alliés, en 1917, et qui prévoit la création en Palestine d'un foyer Juif.
1933	Hitler prend le pouvoir en Allemagne. Son but : la destruction des Elohim. Et, pour cela, il lui faut d'abord conquérir le monde et anéantir les alliés des Elohim sur cette terre : les Juifs.
1945	Suicide d'Adolf Hitler. Capitulation de l'Allemagne. Explosion des premières bombes atomiques.
1948	L'humanité entre dans l'ère messianique. Création de l'Etat d'Israël. Première guerre entre les Juifs et les Arabes.
1956	2ᵉ guerre judéo-arabe.
1967	3ᵉ guerre judéo-arabe. L'Etat d'Israël va de la Méditerranée au Jourdain, conformément aux prédictions faites il y a 2 500 ans par les Prophètes.
1973	4ᵉ guerre judéo-arabe.
1984	L'Apocalypse...

Tableau de conversion des dates du calendrier hébreu au chrétien.

L'année normale est l'année solaire. La durée de rotation de la terre autour du soleil est de 365 jours 1/4. Pour rattraper ce 1/4 de jour, le calendrier occidental a son année bissextile tous les 4 ans en ajoutant un 29ᵉ jour au mois de février.

L'année hébreue est une année lunaire et le temps de révolution de la lune autour de la terre est de 29 jours et 1/2. Les mois hébreux sont donc alternativement de 29 et de 30 jours et l'année hébreue de 12 mois lunaires, compte par conséquent 354 jours.

Pour harmoniser l'année lunaire avec l'année solaire les Hébreux ajoutent tous les 2 ou 3 ans un 13ᵉ mois à leur année lunaire. L'année de 13 mois s'appelle ; "shana mehoubérèt", ou "année embolismique" (grosse).

Les mois de l'année hébreue sont : Tishri, Kheshvan, Kisslèv, Shevat, Adar, Nissan, Iar, Sivan, Tamoudz, Av, Elloul.

Le premier mois de l'année hébreue, Tishri, est à cheval sur nos mois de septembre et d'octobre. Et le premier jour de l'An Juif se promène selon les années entre la dernière quinzaine de septembre et la 1ʳᵉ d'octobre... En gros, l'on peut dire, que l'année hébreue

5739 va d'octobre 1978 à Septembre 1979,
5740 va d'octobre 1979 à Septembre 1980
5741 va d'octobre 1980 à Septembre 1981
5742 va d'octobre 1981 à Septembre 1982
5743 va d'octobre 1982 à Septembre 1983
5744 va d'octobre 1983 à Septembre 1984
5745 va d'octobre 1984 à Septembre 1985
5746 va d'octobre 1985 à Septembre 1986.

BIBLIOGRAPHIE

Ha Torah, en hébreu, Sinaï Publishing, Tel Aviv 1971.

La Bible, traduite du texte original par les Membres du Rabbinat français, sous la direction de M. Zadoc Kahn, Grand Rabbin, Sinaï Publishing, Tel Aviv 1974.

La Sainte Bible, traduite en français sous la direction de l'Ecole Biblique de Jérusalem, Editions du Cerf, Paris 1955.

Les Saintes Ecritures, édité par Watchtower Bible and Tract Society of New York, 1974.

Le Nouveau Dictionnaire hébreu français, par Marc M. Cohen, édité par Larousse, Paris 1975.

La Bible et l'Orient de André Parrot.

Histoires d'Hérodote.

Les Perses, d'Eschylle.

Les Dialogues, de Platon.

La Guerre des Juifs, de Flavius Josèphe, Editions Lidis, Paris 1968.

La Synarchie de Saint-Yves d'Alveydre, Editions Robert Laffont, Paris, 1976.

Les Prophéties à travers les siècles, de Henry-James Forman.

Hitler dans le combat de réflexion, de Jean Groffier, Editions de Provence Rouyat, Ventabren, 1970.

The Temple of Ezechiel's Prophecy, de Sulley.

Les Templiers sont-ils coupables, de Marcel Lobet.

Le mystère des Templiers, de René Gilles.

Le secret de la Chevalerie, de Victor Emile Michelet.

The origines of Saxons, de Sharon Turner.

L'Etat Juif, de Théodore Herzl.

L'Emile, de Jean-Jacques Rousseau.

Les Assises du 19e siècle, de Houston Stewart Chamberlain.

Essai sur l'inégalité des races humaines, de Gobineau.

Der Untergang des Abendlandes (le déclin de l'Occident) de Oswald Spengler.

Hitler m'a dit, de Rauschning.

SECTES ET SOCIETES SECRETES AUJOURD'HUI / Roger FACON.
O.V.N.I. TERRE-PLANETE SOUS CONTROLE / Guy TA-RADE.
LES DOSSIERS SECRETS DE L'ALCHIMIE / Michel SAINT-AILME.
LES MARCHANDS DE PEUR / Robert STEFINGER.
MESSES ROUGES ET ROMANTISME NOIR / Jean-Paul BOURRE.
L'ENIGME DES LIEUX MAGIQUES ET SACRES / Carl DORSAN.
LA MER DES BATEAUX PERDUS / Jean-Michel PEDRAZ-ZANI.
J'AI RETROUVÉ LA PISTE DES EXTRA-TERRESTRES / Guy TARADE.
ENCYCLOPÉDIE DES SECTES DANS LE MONDE / Christian PLUME - Xavier PASQUINI.

A PARAITRE DANS LA MEME COLLECTION

- Alerte dans le ciel par Charles GARREAU (réédition revue et augmentée).